Openbare Bibliotheek
Diemen
Wilhelminaplantsoen 126
1111 CP Diemen
Telefoon : 020 - 6902353

Net echt

EMMA MCLAUGHLIN
& NICOLA KRAUS

NET ECHT!

*IS EEN ROL IN EEN
REALITYSHOW
ÉCHT WEL ZO LEUK?*

the house of books

Voor Louisa en Eleanor,
geweldig van kind tot volwassene

Oorspronkelijke titel: *The Real Real*
Oorspronkelijke uitgave: HarperTeen, een imprint van HarperCollins
Publishers
Copyright © 2009 Tekst Emma McLaughlin en Nicola Kraus
Copyright voor het Nederlandse taalgebied © 2010 The House of
Books, Vianen/Antwerpen

Vertaling: Anna Curvers
Vormgeving omslag: marliesvisser.nl
Omslagfoto: Federica Rizzo
Auteursfoto: Victoria Will
Binnenwerk: ZetSpiegel, Best

ISBN 978 90 443 2565 2
NUR 285
D/2010/8899/39

www.emmaandnicola.com
www.thehouseofbooks.com

Ik ben niet ik; jij bent niet hij of haar; zij zijn niet zij.

Evelyn Waugh

DEEL 1

Het echte leven

I

'Allemaal in een nette rij tegen de muur aan!' roept mevrouw Gesop tegen de rumoerige leerlingen die in de piepkleine gang tussen de aula en de trap staan. 'Jullie mogen pas naar binnen als jullie in een keurige rij staan!' Het is gewoon onmogelijk om in zo'n kleine ruimte meer dan honderd bovenbouwleerlingen van Hampton High in een rijtje tegen een stuk muur van nog geen drie meter lang te krijgen. En ondertussen komen er steeds meer leerlingen de trap af. We voelen ons net opgejaagd vee. Doe die deur open en laat ons nou gewoon naar binnen, mens.

Het lukt Caitlyn in het gedrang een plekje naast mij te bemachtigen. Ze ziet er bezweet en heel erg warm uit. 'Wat is er aan de hand?' vraagt ze hijgend, terwijl ze een van haar zelfgebleekte plukjes haar uit haar gezicht strijkt. 'Ik was te laat bij bio omdat mijn auto weer eens niet wilde starten. Net nu ik een semester lang de parkeerplaats van school mag gebruiken, gaat dat stomme ding kapot zodra er ook maar een sneeuwvlokje op valt. Maar goed, ik kwam dus aan bij een verlaten lokaal en toen stond er op het bord dat we hierheen moesten. Wat is er? Terroristen?'

'Waarschijnlijk weer iets over de universiteit.' Ik geef een duwtje tegen haar schouder. 'En wees blij dat je tenminste een auto hebt.'

Caitlyn knipt met haar vingers vlak voor mijn gezicht. 'Moet je zien.' Ze klapt haar telefoon open om me het berichtje te laten zien dat ze vlak voor de bel van acht uur had gekregen. 'Volgens Rob kwam Drew Rudell vanochtend met bloeddoorlopen ogen op het hardloopveld aanzetten.'

'Echt? Waarom?'

'Hij is in de kerstvakantie gedumpt. Ze kon blijkbaar niet meer dan één semester een latrelatie aan.'

'Ze heeft hem gedumpt?' Ik moet me aan haar pols vastgrijpen om niet onderuit te gaan in het gedrang. Net opeengepakte koeien in een veewagen. 'In de lente gedroegen ze zich nog als een getrouwd stel. En zo ver is het Sarah Lawrence toch niet? Hooguit een uurtje of drie. Voor hem zou ik dat op mijn skates rijden.' Allebei buigen we ons hoofd en proberen door onze pony te kijken waar Drew staat. Voor de zekerheid doe ik wat lipgloss op.

'Hij staat vlak achter je,' zegt ze. 'En behalve die ogen ziet hij er heel... vrij uit. Misschien dat al je gebeden en die voodoo-geurkaars toch nog iets hebben uitgehaald.'

Ik kijk haar recht in de ogen. 'Zorg dat je alles voor de lunch weet. Heeft zij hem echt gedumpt, heeft ze een ander, en mag ze zijn windjack houden?'

'Doe ik.'

'Goed dan! Aangezien het jullie niet lukt om een keurige rij te vormen, vraag ik of jullie je dan op z'n minst netjes willen gedragen wanneer ik zo meteen de deuren open. Ga rustig de aula in en neem plaats. Maar doe het rustig!'

Eindelijk gaan de deuren open, en alle leerlingen storten zich op de stoelen alsof er een prijs is uitgeloofd voor degenen die het snelst zitten.

Caitlyn en ik gaan snel naar de twee stoelen in het midden aan de linkerkant, gewoon omdat we die toevallig hadden gekozen op onze eerste schooldag. Dus nu zitten we daar altijd, ook deze keer. Achterovergeleund maken we ons klaar voor een doodsaaie speech. In zo'n geval kun je het jezelf maar beter gemakkelijk maken. 'Volgens mij moet ik naar de wc,' fluistert Caitlyn in mijn oor. 'In de auto heb ik een heel grote beker koffie weggewerkt.'

'Caitlyn, we zijn hier voor een biologielesje, niet om aandelen te verkopen. Waar heb je zo'n enorme espresso-shot voor nodig?'

'Goed voor mijn stofwisseling.'

Ik zucht. 'Nog even en ik rammel je door elkaar.'

'Wat nou weer? Ik ben al gestopt met roken en gebruik geen zoetstoffen meer. Gun me ten minste mijn koffiebonen.' Plotseling zwijgt ze. Nico Sargossi, Melanie Dubviek en Trisha Wright komen de zaal binnen, klaar voor hun Kerstcadeau-Show. Waarschijnlijk heeft Nico een nieuwe Maserati gekregen van haar kerstpappie. Melanie en Trisha dragen allebei een nieuw vest van bont, net zo eentje als Victoria Beckham tijdens de People's Choice Awards aanhad.

'Weet je wel hoeveel uur ik zou moeten zwoegen in Bambette om zoiets te kunnen betalen?' fluistert Caitlyn.

'Misschien komt de plaatselijke antibontmaffia ze achterna met verfspuitbussen. Ik bel ze wel even.'

De drie gratiën gaan aan de andere kant van de rij zitten, naast Jase McCaffrey, die er nog steeds moe en bezweet uitziet van de basketbaltraining. Zijn donkere haar plakt tegen zijn voorhoofd. Nico buigt zich over Trisha heen om in de hand van haar vriendje te knijpen. Tenminste, ik denk dat het zijn hand was. Zo goed kun je dat hiervandaan niet zien.

'Denk je dat ze naar dezelfde universiteit gaan?' vraagt Caitlyn. Ze knikt even naar de Hampton High-versie van Brangelina.

'Slechts zes van hun negen aanmeldingen zijn bij dezelfde universiteiten.'

'En hoe weet jij dit allemaal?'

'Is algemeen bekend.' Ik stop een stukje kauwgum in mijn mond.

Met nat haar van de douche komt ook Rick Sachs bij het groepje zitten, op zijn vaste plek naast Jase.

'Wat nou als ze samen naar de universiteit gaan, en er zijn ineens stelletjes die er nog beter uitzien, en wel twee keer zo lang bij elkaar zijn?' vraagt Caitlyn, terwijl Nico en Jase elkaar zoenen achter de rug om van Trisha, die voorovergebogen met Melanie zit te praten.

'Een stelletje dat in de baarmoeder al verloofd was?'

'Dames en heren.' De rector komt het podium op en gaat voor het felblauwe gordijn staan. Zijn orthopedische schoenen piepen op het gelakte hout. 'Dank jullie wel voor jullie komst.' Waarom moet hij ons toch altijd bedanken voor dingen die verplicht zijn? 'We hebben een zeer belangrijke gast...'

'De voorzitter van de New Yorkse vestiging van de club van vogelbespieders!' fluistert Caitlyn enthousiast.

'Niet alleen belangrijk voor mij, maar voor jullie allemaal,' zegt de rector. Met zijn nieuwe snorretje lijkt hij een beetje op Dr. Phil.

Caitlyn haalt haar schouders op. Het had gekund.

'Bovenbouwers van Hampton High op Long Island, graag een daverend applaus voor Fletch Chapman, hoofd programmering van XTV!'

Overal kijken leerlingen elkaar vol ongeloof aan. Toch niet ónze XTV? Dit is vast een of andere obscure XTV die zich wijdt aan xylofonen of X-benen of zoiets.

Gekleed in Diesel-jeans, een zwart overhemd met opgerolde mouwen en Prada-gympen komt een jonge man het podium op. Hij oogt niet veel ouder dan wij. Goed dan, misschien is dit toch ónze XTV, want dit is Fletch. Hij neemt de microfoon over van rector Stevens en zwaait ermee als een presentator in Las Vegas. 'Hé daar.' Hij kijkt ons met een tandpastagrijns aan. 'Jullie vragen je vast af waarom ik jullie uit je wiskunde- of geschiedenislokaal heb gesleurd.' Daar heeft hij groot gelijk in. 'Wie van jullie kijkt er naar *The Hills?*' vraagt hij op zo'n zelfverzekerde manier die het vast goed doet bij de dames.

Bijna iedereen steekt zijn hand op. Ik ook, hoewel ik me een beetje schaam voor het feit dat ik toegeef naar een of andere soapserie over tieners te kijken, alleen maar omdat ik graag in contact wil komen met Fletch. 'Perfect, prima,' zegt hij, terwijl hij lenig heen en weer loopt over het toneel op zijn vette gympen. 'Dan weten jullie precies waar ik het over heb. Het is een goede serie, maar er is een klein probleempje.' Even zwijgt hij, en we vragen ons af over welk probleempje hij het heeft. Veel te opgedofte kapsels? Die enge, jonge knul die de vader moet voorstellen? 'Schríjvers,' zegt Fletch uiteindelijk in de microfoon. 'Dat zijn geen échte tieners met échte problemen. Eigenlijk zijn het een stel oude mannen die met elkaar om de tafel gaan zitten en bespreken wat ze deze keer eens de buis op willen slingeren, en het resultaat moet dan jullie leven voorstellen. Dus bij XTV dachten we dat het beter zou zijn als we een reality-serie konden maken over échte tieners met échte problemen. En wat is er nou beter en beschikt over meer glamour dan de Hamptons?'

Natuurlijk. Glamour, ik met mijn dienblaadje vol thee voor de sneeuwruimers. Of mijn moeder die de badkamerafvoer bij Tyra Banks ontstopt.

Ik kijk naar Caitlyn om te zien of zij het leven in de Hamptons ook een en al glamour vindt, maar ze zit enthousiast op en neer te wippen op haar stoel. Er blinken zelfs tranen in haar bruine ogen.

'Ik kan jullie alleen maar vertellen dat we besloten hebben de show *Het echte Hampton Beach* te noemen. Verder moeten jullie zelf voor de inhoud zorgen. Nog vragen?'

Sylvia Vandalucci steekt haar hand op. 'Wie gaat in de serie spelen?'

'Jullie allemaal.' Iedereen kijkt elkaar aan. Onze medeleerlingen zijn nu ineens onze collega-acteurs geworden. 'Als jullie zelf willen, natuurlijk,' voegt hij er snel aan toe. 'Iedereen die het contract niet wil tekenen, zal een plakkertje krijgen zodat de camera jullie buiten beeld kan houden.'

'Buiten beeld?' fluistert Caitlyn genchrolrlren.

'Als jullie nu in groepjes van zes op het toneel zouden wil len komen...' Op dat moment wordt het blauwe gordijn met kleine rukjes opzij geschoven en zien we zes tafeltjes met daarachter zes jonge medewerkers met XTV-petjes op. 'Neem een voor een plaats en beantwoord een paar vragen. Daarna zullen we jullie allemaal een paar dagen lang met de camera volgen om te kijken op wie we ons willen richten. Zij worden onze hoofdrolspelers.' Bij het horen van dat woord, verdwijnt de grijns op het gezicht van rector Stevens. 'Ik moet nu terug naar de stad,' zegt Fletch, 'maar jullie zullen me nog wel vaker zien. In de tussentijd zal mijn bekwame collega Kara voor jullie zorgen.' Een mooie, iets te mollige donkerharige vrouw die beter niet die Elvis Costello-bril had kunnen opzetten, komt van achter een van de tafeltjes naar voren geslenterd. Ze draagt een wijde, oosterse blouse en een spijkerbroek. Onhandig zwaait ze naar de leerlingen. 'Zij zal hier voor me waken,' gaat Fletch verder. 'Ik ben er nu al weg van! Zo te zien hebben we echt de beste school uitgekozen voor dit project.'

Caitlyn en ik kijken elkaar aan. 'Knipoogde hij nou net naar Nico?' vraagt ze verbaasd.

'Misschien loenst hij gewoon een beetje.'

'Ja, vast.'

'Goed dan, leerlingen!' Stevens klapt in zijn handen. 'Jullie hebben meneer Chapman gehoord. Dit is een geweldige kans voor ons, dus laat hem zien hoe geordend we hier zijn.

De zes leerlingen aan de rechterkant van de voorste rij kunnen naar voren komen en aan de tafeltjes gaan zitten. De anderen doen maar alsof dit een studie-uur is. En denk erom, studie-uurtjes zijn stille uurtjes.' 'Aha,' fluister ik, terwijl ik mijn biologieboek tevoorschijn haal. 'Kijk, nu wordt het saai.'

Maar Caitlyn lijkt het allemaal heel spannend te vinden en haalt enthousiast haar flesje nagellak tevoorschijn om een spoedoperatie te doen. Ze prikt me in mijn zij met haar Maybelline-oogpotlood en wijst naar Courtney Metler, die haar enorme beha uit probeert te trekken met haar shirt nog aan, om haar voorgevel te luchten. En een kwartier later krijg ik nog een por als Courtney zo energiek het podium op springt dat ze zichzelf bijna knock-out slaat met haar enorme tieten. Tenzij XTV met 3D-effecten werkt, maakt ze geen schijn van kans. Caitlyn wijst me ook hardhandig op Gary Sternberg, die probeert met een achterwaartse salto de jury voor zich te winnen, en even later worden we beloond met een Mariah Carey-nummer van Shana Masterson, waar de ramen bijna van barsten.

Langzaam maar zeker glijdt Caitlyn van schaamte van haar stoel, en ze belandt op de grond wanneer Tom Slatford in zijn handen knijpt om een nummer te laten horen met ruftgeluiden. 'Is het te laat om nog een andere school te zoeken?'

Ik trek haar weer overeind. 'Ik vind het wreed en onmenselijk om ons zo lang in spanning te laten zitten als we allemaal weten dat het toch *De Nico Show* gaat worden.'

'Met Melanie als Nico.'

'En Trisha, ook als Nico.'

'Kom op,' zegt ze. Weer zelfverzekerd strijkt ze haar grijze wollen jurkje glad. 'Misschien zijn ze wel op zoek naar twee brunettes met een onderbetaald bijbaantje die van yoghurtijs houden en Chace Crawford net iets te mooi vinden. We maken nog best een kans.'

Ik besluit haar maar niet uit de droom te helpen.

Op dat moment geeft Nico haar vriendje Jase een af-scheidszoen, pakt haar veel te dure spullen bij elkaar en flaneert trots en zwierig naar het podium. Ze lijkt wel een exotisch dier dat zich door de gangen begeeft. Je kunt je ogen niet van haar afhouden, maar je weet maar al te goed dat je beter uit haar buurt kunt blijven. Op de een of andere manier weet ze haar haren altijd te laten glanzen, maar haar gezicht juist weer niet. Bovendien kijkt ze altijd op je neer. Bij haar in de buurt krijg je kopzorgen omdat ze je trui misschien niet mooi vindt, of omdat je de Spaanse woordjes verkeerd uit-spreekt, of omdat je kapsel hopeloos uit de tijd is. Ze gooit haar blonde haren over haar schouder en ploft op een stoel neer alsof ze een nummer uit *Chicago* gaat zingen. Als het iemand anders was, had ik gelachen. Maar bij Nico Sargossi hoop je dat ze echt een nummer uit *Chicago* gaat zingen.

Mevrouw Gesop gebaart dat wij aan de beurt zijn, dus draaf ik trouw achter Caitlyn aan naar het podium. Mijn beha zit nog op zijn plek en mijn handen zitten veilig in mijn zakken. Eenmaal op het toneel laat ik mijn tas naast mijn voeten vallen en neem plaats tegenover Kara, die haar petje al heeft afgezet. In plaats daarvan heeft ze haar lange bruine haren met een potlood opgestoken.

'Naam?'

'Jessica O'Rourke, maar iedereen noemt me Jesse. Zonder "i".'

'Achttien?'

'Sinds 3 november.'

'Sofinummer?'

Ik dreun het nummer op, en gluur ondertussen Caitlyns kant op, om te kijken of zij haar identiteit ook zo prijsgeeft.

Kara leunt achterover, waardoor er wat ruimte ontstaat tussen de tafel en haar behoorlijk grote voorgevel, die nog een beetje wordt ingedamd door haar sportbeha. 'Goed dan,

Jesse zonder "i", vertel me eens iets over jezelf, je familie, je hobby's. Wie zijn je beste vrienden?'

'Eh, Caitlyn Duggan. Ze zit daar.' Ik wijs naar Caitlyn, die een paar tafels verderop zit.

'Hoe lang zijn jullie al vriendinnen?'

'Toen we klein waren, woonden we tegenover elkaar. Onze moeders werkten parttime, dus was er altijd wel iemand die op ons kon passen.'

'Dus je moeder heeft een baan. Iets met een beetje...'

'Glamour? Nee.'

'Oké. En school?' Ze haalt haar wipneus op en kauwt op de achterkant van haar pen. Ondertussen vraag ik me af of Caitlyn over haar roestige autootje vertelt alsof het een dure sportauto is.

'Ik, eh, vind school best. Ik bedoel, er komt toch ooit een einde aan. Vier jaar geleden vond ik het een stuk leuker.'

'Aan wie heb je een hekel?'

'Multinationals?'

'Op school.' Bijna glimlacht ze.

'O.' Even denk ik na, maar ik word zenuwachtig van het getik van haar afgekloven pen. 'Aan niemand, eigenlijk. Ik bedoel, nou ja, omdat we al sinds het eerste jaar op elkaars lip zitten, erger ik me wel eens aan mensen. Maar of ik echt ruzie heb met iemand? Nee, daar heb ik geen tijd voor.'

'Hoe bedoel je, geen tijd?' Ze maakt een aantekening, waardoor ik de laatste restjes bruine nagellak op haar nagels kan zien.

'Na school werk ik bij Prickly Pear, en in het weekend help ik mijn moeder. Verder probeer ik goede cijfers te halen zodat ik de eerste van de familie ben die naar de universiteit gaat. Daarom heb ik echt geen tijd voor allerlei gedoe.'

'En voor afspraakjes?'

'Dat wel,' zeg ik snel. 'Ik bedoel, niet op dit moment. Maar vorig jaar. Met Dan. Maar we zijn nu uit elkaar.'

'Wie is Dan?' vraagt ze. Over haar brilletje kijkt ze naar de massa leerlingen in de aula. Haar groene ogen fonkelen. Ik wijs naar de rij waar Dan met zijn lacrossevriendjes zit te wachten. Precies op dat moment snuit hij zijn neus. Waarschijnlijk weer een voorhoofdsholteontsteking. Die arme Dan. 'O. Oké.' Ze maakt nog wat aantekeningen op haar papier. Opnieuw probeer ik de aandacht van Caitlyn te trekken, maar ze is te druk bezig met haar eigen gesprek. Enthousiast wappert ze met haar lange haren, die ze nu weer los heeft hangen.

Plotseling hoor ik iemand op mijn tafel tikken. Ik kijk op en zie dat Fletch Chapman bij ons is komen staan. Hij ruikt naar sterke aftershave. 'Ik moet ervandoor,' zegt hij tegen Kara terwijl hij zijn BlackBerry aandachtig bestudeert. 'Jullie hebben alles onder controle?'

'Ik denk het wel,' antwoordt Kara nerveus.

'Niet denken, maar weten. Als je tenminste nog een kantoortje op de negentiende verdieping wilt. En als je wilt dat we je programma doen. Alles hangt hier van af.' Zachtjes knijpt hij in haar schouder en dan doet hij alsof hij naar me schiet met zijn vingers. Daarna springt hij het podium af.

'Maak je geen zorgen, Fletch!' roept Kara hem na. 'Alles onder controle!' Even later draait ze zich weer naar mij.

'Goh, hij lijkt me erg fanatiek.' Ik glimlach naar haar.

'Wat? O. Nou ja, hij moet zich bewijzen.' Haar mond valt open. 'Zei ik dat? Ik bedoel natuurlijk dat hij erg talentvol is. Was al klaar met zijn studie op zijn achttiende, had op zijn twintigste een titel in bedrijfskunde en op zijn vierentwintigste was hij hier de baas. Al zijn energie steekt hij in dit project, dus... Ik mag van geluk spreken dat ik met iemand als Fletch mag samenwerken. Je profiel ziet er goed uit.'

'Dank je.' Ik kijk even naar het papier waarop ze aantekeningen heeft gemaakt.

'Nee, ik bedoel je neus. Van de zijkant. Erg telegeniek.'

'Ja, vast,' zeg ik, terwijl ik dit nieuwe aspect van mezelf tot me door laat dringen. Ze lacht en ziet eruit alsof ze niet had verwacht dat er vandaag nog iets leuks te beleven zou zijn. Een eindje verderop zie ik Nico opstaan van haar tafel, met de pen van haar gesprekspartner nog in haar hand. Elegant laat ze hem door haar vingers glijden. 'Sorry, zijn we nu klaar?' vraag ik. Zo langzamerhand heb ik genoeg van al dat gepraat over mezelf, zeker omdat een paar meter verderop iemand als Nico zit en ik geen schijn van kans maak.

'Dankjewel. Hier, neem maar een petje mee voor de moeite.'

Ik neem het mee en zie al voor me hoe we, in plaats van de gebruikelijke baretten, deze petjes na de examens in de lucht gooien.

Tot de lunch horen we niets meer over deze bizarre ochtend, maar dan beginnen de geruchten de ronde te doen in de kantine, waar pasta op het menu staat. 'Ik heb gehoord dat een zeker iemand een olympisch zwembad aan de school heeft geschonken,' vertelt Caitlyn. Ze draait zich terug naar de tafel. Daarnet heeft ze uitgebreid zitten roddelen met Jennifer Lanford, die aan de tafel naast de onze zit.

Ik draai de dop van mijn flesje vruchtensap. 'Misschien dat die iemand ook een X van mozaïek op de bodem gaat aanleggen?'

'Of de diploma's wil uitreiken op zijn Prada-gympjes.'

2

Ik stamp de sneeuw van mijn laarzen voor de keukendeur van Cooper's, het enige restaurant op het eiland met twee Michelinsterren. Nog even zwaai ik naar Caitlyn, die haar auto van het parkeerterrein af rijdt, dat ondanks de sneeuwruimers nog deels bedekt is met sneeuw. Ze wriemelt met haar vingers uit het raampje met de barst erin, en beweegt op en neer op de maat van de muziek die uit haar oude Toyota Camry schalt.

Snel open ik de deur en vlucht naar binnen, de sneeuwstorm uit en de warmte in. Het ruikt er naar knoflook.

'Jesse!' Lester moet hard roepen om boven de muziek uit te komen. Hij is bezig met een heleboel pannetjes op het fornuis en knikt opgewekt naar een stelletje souschefs die de borden klaarmaken. 'Je vader is voorin bezig.'

'Hoi Lester,' zeg ik, terwijl ik toekijk hoe hij met een servetje een paar spetters van een bord veegt. 'Hoi jongens.' Ik zwaai naar de rest van de crew en trek dan de rits van mijn jas los. 'Het is hier druk voor een maandag.' Ik laat mijn boekentas op een stel kratten vallen en duik snel weg als iemand een dienblad vol borden over mijn hoofd heen tilt.

'Sorry!' roep ik naar Angela, die door de klapdeurtjes naar het restaurant loopt.

'De nieuwe eigenaar eet hier met de familie van zijn

vrouw,' legt Lester uit, terwijl hij de pepersaus op een lager pitje zet. 'Hoe is het op school?'

'Niet te geloven. XTV wil een programma opnemen in onze school.' Ik trek mijn jas uit en gooi die boven op mijn tas. 'Gaan ze jullie ingewanden laten eten?'

'Ja, net als in *Wie is de chef?*.'

Plotseling word ik van achteren vastgepakt. 'Jessica, wanneer gaan we trouwen?' Manny danst de salsa met me en zijn zweterige hand kruipt steeds lager over mijn spijkerbroek.

'Hahaha.' Ik lach wat onnozel. Ook al ben ik al een tijdje bezig met Spaans, ik weet nog steeds niet hoe je iemand beleefd vertelt dat ze van je af moeten blijven. Gelukkig geeft een keukenhulpje Manny een emmer en kan ik ontsnappen. Ik verstop me bij de koelruimte en wacht op mijn vader.

Maar terwijl ik naar de eend kijk die Lester in stukken snijdt, valt ineens de radio stil. De deuren achter me vliegen open en mijn vader en zijn baas, Cooper, komen binnen, samen met een keurige, maar woedende oude heer. 'Het spijt me verschrikkelijk,' zegt Cooper tegen de bejaarde man. 'Zoals je al zei, dit is míjn restaurant en ik ben verantwoordelijk voor het ontbreken van de kreeft. Mike?' Kwaad kijkt hij naar mijn vader. Het liefst zou ik nu de koelruimte in willen glippen, maar zolang ik me koest hou, platgedrukt tegen het roestvrij staal, zullen ze me hier vast niet zien staan.

Mijn vader knoopt zijn jasje dicht en wendt zich tot het personeel. 'Lester?' zegt hij opgewekt.

'Ja Mike?' Lester haalt zijn bandana uit zijn broekzak en wist het zweet van zijn voorhoofd.

'Denk je dat je Coopers schoonvader, Swifton, even kunt vertellen hoe je precies een foie gras tatin maakt? Mario Batali is al jarenlang stikjaloers op Lesters recept.'

'Natuurlijk, Mike. Komt u maar, meneer.' Het personeel gaat uit de weg zodat de oude man erdoor kan.

Met zijn schoonvader veilig buiten gehoorsafstand geeft Cooper mijn vader de wind van voren. 'Vind je het soms leuk om mij te vernederen, Mike?'

Aan het gezicht van mijn vader te zien vindt hij niets leuker dan dat. Hij heeft me opgemerkt, kijkt me even aan en frunnikt dan aan zijn blauwe das. 'Natuurlijk niet, Cooper.'

'Waarom doe je het dan?'

'De vis kon niet worden geleverd vanwege de sneeuw. Maar Lester heeft voor heerlijke alternatieven gezorgd en een Caesarsalade met verse...'

'Probeer me niet de les te lezen.' Vanwege Coopers altijd gebruinde huid lijkt hij wel een gedroogde pruim. 'Ik wilde hem een Caesarsalade voorzetten die net zo goed was als die we in Parijs hebben gegeten. Punt uit.'

'Het spijt me.'

'In een echt goede Caesarsalade zit kreeft. Maar ik kan niet verwachten dat iemand als jíj dat zou weten,' mompelt Cooper. Snel tovert hij een glimlach op zijn gezicht en begeleidt zijn oude schoonvader terug naar de eetzaal.

Mijn vader blijft verbouwereerd achter. Even staart hij in gedachten verzonken naar de tegelvloer en wendt zich dan tot het personeel, dat als verstard staat te kijken. 'Goed dan, jongens! Cooper heeft z'n stoom weer afgeblazen. Laten we opschieten.' Nu pas komt het personeel weer in beweging, alsof er een knopje is omgezet. Mijn vader wrijft even over de achterkant van zijn nek en komt dan naar me toe. 'Hoi meissie. Hoe was het op school?'

'Echt vreemd. We moesten naar de aula en...'

'Waanzinnige avond.'

'Ja...' Ik besluit mijn mond te houden. Zo te zien is mijn vader er met zijn hoofd niet helemaal bij.

Hij legt een hand op mijn schouder. 'Kom, ik heb lasagne voor jullie gemaakt.'

'Tja, lasagne zonder kreeft, ik weet niet hoor,' grap ik als hij me de plastic tas met eten voor mijn moeder en mij overhandigt.

Eventjes lacht hij en kijkt nerveus door het ronde raampje in de deur waarachter de familie Hadley heerlijk zit te eten van Lesters foie gras.

'Crisis nummer drieduizendtweeënzeventig is opgelost.' Mijn vader zucht diep. Ik trek mijn jas weer aan en hang mijn tas om mijn schouder. 'Hoe staat het met je huiswerk?' vraagt hij terwijl hij de deur voor me openhoudt.

'Halverwege.'

'Schiet dan op.' Hij knuffelt me, waardoor zijn snor over mijn wang kietelt. 'Dan kun jij later tenminste andere mensen de mantel uitvegen...'

'Ja, ja.' Ik steek mijn hand op en ga naar buiten, de sneeuw in.

Glimlachend kijkt hij me aan bij het schijnsel van de buitenlamp. Een paar verdwaalde sneeuwvlokjes waaien tegen zijn gezicht aan, en voor het eerst sinds tijden ziet hij er ontspannen uit. Echt ontspannen, niet die quasi-ontspannen manier waarop hij op zijn werk de vrede moet bewaren tussen Cooper en het personeel. 'Wat zei je nou over de aula?'

'Ze willen opnames maken voor een tv-programma. Van XTV.'

'Dat meen je niet.'

'Jawel!' Ik spring op, weer helemaal opgewonden. 'Ze willen meer glamour. Nee, echt.'

Hij lacht, tot mijn tevredenheid.

'Dacht wel dat je het grappig zou vinden. Tot morgen bij het ontbijt!' Ik hang de plastic tas met ons avondeten aan mijn arm en zoek naar mijn iPod terwijl ik een steegje in schiet.

Ik loop verder met mijn oordopjes stevig in mijn oren gestopt als ik opeens niet verder kan door een berg sneeuw die wel tot mijn navel reikt. Die belemmert me de toegang tot Main Street. Ik gooi er een been overheen, waardoor ik even in spagaat zit, en daarna mijn andere been. Hierdoor val ik bijna met mijn neus in de hoop geruimde sneeuw aan de andere kant van de stoep. Mijn leven is een en al glamour. Voor een beetje warmte druk ik de plastic zak met het avondeten tegen me aan en wandel verder door de donkere straten die worden verlicht door straatlantaarns. Eerst kom ik langs een serie etalages die veel te optimistisch hun strandspullen al hebben uitgestald in een decor van kartonnen stranden en duinen. Hier houdt de stad zo'n beetje op.

Voor een stoplicht dat gevaarlijk heen en weer zwiept in de wind blijf ik staan. Ik zoek op mijn iPod naar een nummer dat me aan verwarmde auto's doet denken.

Plotseling zie ik twee lichtstralen naast de stoep verschijnen. Ik kijk op en zie dat de zwarte Hummer van Jase McCaffrey naast me is komen rijden. De wagen is dof en past perfect bij het plaatje van gouden tanden en patserige huizen in een buitenwijk. Op de achterbank zie ik een sigaret opgloeien, en ik zie nog net wapperend blond haar en hoor zenuwachtig gegiechel voordat de auto me met piepende banden alweer voorbijgereden is. Ik ben niet onder de indruk. Niet van de enorme banden, niet van het blonde haar, en al helemaal niet van een auto die nog meer brandstof zuipt dan een klein land in een jaar aan verlichting verbruikt. Ik kijk weer naar het schermpje van mijn iPod en merk dat ik bij Gwen Stefani ben blijven steken. Ik druk op het click-wheel en meteen begint *Hollaback Girl* te spelen. Zodra ik de achterlichten van de Hummer niet meer kan zien, loop ik de tunnel in die naar de donkere straat met woonhuizen leidt. Als ik nu rechtdoor zou blijven lopen en langs de achterkant van de orchideeënkas van de familie Wordsworth zou gaan, sta ik over niet heel lang in de Atlantische Oceaan, waar het waarschijnlijk niet veel kouder is dan hier. Alle gordijnen zijn al dicht. De enorme huizen die zich achter de hoge heggen verschuilen, hebben geen enkele moeite de winterkou buiten te sluiten.

Eindelijk gaat de wind liggen en lijkt de sneeuw wat minder moordzuchtig. Ik zet mijn muziek iets harder. Sommige oprijlanen worden verlicht, en hier en daar zie ik de lichtjes van de intercoms bij de voordeuren. Ik knik ze vriendelijk toe, net als de Harajuku Girls van Gwen, en zing dan hard mee. 'B-A-N-A-N-A-S!'

Ik ben net begonnen met mijn heupen te draaien als ik ineens ergens tegenaan loop. Iets met een groen windjack aan. 'Au!' gil ik. Iemand steekt zijn arm uit om me overeind te houden. Eerst kijk ik geschrokken naar de hand die om mijn pols zit geklemd, en dan pas kijk ik naar het bijbehorende, bezwete gezicht met de rode wangen. Het is Drew.

'Jezus, je bezorgt me nog een hartaanval,' zeg ik terwijl ik met een achteloos gebaar mijn capuchon af gooi. Als ik nou niet mijn handen vol had, dan kon ik mijn paardenstaart ook uit mijn jas bevrijden. Als ik het voor het zeggen had, zat er een ingebouwde jongensdetector in alle winterjassen.

'Stoor ik je soms?' Hij kijkt me grijnzend aan. Zo heeft hij al eeuwen niet meer naar me gekeken. Pas als hij zijn handen op zijn knieën zet, valt het me op dat hij buiten adem is. Dus ik had publiek. Mijn prachtige optreden is gezien door Drew. Drew die geen vriendinnetje meer heeft. En die zo leuk kan lachen.

'O dat? Dat is voor Spaans. We doen kleine toneelstukjes, en ik was net in de rol van een...'

'Stefani?'

'Wie? Natuurlijk niet.' Ik loop knalrood aan. 'Een verslaafde.' Wacht even. Waarom zeg ik dat nou weer? Nou ja, al dat gezwaai met mijn hoofd...

'Goh. Met Frans zijn we nog maar net begonnen flessen wijn te bestellen. *Une bouteille du vin.*'

'Mevrouw Gonzalez wil dat we elke situatie aankunnen.'
Hij lacht, waardoor het net lijkt alsof de straat een beetje
lichter is geworden.

'Heb je het niet ijskoud?' Ik wijs naar zijn basketbal-
broek, die tot boven zijn knieën komt. Jongens zijn vreemde wezens.

'Nee, eigenlijk heb ik het snikheet,' antwoordt hij. Met
zijn gehandschoende hand veegt hij over zijn voorhoofd, dat
schuilgaat achter donkerbruin, vochtig haar.

'Ligt vast aan de handschoenen.'

'Ik heb hardgelopen op het strand. Om orde te scheppen
in m'n kop. En vanochtend heb ik niet veel kunnen trai-
nen.' Hij weet best dat ik het al heb gehoord van zijn ex.
En van zijn betraande ogen. Hij heeft vast allang door dat
de hele school er al van heeft gehoord. Even bijt hij op zijn
lip.

'Breng het avondeten naar mijn moeder.' Ik steek de plastic tas uit, om maar van onderwerp te kunnen veranderen.
'Laatste huis aan de linkerkant van de straat. Nog voor het
water.' Hij kijkt me achterdochtig aan, alsof hij me niet gelooft. 'Ze maakt het huis alleen maar schoon. Eigenlijk
maakt ze hier bijna alle huizen schoon.' Ik gebaar met mijn
hoofd naar de panden.

'Omgeven door al die glamour?' vraagt hij glimlachend.
Alweer die lach van hem. 'Kan ze dat wel aan?'

'Dat was echt idioot vandaag, hè?'

'Inderdaad. Die jongen achter die tafel wilde echt alles
weten over de glamour van mijn vaders baantje als tuinier.
Als je midden in de mest en de brandnetels staat, is zelfs het
achtertuintje van Gwyneth Paltrow een veldje van jeuk en
stront. Maar dat is in de zomer. In de winter zit hij in zijn
luie stoel te wachten op beter weer.'

Ik schiet in de lach. 'Het is echt idioot dat ze op onze
school willen filmen, hè?'

'Denk je dat we echt allemaal een rol krijgen?' vraagt hij me. 'Met Jase en zijn spierballen op de voorgrond?'

'Mijn moeder stond vlak achter Courteney Cox in de video van *Dancing in the dark*. Ze komt wel een hele seconde in beeld. Waarschijnlijk wordt dit net zoiets. Gewoon een ervaring waar we mensen de komende twintig jaar mee kunnen vervelen.'

'Cool,' zegt hij knikkend.

'Yep.' Ik knik ook. Het valt me op dat hij minstens vijf centimeter langer is dan toen we samen wiskunde hadden. Ik zat toen vier banken achter hem. En twee banken verder naar links, om precies te zijn. Intussen houden we op met knikken en is het doodstil. Er dwarrelen sneeuwvlokjes tussen ons in, en ik kan niet ophouden naar zijn prachtige bruine ogen te staren terwijl hij in de mijne kijkt. Ook al voel ik me nog zo tot hem aangetrokken, ergens heb ik ook een beetje medelijden met hem. 'Het spijt me van wat er...'

'Een van ons moet nu eigenlijk een stukje achteruit,' zegt hij tegelijkertijd.

'Precies, ja.' Ik kijk om me heen en merk dat hij gelijk heeft. Op dit smalle pad is geen plek voor tegenliggers. 'Ik ga wel...'

'Nee, laat mij maar.' Hij loopt achteruit, en ik volg hem terwijl zijn sportschoenen in de knerpende sneeuw de stilte verbreken. 'Laat me niet vallen, alsjeblieft.' Alweer die grijns van hem. En even later staan we op iemands oprijlaan, nog steeds heel dicht bij elkaar. 'Toch jammer dat je geen rode jas aan hebt,' zegt hij. Ik voel zijn warme adem op mijn gezicht.

'Ja.' Binnenkort koop ik een nieuwe jas. Een rode.

'Net als Roodkapje, op weg naar oma,' legt hij uit.

'Dat snapte ik heus wel,' lieg ik. 'Dan ben jij de wolf.'

'Niks daarvan. Ik ben de jager die de boel wel even komt redden.'

Ik grijns. 'Nou...'

'Terug naar de Spaanse afkickkliniek?'

'Het is toch altijd handig om te weten hoe je op het station van Barcelona je drugs moet kopen?'

Hij lacht, en even denk ik dat het nog lichter is geworden. Straks ontploft die lantaarn nog. Nu zou ik dus eigenlijk weg moeten lopen. Dan kan hij me als een leuke, zelfverzekerde meid onthouden, in plaats van als een dansende idioot. Dus weg! Wegwezen! 'Nou. Tot ziens dan.' Ik draai me om en loop met tegenzin verder.

'Hé Jesse?'

Met een ruk draai ik me om. 'Ja?'

'Dank je voor...' Hij zwijgt.

Waarvoor? Voor mijn belachelijke optreden? Mijn sexy outfit van winterjas en besneeuwde laarzen? Mijn heerlijke knoflookdampen? 'Graag gedaan.' Ik haal mijn schouders op, en zie nu pas aan de bedroefde uitdrukking op zijn gezicht dat hij het over mijn poging tot medeleven heeft.

Hij trekt zijn capuchon over zijn hoofd en jogt verder. Even later is hij uit het zicht verdwenen.

3

Mijn moeder, de basketbal ster van Hampton High van 1985, mikt een leeg flesje Evian over drie rijen stoelen heen. Eerst raakt het de rand van de koperen kan die onder de bar in de filmkamer van de Richardsons staat, maar valt dan keurig in de prullenbak. Ik juich haar toe als een echte fan.

'Maar wat willen ze van je?' Ze kijkt naar me op en werkt dan de laatste restjes lasagne op haar bord naar binnen.

'Mam, dat vraag je nou altijd,' zeg ik, terwijl ik mijn melk opdrink.

'Nou ja, als XTV echt een programma op jouw school wil maken, wil ik weten wat de bedoeling daarvan is.'

'Weet ik veel! We houden er een zwembad aan over, en verder denk ik niet dat ze ook maar iets van me willen. Ik ben niet zoals zij.' Ik wijs naar de opgedofte vrijgezelle dames op de enorme tv die in het datingprogramma vol spanning wachten op hun roos. 'En wat willen ze van hén?'

'Die mensen hebben gewoon geen eigenwaarde.' Mijn moeder zet haar lege bord op de grond, staat op en rekt haar rug. 'Zij willen gewoon eventjes meeliften met een miljonair die er later met de eerste de beste blonde stoot vandoor gaat.' Ze drukt op wat knopjes van de afstandsbediening en plotseling wordt het tv-scherm bedekt door een groenfluwelen gordijn. 'Nee,' zegt ze in zichzelf. Ze drukt op weer een ander knopje, en deze keer gaat het groene gordijn achter ons opzij, waardoor het overdekte zwembad achter de van melkglas voorziene ramen zichtbaar wordt. 'Alweer niet.' Snel drukt ze op nog een paar knopjes, totdat de lichten aanfloepen. 'Goed zo. En nu jij nog.' Ze schakelt de tv uit met de enorme zapper.

'Ergens in West Palm Beach vraagt mevrouw Richardson zich vast af waarom haar tieten steeds groter en kleiner worden.'

'Of haar hersens.' Ze klopt de groene kussens van de bank op waar ze op heeft gezeten, en ik volg haar voorbeeld. De kamer ziet er weer smetteloos uit. Mijn moeder haalt haar takenlijst uit de zak van haar schort tevoorschijn, en ik prop mijn huiswerk terug in mijn tas. 'Moet je nog naar de wc voordat ik hem nog een keertje schoonmaak?'

'Nee, hoeft niet.' Ik trek mijn Uggs aan.

'Goed zo. Dan kun je de vuilnis buiten zetten en de auto starten. Ik ga nog even wat poetsen terwijl de motor warmloopt. Dan zie ik je over een kwartiertje?'

'Met een roos in je handen?' Verleidelijk knipper ik met mijn ogen. Ze moet lachen, al kijkt ze ook heel vermoeid.

'Vergeet niet je jas goed dicht te doen.' Ze stapelt de aluminium bakjes waar ons eten in heeft gezeten op, en overhandigt me de plastic tas. 'En mijn perfecte schot?'

Ik haal het flesje Evian tevoorschijn en stop het in de tas. 'Hebbes! Alsof hier nooit iemand is geweest.'

Mijn moeder zucht diep. 'Je bent klaar met je huiswerk, toch?'

'Ja, ja.' Als ik mijn jas aan heb, zoek ik achter de fluwelen lappen stof naar de deurklink. In mijn ene hand heb ik de plastic tas waar ons eten in zat en met de andere hand hou ik mijn jas stevig dicht. Zo loop ik snel door de sneeuw naar de garage van de Richardsons. Tussen de wolken door zie ik de maan schijnen, die genoeg licht geeft om de gesnoeide boompjes verpakt in jutezakken te kunnen zien, en niet te verdwalen. Nu het niet meer zo hard waait, kan ik zelfs de zee horen ruisen. En nog iets anders. Een boze mannenstem. Ik loop om de garage heen en zie het skelet van het huis dat hierachter in aanbouw is. Het licht van de lantaarn die de garage verlicht schijnt door een gat in de heg tot wel drie meter verder op een klein gastenverblijf.

'Het maakt me niet uit waar je ze mee naartoe neemt, desnoods naar een motel, zolang je mij en mijn zaken er maar buiten laat.'

'Maar pap,' smeekt iemand.

'En nu moet ik naar het politiebureau, zeggen dat het loos alarm was, alleen maar omdat mijn domkop van een zoon het nodig vindt om met een of andere hoer de slaapzak in te duiken.'

'Het spijt me...'

Ik hoor een doffe klap en een zacht gekreun. 'Je bent gewoon triest.' De doek die over de deuropening hangt vliegt open en ik weet net op tijd weg te duiken om niet gezien te worden door meneer McCaffrey, die in zijn leren Giants-jasje naar buiten stormt en langs het huisje verdwijnt.

Ik kom snel overeind, duw de deksel van de vuilnisbak omhoog, prop de plastic tas erin, om zo snel mogelijk te maken dat ik wegkom. Maar ik ben niet snel genoeg. De doek voor de deur vliegt opnieuw open en Jase komt met betraande ogen naar buiten. Zijn mond valt open als hij me ziet, maar dan kijkt hij me kwaad aan. Ik zie een beetje bloed uit zijn kapotte lip over zijn kin lopen.

'Hij gaat het toch niet tegen mijn moeder zeggen, hè?' roept iemand. We draaien ons allebei om naar de ordinaire blondine die op laarzen met enorm hoge hakken door een andere deur van het gastenverblijf naar buiten komt.

'Ga maar vast naar de auto, Trisha.' Hij wijst naar de

Hummer, kijkt me nog een keertje aan en loopt dan achter Trisha aan.

Even kijk ik hen na en slenter dan terug naar het huis. Ben ik even blij dat ik niets met hun wereldje te maken heb.

DEEL 2

De opgenomen werkelijkheid

Opname 1

De volgende ochtend neem ik plaats achter mijn tafel in het wiskundelokaal. Ik heb nog een halfopgegeten koek in mijn hand. Verder zijn er maar twee dingen die ervoor zorgen dat ik dit lesuur overleef: de wetenschap dat ik nog maar een overzichtelijke hoeveelheid uren sommetjes zal moeten maken, en een bosbessenmuffin. Zodra ik zie dat mevrouw Feinberg op de voet wordt gevolgd door een cameraman, verslik ik me bijna. 'Goedemorgen allemaal.' Haar hoofd is al net zo knalrood als het roodborstje dat op haar trui staat afgebeeld. 'Ik heb de opdracht zo normaal mogelijk les te geven, dus laten we allemaal net doen alsof deze meneer met zijn camera lucht is.' Ze draait zich om naar het bord en behandelt de sommen waar we gisteren mee bezig waren. Als ze zich weer naar de klas wil draaien, botst ze tegen de camera. 'Meneer, mag ik op z'n minst een heel klein beetje bewegingsruimte?' Maar helaas luistert de cameraman niet naar haar. Wij ook niet, trouwens. Het is echt onmogelijk om niet op de opnames te letten. Iedereen ziet er net iets beter uit dan anders, afhankelijk van het geslacht met zwaarder opgemaakte ogen of stoerdere kleding aan, en er is helemaal niets natuurlijks aan hun manier van praten. Ze weten zelfs zinnetjes als 'X is gelijk aan zeven' nog te laten klin-

35

ken als een hevige emotionele uitbarsting met dramatische gevolgen.

De rest van de ochtend gaat precies zoals die eerste les. Overal, in de donkere gangen en het duistere trappenhuis, verschijnen lichtjes van de camera's als zoeklichten over de zee, op zoek naar de laatste overlevenden van een gezonken schip. Ik kijk de hele dag al uit naar de les Europese geschiedenis, de enige les die Caitlyn en ik gezamenlijk hebben. Ze dumpt haar tas op de vloer. Die Botkier-tas van Century 21 hebben we nog samen gekocht tijdens het Dus-Dan-Is-Niet-De-Ware-tripje naar de stad.

'Niet jij ook al,' zeg ik zuchtend. Op haar blote benen zit kippenvel, ze draagt haar favoriete topje en ze heeft zelfs valse wimpers opgeplakt.

'Wat? Ik wil gewoon dat mijn kleinkinderen me later niet terugzien als een loser met futloos, ongewassen haar en een hopeloos ouderwetse spijkerbroek.' Ze gaat zitten en legt haar schrift open voor zich neer.

'Onze kleinkinderen zijn vast meer onder de indruk van de ongefilterde lucht hier. Verder maakt het hun vast niet uit hoe we ons haar verzorgen.'

Caitlyn buigt zich naar me toe en trekt de uiteinden van haar krullende haren los van haar lippen, waar een enorme lading lipgloss op zit. 'Melanie Dubviek is van drie centimeter afstand gefilmd.'

'Ik ken de principes van de close-up.'

'Tijdens het hele lesuur. Waarom?'

Ik rol de mouwen van mijn Henley-trui op. 'Misschien omdat Melanie er erg fascinerend uitziet als ze nadenkt?'

Voor zijn bureau staat meneer Cantone. Hij schraapt zijn keel en heeft onze opstellen over de Graanwetten in zijn handen. 'Ik wilde eerst even zeggen dat ik niet bepaald onder de indruk ben.'

Tijdens de lunch krijg ik eindelijk de tijd om onze nieuwe sterren echt in actie te zien. Caitlyn en ik staan te wachten met een dienblad terwijl overal in de kantine mensen achtervolgd worden door camera's. Nico komt binnen in een wikkeltruitje en strakke corduroy broek, precies zoals ze er altijd uitziet. Dan ben ik tenminste niet de enige die normaal oogt. Alleen hebben we daar allebei een andere reden voor. Ik weet nu al dat ik geen schijn van kans maak, en zij heeft de hoofdrol vast al binnen.

Zoals gewoonlijk maakt ze een knotje van haar lange blonde haren en steekt er een eetstokje in. Ze heeft echt duizenden van die dingen. Ze spreidt ... Dat staat allemaal op haar MySpace-pagina. Maar wat ze er niet bij heeft gezet, is dat ze haar haren alleen maar opsteekt omdat ze vreselijke tafelmanieren heeft. Maar zo wordt de dag waarop er taco's op het menu staan stukken leuker. Natuurlijk ziet ze er nog steeds heel mooi uit, zelfs al zit er overal gehakt. Net als Cameron Diaz, die er zelfs met pastasaus op haar voorhoofd charmant uitziet. Haar vriendinnen hebben het van haar afgekeken, en zij schamen zich nu ook nergens meer voor. En dat is jammer, want zij zouden zich enorm moeten schamen...

Melanie komt als eerste binnen. Ze lijkt wel een huisvrouwtje in haar trui met luipaardprint en pofmouwtjes. Zo fout. Maar dat is nog niets vergeleken met dat ding dat achter haar aan komt.

'Zitten we soms in een of ander datingprogramma?' vraagt Caitlyn als de halfnaakte Trisha op schoenen met enorme plateauzolen langs komt stampen. 'Mijn God. Waar was mammie vanochtend?'

'Waarschijnlijk hielp mammie haar met aankleden.'

'Je bedoelt dat ze eraan heeft gelikt en de kleren op haar heeft geplakt, als een postzegeltje?'

We vouwen onze pitabroodjes met tonijnsalade open en beginnen aan de langdurige taak om zo veel mogelijk stukjes chips in het brood te proppen als maar kan. Ik ben druk bezig als ik opeens een harde knal hoor. Daarna wordt het stil, en Caitlyn grijpt geschrokken mijn arm. 'Mijn God.'

Ik kijk op. Alle ogen én camera's zijn gericht op de twee zonnebankbruine benen die in de lucht steken; aan een van de tenen bungelt nog net een schoen met plateauzool. Dan valt de schoen op de vloer. 'Aaah!' gilt de eigenaar van de benen. Nico en Melanie springen op om hun gevallen vriendin Trisha overeind te helpen. Nico is er al snel, omdat ze platte schoentjes aanheeft, en daar kun je je goed in bewegen. Melanie hobbelt erachteraan in haar luipaardmuiltjes.

Ik sta ook op, en nu pas valt het me op dat Trisha de hele lading mayonaise die op haar bord lag over zich heen heeft gekregen. Bovendien heeft ze een bloedneus omdat ze werd geraakt door haar eigen schoen. Een van de kantinedames wil haar helpen, maar Nico jaagt haar weg. 'Alles onder controle. Kom maar, Trish. Voetje voor voetje.' Ze raapt de schoenen met plateauzolen op, slaat dan een arm om haar vriendin en neemt haar mee, weg uit de kantine vol camera's en nieuwsgierige leerlingen die uit hun mond naar tonijnsalade stinken.

'Mijn God,' zegt Caitlyn opnieuw. 'Dit overleeft ze nooit. De grootste vernedering ooit. Zichzelf een bloedneus slaan met een plateauzool. Alsof het modekarma haar een lesje wilde leren.'

'Was wat ze aanhad dan modieus?'

Als ik een paar minuten later de toiletten binnenwandel om de tonijngeur van mijn handen te wassen, hoor ik luid gesnik. Bijna maak ik rechtsomkeert, maar besef dan dat ik nooit op tijd voor de volgende les ben als ik nu nog naar de wc een verdieping hoger zou gaan. Bovendien zijn ze vast te druk bezig met hun persoonlijke crisis om zich druk te maken om mij. Ik loop snel naar de wastafel.

Ik zie Trisha op de vensterbank naast de wc-hokjes zitten.

Ze houdt haar hoofd schuin terwijl Nico haar neus schoonmaakt met papieren handdoekjes. Nico verruilt net een met bloed besmeurd handdoekje voor een schoon exemplaar. Waarschijnlijk heeft ze geen idee dat ze diegene helpt die nog geen twaalf uur geleden met haar vriendje in een slaapzak lag. 'Mel is een schoon shirt voor je aan het halen. En sportschoenen. Als ze terug is, gaan we naar de verpleegster.'

'Volgens... volgens mij is-ie gebroken,' snikt Trisha. 'Ik schaam me zo. Ik wil d-dood. Nu haal ik het nooit.' Ze moet even op adem komen. 'Ik kom n-nooit op tv.'

'Stil maar.' In de spiegel zie ik Nico geruststellend over Trisha's blote rug strijken. 'Natuurlijk komen we op tv,' zeg ik Nico zelfverzekerd. 'Wie moeten ze anders kiezen? Wij zijn de glamour.'

En terwijl Trisha een arrogante glimlach tevoorschijn tovert, droog ik mijn handen aan mijn spijkerbroek en ren naar de Spaanse les.

Opname 2

Het bruine pompoendeeg glijdt langzaam van de ijsschep af en nestelt zich in een holletje van de muffinbakplaat. Wat gaat de tijd toch traag in de Prickly Pear. In juni begin ik aan mijn derde jaar van scheppen uit dezelfde bak, en de bodem van de bak is nog lang niet in zicht. Als al die rijke idioten die vijf dollar over hebben voor een muffin eens wisten dat die muffins nog veel ouder zijn dan hun bankbiljetten die ze ervoor neertellen... Zelfs al versieren we de muffins nog zo mooi en ruiken ze nog zo lekker, ik kan geen gebakken troep meer zien zonder dat ik aan de massa's deeg in de diepvries van de Prickly Pear moet denken.

Het enige voordeel van dit baantje, dat mijn eetlust voorgoed heeft bedorven, is dat ik af en toe Drew hiernaast in de weer zie met lege winkelwagentjes van de Stop & Shop-supermarkt. Dat helpt.

'Eh... Jesse?'

'Ja?' Ik kijk op en zet mijn Prickly Pear-pet recht. Boven aan de keldertrap staat de slungelige Jamie Beth. Ze kijkt me aan met lege, bloeddoorlopen ogen. Typisch Jamie Beth. 'Wat is er, Jamie Beth?'

'Er is hier een eh... iemand die wil weten waar je bent.'

Ik laat de ijsschep in een bak warm water vallen en pak het enorme bakblik. Het muffindeeg glijdt in de holletjes heen en weer. 'Een iemand?'

'Ja-a.' Langzaam knikt ze.

'Oké. Eh... Kun je zeggen dat ik er zo aan kom?'

'Ze wil weten wat je...' Met haar tong rekt ze haar kauwgum uit. 'Wat je gewoonlijk doet.'

Ik overhandig haar het bakblik, en meteen krijgt ze grote ogen van verbazing. Zeker verbaasd dat ze ook echt moet werken op het werk. 'Zet deze eens in de oven. En vergeet deze keer niet om de tijd in te stellen.' Ik veeg mijn handen af aan mijn groene schort en ren de trap op naar het kleine bakkerszaakje, waar muziek en mooie her en der opgehangen broodmanden de aandacht moeten afleiden van de smerige troep die ze beneden in de vriezer hebben liggen. Ik loop naar de kassa en zie een brunette bij de toonbank staan. Ze leunt op haar ellebogen en wrijft over haar slapen.

'Kan ik u helpen?'

De vrouw van het interview van gisteren kijkt glimlachend op. Ze heeft dezelfde broek en een soortgelijke blouse als gisteren aan, maar deze keer met een groen vest erover.

'Jesse O'Rourke, toch? Zonder "i"?'

'Ja.'

'Je ziet er heel anders uit met dat ding op je hoofd. Ik ben Kara.' Ze steekt haar hand uit.

'Ja, dat weet ik nog. Sorry, ik ben een beetje plakkerig. Was net bezig met een stel ouwe taartjes.' Ze kijkt me raar aan. 'Muffins, bedoel ik. Sorry. Maar je wilde me spreken?'

'Jazeker! We wilden een stukje filmen van het leven na schooltijd, en ik kwam even kijken of je ook echt hier was.'

'Ja, Jamie Beth is een beetje sloom. Ze is tien jaar ouder dan ik, dus je zou toch denken...'

'Ik wil wel een dubbele espresso, Jesse.'

'Natuurlijk!' Ik trek een kartonnen bekertje tevoorschijn en loop naar de machine, maar zodra ik het wil vullen met koffie, merk ik dat ik door een camera word gevolgd.

'Jesse?'

'Ja?' Ik kijk naar Kara, over het hoofd heen van nog een tweede man, die bezig is met het filmen van de mandjes aan het plafond.

'O, niet naar mij kijken!' Kara zwaait met haar handen door de lucht.

'Sorry!' Ik hou me weer bezig met de koffie.

'Ja, doe maar alsof ik er niet ben.'

'Is goed. Sorry, ik wist niet...'

'En doe ook maar alsof je me niet kunt horen. Ik besta niet. Sam, de cameraman, en Ben zijn er ook niet.'

Ik knik en bedenk veel te laat dat ik vast ook niet mag knikken naar mensen die er niet zijn. Dus doe ik het enige wat nog geloofwaardig lijkt: vrolijk meeknikken met dat vreselijk irritante nummer van Norah Jones. Alsof ik zou willen dansen op het nummer dat me nog in mijn dromen achtervolgt.

'Goed zo, je bent een natuurtalent, Jesse. Kun je misschien dat petje afzetten?'

Ik schud met mijn hoofd van links naar rechts op de maat van de muziek.

'Dat dansje is echt heel goed, Jesse. Maar doe dat petje eens af.'

Ik haal een servetje tevoorschijn en schrijf: Ben al eens gesnapt zonder petje. Eigenaar komt af en toe controleren. Ik schuif het servetje over de toonbank en tik met mijn pen op de maat van de muziek. Die ontzettend slome muziek. Dan stap ik opzij zodat Kara het servetje kan aanpakken.

'O. Oké, ook goed. Kun je dan tenminste je haren over je schouders laten vallen?' Ik trek aan mijn haren zodat ze over mijn oren vallen; ik sta erbij als een echte loser. 'En een bakje koffie zou heerlijk zijn.'

Ik ren naar de koffieautomaat, waar net de tweede shot espresso uit stroomt. Daarna zet ik het plastic dekseltje op het bekertje en breng het naar de toonbank. Stiekem vraag

ik me nu al af hoe idioot dit eruit gaat zien op tv. Een gestoord mens dat berichtjes op servetjes krabbelt en koffiezet
terwijl er helemaal niemand in de buurt is? En dan nog die
stomme Norah Jones...
Plotseling hoor ik een hard geslurp. 'Hè, dat had ik even
nodig. Goed dan, Jesse. Doe maar gewoon wat je altijd doet.'
Dus haal ik de chocoladerepen onder de toonbank vandaan en stal ze netjes uit, waarna ik me langs de vuilnisbak
wring om de nepkristallen jampotjes van de tafeltjes te ver-
zamelen, die vanochtend leeggegeten zijn. Ik neem ze mee
naar achter de toonbank. De laatste restjes schep ik in het
aanrei lin. Dan was ik de puujes af, druuug er af, iipu ii lut
grote vat en schep er verse jam in, haal de lepel door het sop,
droog hem af, zet het vat weer terug onder de toonbank,
haal een vat boter tevoorschijn...
'Allemachtig!' kreunt Sam, terwijl hij over zijn snor strijkt.
'Dit is nog saaier dan die documentaire die ik over die mie-
renkolonie moest maken.'
Kara zucht. 'Zet maar uit.' Ben haalt een sigaret uit het
pakje in de zak van zijn flanellen hemd en stopt die achter
zijn oor.
'Sorry, maar dit is gewoon mijn werk.' Ik bijt op mijn lip
en kijk Kara aan. 'Er zijn 's middags niet zoveel klanten, dus
dan maken we de boel in orde voor de volgende ochtend.'
De deurbel rinkelt en we draaien ons allemaal om. Drew
komt naar binnen gewandeld en trekt zijn skimuts van zijn
hoofd. Meteen word ik knalrood.
'Snel, snel, snel!' roept Kara opgewonden. De twee cameramannen komen in actie. Geschrokken loopt Drew achteruit tegen een broodmand aan. Sam loopt bijna de vuilnisbak omver omdat hij een goed shot van Drews gezicht
wil maken, en Kara gaat op een stoel staan zodat hij er
beter bij kan. Verbaasd kijkt Drew naar haar op en wil iets
zeggen.

'Stil!' roepen Kara en ik tegelijkertijd. 'We mogen niet met haar praten,' voeg ik er snel aan toe.

'Doe maar gewoon. Wat je al van plan was te gaan doen,' fluistert Kara.

Zo te zien is Drew al van de grootste schok bekomen. Langzaam loopt hij op zijn besneeuwde gympen naar de kassa, met Ben en zijn camera achter zich aan. 'Hoi...'

'Hoi,' antwoord ik. Vanuit mijn ooghoek zie ik Kara wild met haar armen zwaaien. 'Drew. Hoi Drew.'

'Hoi Jesse.' Verder weet hij niets uit te brengen.

'Je wil vast iets te eten hebben.'

'Ja.' Dankbaar kijkt hij me aan. 'Ja, ik kom voor de... eh...'

'Chocolademelk?'

'Ja, die!'

'Spanning en sensatie,' moppert Ben.

'Hou toch je mond,' snauwt Kara.

Ik draai me om en vul een van de bekertjes met cacaopoeder en warm water. 'Slagroom?'

'Oké. Ik bedoel, ja graag.'

Ik hou het bekertje even onder de slagroomspuit en geef het dan aan Drew. Zenuwachtig kijken we elkaar aan. 'Dat is dan drie vijfentwintig.'

'O ja.' Hij zet zijn bekertje op de toonbank en haalt een briefje van vijf uit de zak van zijn donkerblauwe North Face-jas. 'Ik wilde eigenlijk ook nog een paar muffins.'

'Welke wil je?' vraag ik, terwijl ik al klaarsta om het nieuwe bedrag in te voeren.

'Nee, laat maar, ik had... Nou ja, ik dacht eigenlijk aan een goede grap over een mandje vol hapjes.'

'O.' Ik knik, al snap ik er niets meer van. Als ik hem zijn geld overhandig, raak ik per ongeluk zijn hand aan.

'Dank je.' Hij propt het geld in zijn zak en loopt snel de deur uit. De belletjes rinkelen. Zijn chocolademelk staat nog dampend op de toonbank.

Zodra Kara en haar ploeg weg zijn en ik ze door het raam niet meer kan zien, trek ik mijn telefoon tevoorschijn om Caitlyn een berichtje te sturen. 'Ik neem even pauze!' gil ik naar Jamie Beth. Ik trek mijn jas aan en wacht af. 'Jamie Beth, dat betekent dus dat jij nu boven moet staan.' Eindelijk verschijnt ze beneden aan de trap. 'Kom al, kom al.' Heel langzaam stampt ze met haar werklaarzen met losse veters de trap op en kan ik vluchten naar het kleine, verlichte binnenplaatsje vlak achter de winkels aan Maiden Lane. Ik klauter over de bevroren plassen naar de fontein die bedekt is met sneeuw. Dan vliegt de deur van Bambotto open. Caitlyn komt naar mij toe met een blauwe babytrui op haar hoofd en twee bijpassende wollen broekjes om haar handen.

'Werkt best tegen de kou,' legt ze uit. 'Vierhonderd dollar per stuk. Dan mag het ook wel warm zijn.'

'Drew kwam net naar de Pear!' Ik spring op en neer in de sneeuw.

'De Drew-Drew?' Ze springt met me mee.

'Drew-Drew?' Ik moet me aan haar arm vasthouden om niet te vallen. 'Ja. Oké, vanaf nu is hij Drew-Drew. Hij kwam muffins kopen, maar vergat zijn chocolademelk.'

'Heb je hem soms afgeschrikt met je gangsta-look?'

'Hoe bedoel je?'

Ze wijst naar mijn pet, die ik achterstevoren opheb, en de slierten haar die voor mijn gezicht vallen.

'Shit!' Snel zet ik het stomme ding af. 'Dat komt door die XTV-mensen. Ze wilden me filmen, en ik mocht absoluut niet op ze letten...'

'Wacht even. De mensen van XTV kwamen naar de Prickly Pear, speciaal om jou te filmen?'

'Ik denk het. Tenzij ze een docu maken over cosmetica en achter Jamie Beth aan zitten.'

'Ze kwamen speciaal voor jóú,' herhaalt Caitlyn verslagen.

'Ze filmen gewoon dingen die we buiten schooltijd doen. Waarschijnlijk gaan ze alle winkeltjes af. Misschien verschijnen ze straks ook wel in Bambette.'

'Echt waar?' Meteen trekt ze het truitje van haar hoofd.

'Natuurlijk!'

'Ik moet gaan! Tijd voor lipgloss.' Ze springt op en rent door de sneeuw, en ik sjok langzaam naar de Prickly Pear. 'Jess,' roept ze, voordat ze naar binnen glipt. 'Hij heeft wel betaald, maar zijn chocolademelk laten staan?'

'Yep.' Ik draai me om en zie haar silhouet nog net afsteken tegen het licht dat uit de winkeldeur stroomt. 'Hij zei dat hij een grap had over een mandje met hapjes.' Ik haal mijn schouders op.

'Roodkapje, idioot. Jullie eigen, intieme grapje.'

Ik word zo rood als aardbeienjam. 'Ons intieme grapje! We zijn nu al intiem!'

'En ik moet me klaarmaken voor de camera.' Ze blaast een kusje naar me via haar in een babybroekje gestoken hand en sluit de deur achter zich.

Opname 3

Vervolgd zeur ik door tot vanmiddag van de magnetron tot mijn ei als een koksmuts boven het schaaltje uitpuilt. Een van die kleine pleziertjes. Plotseling klinkt er gebonk en wordt er aangebeld.

'Jess?' roept mijn moeder vanuit de kelder. 'Doe jij even open? Waarschijnlijk komt Fran mijn stoompan terugbrengen.'

Woensdagochtend om kwart voor zeven lijkt me toch geen perfecte tijd om stoompannen terug te brengen. Ik sjok door de gang en bereid me voor op de kou. Mijn vestje trek ik iets strakker om me heen en dan duw ik de deur open. De rubberen tochtstrip maakt geluid op de houten vloer.

'Goedemorgen, Jesse O'Rourke!'

Dat klinkt helemaal niet als Fran. Tenzij ze een carrièreswitch heeft gemaakt en nu ook camera's meesjouwt. De felle lichtjes schijnen precies in mijn ogen, zodat ik moet knipperen. 'Hallo?' zeg ik, omdat ik nog steeds niet kan zien wie er eigenlijk voor mijn neus staat.

'Hoi. Dit is Kara van XTV.' Ze komt naar voren en draagt zo te zien nog steeds dezelfde outfit als de vorige week in de Pear. Deze keer heeft ze nog een dun zwart sjaaltje toegevoegd aan het geheel. 'Zijn je ouders hier ook?'

'Mijn vader ligt nog...'

'Jess,' hoor ik hem slaperig van boven roepen. 'Heb je de loterij gewonnen?'

'Zoiets ja, meneer O'Rourke!' roept Kara naar boven. Plotseling begint ze hevig te hoesten.

Even later hoor ik mijn vader op zijn sloffen de gang door lopen. Ik hoop maar dat hij zijn nieuwe pyjama die hij met de kerst heeft gekregen heeft aangetrokken, in plaats van al leen zijn versleten T-shirt met de tekst PAS OP NAT Helaas, tou h alleen het T-shirt. Dan komt ook mijn moeder in ochtendjas kijken wat er aan de hand is. 'Jess, wat gebeurt er allemaal?' vraagt ze, terwijl ze de haren uit haar gezicht veegt.

'Meneer en mevrouw O'Rourke, gefeliciteerd!' Kara komt met open armen op ze af. Ik zie zelfs tranen in haar vermoeide ogen schitteren. 'Jullie dochter is gekozen voor de hoofdrol in onze nieuwe documentaire *Het echte Hampton Beach*. Is dat niet spannend?'

Eh... wat?

'De komende vijf weken zullen Jesse en haar vriendinnen door duizenden middelbare scholieren op televisie worden gevolgd. Ze zal een voorbeeld zijn voor vele jonge meisjes, die mee zullen leven met al haar dagelijkse problemen.' Een van mijn ouders grijpt mijn armen vast. 'En als dank geeft Doritos alle deelnemers een studiebeurs van wel veertigduizend dollar.'

Mijn mond valt open, en zo te zien zijn mijn ouders ook overdonderd. Dat is heel veel geld. Mijn ouders trekken me terug en duwen me dan naar voren, alsof ze me recht in de armen van Kara willen slingeren en de deur achter me willen dichtslaan.

'U hoeft alleen maar een paar formulieren te ondertekenen, en dan is al het geld voor u.' Ze laat ons een oranje cheque zien met het Doritos-logo erop. Op de plaats van de ontvanger staat mijn naam in grote letters. Mijn... hemel.

Mijn ouders en ik staren er gebiologeerd naar. Van mij. Ik zie een lichtflits.

'We moeten er wel even over nadenken,' zegt mijn vader uiteindelijk schor. Hij neemt knipperend met zijn ogen het formulier van Kara aan, en zij stopt snel haar fototoestel weg.

'Natuurlijk kan dat! Zolang we het morgenochtend maar weten.' Ze propt de cheque in de hand van mijn moeder. 'Hou dit maar. U kunt het geld pas claimen als de formulieren zijn ingevuld en alles in orde is. Goed dan!' Ze klapt in haar gehandschoende handen en tovert een glimlach op haar vermoeide uitziende gezicht. 'Jesse, achter de kantine staat een caravan, kun jij daar om kwart voor acht komen voor een oriëntatiegesprek terwijl je ouders zich bezighouden met de formulieren?'

'Allemachtig, ik kan het nog steeds niet geloven! En komt Caitlyn ook?' Ik trek de mouwen van mijn vestje over mijn blote handen.

'Dat mag ik nog niet zeggen. Maar we zorgen wel voor een heerlijk ontbijtje! Oké dan, geweldig!'

Snel loopt ze met de cameralui de trap af naar het wachtende busje om nog iemand anders een worst voor de neus te hangen. Ik doe de deur dicht en kijk mijn ouders aan. 'O mijn God.' Meer kan ik er niet over zeggen. Zou dit betekenen dat Caitlyn en ik samen naar de XTV Awards kunnen? 'Wat vinden jullie ervan?'

Grijnzend gaat mijn vader op de onderste traptrede zitten, terwijl mijn moeder met tranen in haar ogen tegen de leuning leunt. 'Dr. Phil zei vorig jaar eens zoiets,' zegt ze, met de cheque dicht tegen zich aan gedrukt. 'Dat als ik maar lang genoeg op iets voor mijn dochter hoop, dat het dan zou gebeuren.' Plotseling slaat ze haar armen om me heen. 'Nu kun je zeker naar de universiteit!'

Nog steeds in lichte shock zet ik mijn fiets op slot en haal mijn telefoon tevoorschijn. Zo te zien heeft Caitlyn nog niets van zich laten horen, dus laat ik nog een bericht achter op haar voicemail. Het zesde al. Misschien is ze bezig met haar make-up voordat ze naar de caravan komt.

Ik loop om de school heen naar de met pekel bestrooide parkeerplaats, waar al een begin wordt gemaakt met het nieuwe zwembad. Daar vlak naast staat een enorme zwart te wagen met daarop het reusachtige logo van XTV in lichtgevende kleuren. Ik klop op de deur, maar niemand doet open. Dan besluit ik mezelf maar binnen te laten in het hoofdkwartier van *Het echte Hampton Beach*. Onder de ramen staan enorme witte banken, en in het keukentje zie ik zo ongeveer elk product dat ooit onder het merk General Mills is verschenen. Van snoep tot hamburgers.

'Neem maar!' zegt Kara, die achter me aan de caravan in klimt. In haar handen heeft ze een bekertje koffie van de Prickly Pear.

Ik neem twee mueslirepen en ga op de witte leren bank zitten wachten op de andere gelukkigen. Nog even kijk ik naar de display van mijn telefoon. Nog steeds geen bericht.

Plotseling gaat de deur open en ik kijk hoopvol op.

'Hoi Melanie,' zeg ik teleurgesteld. 'Wat een verrassing jou hier te zien.'

'Dat geldt ook omgekeerd,' zegt ze, maar dan iets minder sarcastisch. Met die enorme hoge hakken van haar sandalen komt ze moeizaam de trap op. Ze gaat recht tegenover me zitten om haar belakte tenen te ontdooien.

'Mueslireep?'

Ze kijkt me walgend aan. 'Nee, ik... Je weet wel, koolhydraten.'

'O ja,' zeg ik. Dan zal ik ze zelf wel opeten. Ik hoop dat Caitlyn niet te laat komt, want ik heb echt geen zin om dit allemaal na te moeten vertellen.

Opnieuw vliegt de deur open en komt Jase naar binnen wandelen. 'Yo, gasten!' juicht hij. Maar als hij mij ziet, verstrakt zijn gezicht even. Er volgt een ongemakkelijke stilte. Waarschijnlijk denken we allebei terug aan ons moment van glorie, op die bewuste maandagavond. Ik met mijn vuilnis, hij met zijn gespleten lip. Leuk moment was dat. 'Soep! Lekker!' Hij loopt langs me heen naar de keuken, opent een blik vissoep, giet de inhoud in een kom en stopt die in de magnetron.

Omdat ik zo druk bezig ben de geur van vis die de ruimte vult op te snuiven, heb ik eerst helemaal niet door dat Nico ook binnen is gekomen. Plotseling slaat er, van mijn heup, geeft Melanie een zoen en neemt plaats op de schoot van haar vriendje Jase. Hij kan nog net met zijn arm bij zijn kom soep, en werkt die over haar schouder naar binnen. Zo te zien trekt Nico zich niets aan van de fratsen van haar vriendje. Niet die van nu, en niet die van maandag.

Ondertussen schuift Kara een stel folders bij elkaar in een paars mapje en kijkt steeds nerveus op haar BlackBerry. Waar blijft Caitlyn toch? Zo langzamerhand, na al die ingesproken berichtjes, begin ik me toch wel zorgen te maken. Wat nou als ze helemaal niet is uitgenodigd? Maar ze zouden mij toch niet filmen zonder ook Caitlyn een hoofdrol te geven? Toch?

De deur vliegt opnieuw open en deze keer komt Rick naar binnen en begroet ons nonchalant. De legendarische Rick Sachs. Hij heeft prachtige jukbeenderen en enorme blauwe ogen. Helaas kun je onmogelijk langer dan twee minuten met hem praten zonder in slaap te vallen. Soms zie je een of twee jongere leerlingen een poging wagen, maar niemand houdt het lang vol. Die jongen is net een slijmdiertje, en het zal me niets verbazen als hij ooit een stukje van zijn lichaam afstoot waaruit een nieuwe, kleine Rick ontstaat.

'Goed dan!' Kara komt overeind. 'Nog eentje te gaan.'

Shit.

Dat moet Trisha zijn. Dat kan niet anders. Ik voel me te misselijk om de rest van mijn mueslireep op te eten en ik leg hem in de vensterbank. Ik wenk Kara. Kara komt naar me toe. Ik wenk nog eens, en ze bukt zodat ze haar oor voor mijn mond heeft. 'Ik wilde even zeggen dat ik denk dat Caitlyn Duggan ook een goede kandidaat zou zijn. Ze wil echt heel graag,' fluister ik in haar oor.

Ik kijk haar smekend aan terwijl ze overeind komt. 'Ze zou echt een stuk beter zijn dan ik.'

'Sorry, we hebben maar zes deelnemers nodig. Van alle kandidaten vonden de producenten jullie het leukst. Het spijt me, daar kan ik niets aan veranderen.' Ze haalt haar schouders verontschuldigend op.

Waarom? Waarom ben ik gekozen en Caitlyn niet? Ik bedoel, zij heeft veel meer glamour dan ik. Ze maakt haar eigen highlights! Dit slaat echt nergens op! En dit vergeeft ze me vast nooit. Ik denk aan mijn ouders, die zo straalden bij het zien van de oranje cheque. Misschien kan ik meer uren gaan werken in de Pear, dan heb ik die cheque helemaal niet nodig en zijn mijn ouders nog steeds trots op me. Als ik nu opsta...

Dan gaat de deur voor de laatste keer open. Ik kijk om, omdat ik me afvraag hoe Trisha's neus eruitziet na die vreselijke val in de kantine. Maar de ogen waarin ik kijk zijn niet van Trisha.

Ze zijn van Drew.

'Sorry dat ik te laat ben. Gedoe thuis,' mompelt hij. Nico en Melanie kijken elkaar verbaasd aan. Zelfs al is Drew nog zo knap, hij is niet bepaald van dezelfde klasse als zij. Voordat hij dat vriendinnetje uit een hogere klas had, hadden ze hem vast niet eens in het wild herkend.

'Goed, jullie zijn er allemaal!' Kara steekt haar duimen omhoog. 'Drew, haal maar iets uit de keuken.'

'De soep is echt vet,' zegt Jase met zijn mond vol.

Drew ploft neer op de bank tegenover mij en haalt een proteïnereep uit zijn jaszak. 'Ik heb al.'

Mijn ogen schieten van Kara naar Drew. Wat moet ik nu doen? Mijn ouders of Caitlyn?

'Geweldig, maar die mag je niet voor de camera's eten. Alleen producten van General Mills,' legt Kara uit op dat langzame toontje van mevrouw Gesop. 'Andere merknamen moeten worden gewist en dat kost tijd en geld. Begrepen?'

We knikken.

'Jesse? Wilde je iets vragen?'

'Ik... Ik...' Ik weet niet wat ik moet zeggen.

'Goed dan! Volgende punt, jullie moeten allemaal elke ochtend hierheen komen voor een korte bespreking. Duurt maar vijf of tien minuutjes, niets speciaals.' Ze haalt haar bril van haar hoofd en zet hem op haar neus om het volgende punt van haar klembord te lezen. 'Het belangrijkste is dat jullie zo vaak mogelijk bij elkaar zijn. De show gaat tenslotte over jullie. Zes beste vrienden...'

Nico steekt haar hand op en kijkt fronsend naar Drew en mij. 'Maar, ik wil niemand beledigen of zo...' Ik knik. Voel me bepaald niet beledigd. 'Maar we zijn geen beste vrienden.'

'Precies, ik vind...' begin ik, maar Nico raast gewoon door. 'Trisha hoort hier te zijn. Mijn vader zei nog...' Plotseling zwijgt ze. 'Ik bedoel, dat hoort gewoon zo. Waar is ze?'

'Nou kijk, Trisha is blond, en jij bent ook blond. En Melanie heeft donkerblond haar. We konden toch niet drie blonde personages hebben? De producenten wilden liever drie verschillende meisjes, zodat iedereen zich met iemand kan identificeren.'

'Trisha is heel identificeerbaar, en ze is mijn beste vriendin!'

'Laat nou maar zitten, Nic,' zegt Jase zacht. Nico kijkt verontwaardigd maar zegt niets.

Kara haalt een pen tevoorschijn en recht haar rug. 'Goed dan. Nog meer klachten over de rolverdeling? Want ik kan jullie allemaal schrappen.' Nico verstart bij Jase op schoot. 'Zoals ik al zei, jullie zijn met zijn zessen, en we hebben maar twee cameramannen tot onze beschikking, Ben en Sam. Natuurlijk willen we geen moment van jullie leventjes missen, dus, Nico, als je de keus hebt tussen Jesses huis en het huis van iemand anders om na school naartoe te gaan, ga dan mee met Jesse.' Verbaasd kijken we elkaar aan. Het idee alleen al van haar bij mij thuis maakt ons allebei aan het lachen. 'Goed zo. Kijk, jullie vinden elkaar al aardig.' Kara maakt een aantekening op haar klembord. 'We hebben vandaag nog geen zendertjes om contact te houden, dus maken we een knallende start met de camera en een gewone microfoon aan een hengel. Er is morgen meer tijd voor vragen, als jullie alles een beetje onder de knie hebben.' We kijken haar allemaal gespannen aan. 'Rustig, jongens. Jullie gaan vast heel veel lol hebben samen. Alle mensen die ooit in een van onze shows hebben gespeeld, smeken om terug te mogen komen in een ander programma. Het is zo leuk dat ze het gewoon steeds weer willen doen.' Ineens klinkt het gepiep van een telefoon. Kara steekt haar hand in de zak van haar vest. 'Ik ben zo terug,' zegt ze, waarna ze de trap af loopt en de deur achter zich dichtslaat.

'Dit slaat helemaal nergens op,' klaagt Nico. Ze staat op, weg van Jase en zijn soep, en gaat tussen Rick en Melanie in zitten. 'Hoe kúnnen ze?'

Dan zien we de deur weer opengaan en komt Kara binnen, gevolgd door Fletch. Hij draagt een enorme oranje Prada-parka met een capuchon met bont. 'Allemachtig, wat is het koud. Maar we moeten kijkcijfers scoren, nietwaar? Ik woon op Fire Island, en geloof me, daar had ik graag willen filmen. Maar ja, er mogen daar geen auto's komen, dus de producenten zeiden nee, waardoor ik nu verblijf in een hotelletje met bijna pikzwarte muren...'

'Schimmel komt vaker voor aan de kust,' zeg ik, om maar

even bij hem te slijmen. En in een poging mijn beste vriendin toch te laten meedoen.

'Dus mocht ik van de producenten een huisje huren, maar toen ging de boiler ineens van boem. En dat terwijl ik jullie nog wel zo'n comfortabel rolletje heb gegeven. Het lijkt wel of ik in zo'n survivalprogramma zit.'

'Fletch,' zegt Nico verleidelijk. Ze gaat verzitten en slaat haar ene been over het ander als een wervelwind van grijze spijkerstof. 'Mijn vader heeft nog wel een bungalow aan het strand die we 's zomers verhuren. Dus als je nog iets nodig hebt...' Haar geslijm overtreft het mijne. 'Een en al luxe.' Je wordt bedankt, mevrouw de multimiljonair.

'Ik zal eraan denken, Nico, maar eigenlijk hoop ik dat we elkaar de volgende keer op dat andere eiland kunnen zien, dat met de wolkenkrabbers en mijn te gekke kantoor. Oké, heeft Kara jullie alles uitgelegd? Gewoon jezelf zijn. We hebben jullie uitgekozen omdat jullie allemaal speciaal zijn, charmant.' Nico leunt gefascineerd naar voren. 'Ook al hebben jullie nog niet allemaal getekend, ik zie hier nu al een geweldige cast zitten en ik hoop dat jullie allemaal meewerken. Oké, genoeg gekletst! Ga maar en doe je ding!' Hij zwaait even en is de caravan al uit gesprongen voordat we nog iets kunnen zeggen.

'Dat was het dan, denk ik. O, wacht even. Drew? Kun je even een ander shirt aantrekken?' Kara kijkt van hem naar Jase. 'Jullie zijn allebei in het bruin.'

'Goed hoor,' zegt Drew schouderophalend. Hij trekt zijn jas en T-shirt uit en volgt Kara naar achteren. O, wat ben je mooi, zing ik in mijn hoofd als zijn gespierde rug uit het zicht verdwijnt. Even later komt hij terug en heb ik perfect zicht op zijn grandioze voorkant. Hij is bezig een donkerblauw poloshirt over zijn hoofd te hijsen.

'En zorg dat de pinguïn goed in beeld komt. Het merkje van een van onze sponsors. Goed dan, veel plezier!'

Nico, Jase, Rick en Melanie hollen naar de uitgang, klaar om aan hun eerste dag als beroemdheid te beginnen. Ik blijf achter met Drew, die zijn eigen sweatshirt over zijn nieuwe kledingstuk aantrekt en het dichtritst zodra Kara uit het zicht is verdwenen.

'Hebben jouw ouders al getekend?' vraagt hij me.

'Volgens mij is mijn moeder nog bezig de cheque in te lijsten,' antwoord ik.

'Ja...' Hij beweegt ongemakkelijk in zijn nieuwe shirt terwijl hij op de bovenste tree gaat staan.

'Gaat-ie een beetje?' vraag ik. Met mij gaat het absoluut niet goed.

Even zegt hij niks, dan kijkt hij achterom. 'Normaal gesproken draag ik geen strakke, dure troep. Het voelt niet goed. Niets voelt goed.' Ik knik begrijpend. 'Maar jij bent hier ook, hè?' zegt hij op vrolijker toon. 'Samen kunnen we alles wel aan, toch?' vraagt hij. Ik glimlach naar hem. Zo had ik me 'samen' helemaal niet voorgesteld. 'Het valt vast wel mee. Waarschijnlijk merken we er niets van,' zegt hij optimistisch.

Maar als hij de deur opent, staan we plotseling oog in oog met zo ongeveer alle leerlingen van de school. Ze staan op hun tenen om een glimp te kunnen opvangen van twee leerlingen die tot vanochtend nog nooit iemand waren opgevallen.

Opname 4

'Stop het snoertje maar onder je shirt,' zegt Ben de volgende dag tegen me. Hij heeft last van een naar rokershoestje en geeft me het piepkleine microfoontje. Ik doe braaf wat hij zegt en huiver als het ijskoude metaal van de clip tegen mijn buik aan komt. Het bovenstukje trek ik naar boven door de hals van mijn trui. Nou ja, niet helemaal míjn trui. Mijn eigen trui was van het merk Old Navy en, nou ja...

'Die ziet eruit alsof hij van Old Navy komt,' had Kara gezegd, waarna ze gebaarde dat ik hem moest uittrekken.

'Hij is ook van Old Navy,' had ik geantwoord.

'Stukken beter,' vindt Kara nu. Ze drinkt uit haar dagelijkse beker koffie en bewondert mijn Alice + Olivia-trui met boothals. Ben is druk bezig een of ander koud zwart doosje, ongeveer zo groot als een flinke lucifersdoos, aan mijn broekriem vast te zetten. 'Rood staat je goed, Jesse. Wat jij, Diane?'

De kleedster steekt haar hoofd even om de hoek. Ze heeft een aantal spelden tussen haar lippen.

'Zorg dat je aan meer rode kleren voor Jesse komt,' beveelt Kara. Diane knikt. Dan komt Drew van achter een dunne wand vandaan in een splinternieuwe Diesel-spijkerbroek. Dezelfde als die van Fletch.

'Deze is klaar,' mompelt Diane zonder haar mond te openen. 'Ik heb nog vijf paar liggen, die nog wat moeten worden ingenomen.'

'Was je broek niet XTV-waardig?' vraag ik, terwijl hij aan een koek begint.

Even kijken we allebei naar zijn eenzame Levi's-broek die in een hoekje van de caravan is gedumpt.

'Ik heb begrepen dat mijn broek de kijkers verjaagt,' zegt hij, met een knikje in Kara's richting. 'Ze zouden dan naar een andere zender kunnen zappen.'

Undertussen zet Kara haar beker koffie in de magnetron. 'Niemand wil zijn eigen broek op tv zien,' zegt ze. 'Mensen willen een fantasieversie van hun eigen kleding.'

'Wat leuk, je hebt een fantasiebroek aan.' Ik geef hem een schouderklopje.

'Hé!' roept hij als Ben zo'n koud zwart doosje aan zijn broekband probeert te hangen. Zijn broek zakt onmiddellijk tot halverwege zijn achterste door het gewicht van het ding.

Met op elkaar geknepen lippen kijkt Kara onze kant op. 'Plak hem maar.'

Ben knikt en scheurt een reep zilverkleurig tape af waarmee hij het doosje op Drews rug vastplakt, net boven zijn billen. Drew kijkt me met grote ogen aan. Zo te zien bereidt hij zich al voor op het pijnlijke moment dat hem over acht uur te wachten staat.

Plotseling vliegt de deur open en komt Melanie naar binnen stormen. Haar haren zijn krulleriger dan anders, en ze heeft haar make-up zo natuurlijk mogelijk aangebracht.

'Daar is ze dan!' roept Kara enthousiast, terwijl ze de magnetron opent. 'Prachtig glanzend, maar alleen waar het moet. Neem maar een zendertje, dan ben je klaar.'

Even bloost Melanie onder haar sproetjes als Ben uitlegt waar ze het koude zendertje precies moet stoppen, maar haalt het snoer dan onder haar chiffon blouse door. Waarschijnlijk is dat ding van haar duur genoeg om op tv te dragen, in tegenstelling tot de trui van mij en de broek van Drew. Volgens mij zijn deze dagelijkse besprekingen met Diane speciaal voor ons tweeën.

Drew trekt zijn jas aan en vraagt aan Kara: 'Wil je nog iets op me vastplakken, of kan ik nu naar Frans?'

Kara sabbelt bedenkzaam aan haar zwarte sjaaltje en bekijkt hem van top tot teen, inclusief de geniete zoom in zijn broekspijpen. 'Je bent een lekker ding,' zegt ze uiteindelijk, met haar beker koffie bij haar mond. 'Om op te vreten. De kijkers zullen je geweldig vinden.'

Hoewel ik het helemaal met haar eens ben, zie ik dat Drew naar haar knikt op de manier waarop we een complimentje van onze eigen bevooroordeelde ouders in ontvangst nemen. Dan sjokt hij langzaam de echte wereld in, waar niemand hem wil opeten. Tenminste, dat hoop ik.

'Dus Benjy hangt aan het hek van de golfbaan en is kwaad. Waarom? Wat wilde Faulkner hiermee zeggen?' vraagt meneer Baxter. Enkele leerlingen steken hun hand op. Ik draai me om, niet zozeer om te kijken wie allemaal het goede antwoord weet, als wel om gewoon eventjes geen camera recht voor mijn kop te hebben. 'Jesse?'

'Eh... uh...' stamel ik. Ik voel dat stomme lichtje van de camera bijna op mijn gezicht branden.

'Wat hoort Benjy?' vraagt hij ongeduldig.

Ineens moet ik denken aan vorig jaar, aan de kust, toen ik bij de golfclub zo lang op Caitlyn moest wachten die daar als serveerster werkte en we samen naar het strand wilden. O ja, wacht eens... 'Caddie?'

'Ja,' zegt hij, duidelijk teleurgesteld vanwege mijn goede antwoord. Dan draait hij zich om naar het bord en kan niets me meer afleiden van de camera, die nu echt minder dan vijf centimeter van me af staat. Zien mijn poriën eruit als enorme kraters? Stroomt het zweet als riviertjes van me af? Ik hou dit niet langer vol. Dit is nog erger dan die twee weken toen mijn vader een camcorder had en hij tijdens een balletvoorstelling alle andere bloeiende bloemen-meisjes niet belangrijk genoeg vond. Dus kwam hij maar naar voren op het toneel om mij goed in beeld te krijgen. Binnen tien seconden veranderde ik van een witte lelie in een knalrode kluproos. Zelfs al heb ik een moeder die zo nu en dan optreedt met een bandje dat covers van The Bangles speelt, zo opgelaten heb ik me niet meer gevoeld sinds mijn kleuterballet.

Dan gaat de bel. Snel dump ik al mijn spullen in mijn rugzak en loop naar de deur. Eindelijk krijgt de camera alleen mijn achterhoofd te zien. Kan ik even mijn voorhoofd deppen met de rode mouw van mijn nieuwe kasjmier trui. Ik vraag me af of die belichting Nico ook doet zweten. Of heeft ze sowieso geen zweetklieren? Plotseling zie ik Caitlyn met gebogen hoofd het trappenhuis in lopen. Ik heb haar nog steeds niet kunnen spreken sinds het grote nieuws.

'Hé!' roep ik, terwijl ik achter haar aan ren. Maar ze loopt gewoon door. 'Caitlyn, wacht even!' Eindelijk stopt ze dan, draait zich om en kijkt me over de hoofden van alle andere door elkaar krioelende leerlingen heen aan.

'Hoi, hoe is-ie?' vraag ik, en precies op dat moment heeft de camera me weer gevonden en wordt de trap verlicht. Dat licht wordt weerkaatst door de tegeltjes. 'Je gelooft gewoon niet hoe idioot dit allemaal is. Volgens mij zie ik eruit als een klont pasta onder al die lampen.'

Ze kijkt me met tot spleetjes geknepen ogen aan, terwijl drie leerlingen van de onderbouw achter haar in beeld proberen te komen. 'Ik ben laat, Jess.' Dan draait ze zich om en loopt verder.

Maar zo snel is ze niet van me af. Ik trek aan haar mouw. 'Wacht even. Waarom beantwoord je mijn e-mails niet? Je kon me toch ten minste een berichtje sturen. Ben je kwaad of zo?'

Ze kijkt me met een nietszeggende blik aan. 'Ik moest dat proefwerk voor Frans inhalen, weet je nog? Ik had het gewoon te druk.'

'Dus alles is nog goed tussen ons?' vraag ik hoopvol.

'Natuurlijk,' zegt ze. Maar in plaats van me aan te kijken, staart ze naar de Amnesty International-affiche die net boven mijn schouder aan de muur hangt.

'Echt waar?' vraag ik, hopend op een glimlach.

'Ja hoor. Hoezo? Is dit soms de grote "waarom heb je me niet gebeld"-scène.' Ze glimlacht, maar niet zoals ik nu had voorgesteld. Het is nog erger dan als ze niet zou hebben ge lachen. Dan stormt ze naar haar volgende les en blijf ik alleen achter. Met het gevoel of ik een klap in mijn gezicht heb gekregen loop ik naar boven.

Tijdens de lunch zie ik Kara met haar dagelijkse bekertje Prickly Pear-koffie bij de ingang van de kantine staan. Ze heeft een walkietalkie aan haar broekriem hangen, waardoor haar roze onderbroek zichtbaar wordt. Een broek met ingebouwde microfoontjes en walkietalkies lijkt me een gat in de markt. 'Ben,' zegt ze tegen mijn persoonlijke cameraman. 'Sam is bezig, tijd voor je lunch.' Met zijn aansteker in de hand loopt hij naar buiten.

'Goed dan, Jess. Jij gaat bij Nico en Mel zitten.'

'Weten ze dat wel?'

Kara knikt.

'Ik wil niet lastig zijn, maar kunnen we dit misschien morgen doen? Ik moet nu echt naar Caitlyn toe.'

'Daarna. Ze staan allemaal al klaar, dus opschieten. Doritos!' roept ze me na, wat waarschijnlijk iets betekent als: Je bent nu van ons!

Ik weet nu al dat ik deze middag geen tijd meer zal hebben om Caitlyn te zien. Donderdags hebben we geen gezamenlijke lessen. Zuchtend ga ik de kantine binnen en in de rij voor de hotdogs staan terwijl ik mijn blik door de zaal laat dwalen. Twaalf rijen tafels. Aan de lunchtafel bij de frisdrankautomaten zitten de losers, en dan loopt het langzaam op tot de elite bij de ramen. Meestal zit ik fijn aan een van de middelste tafels met alle andere mensen die maar gewoontjes zijn zoals Rob DeNunzio, Emily Franken en Jennifer Lanford. De mensen die er niet verkeerd uitzien, die geen belachelijke kleren dragen en nog best een aardig gevoel voor humor hebben, maar zich geen sportautootjes, neusoperaties en Elsa Peretti-sieraden kunnen veroorloven. Ik buig voorover om iets te eten te pakken en vraag me af wat me te wachten staat wanneer ik mijn achterwerk op de bank van Nico en de rest neer laat ploffen. Krijgen we dan een actiescène als die uit Indiana Jones, waarin er zand uit de muren komt en de hele kantine wordt overspoeld? Behalve dan Nico en ik, zodat we onze krachten kunnen verenigen en er een vriendschap ontstaat die al jaren op zich liet wachten.

Of misschien maakt ze gewoon een hatelijke opmerking over mijn kapsel.

De camera heeft Nico al in beeld, en ik loop er braaf achteraan. Misschien is het wel allemaal één grote grap. Maar dan zie ik dat er naast Nico en Melanie een plekje over is.

'Hoi, zit Trisha hier?' vraag ik.

Nico slikt een hap van haar broodje door en knoeit, zoals gewoonlijk. 'Die is hier niet meer, schatje. Kom er maar bij.' Ze klopt uitnodigend op de lege plek.

Ik zet mijn dienblad neer, en verrassend genoeg verandert er niets in drijfzand. 'Hoe bedoel je? Is Trisha nog overstuur na haar... ongelukje?'

Melanie kijkt op van het fruit dat ze in perfect afgemeten stukjes snijdt voor in haar yoghurt. 'Ze belt ons niet terug.'

'Volgens haar totaal gestoorde moeder moest ze er even tussenuit en zit ze nu bij haar tante in West Palm,' zegt Nico met volle mond. Ze slikt de hap door. 'Alsof ze Britney Spears is of zo.' Ze kijkt Melanie eens aan. 'Ze is onze beste vriendin! Ik bedoel, ik snap best dat ze kwaad is en zo, maar ze kan toch wel haar telefoon opnemen? Wat nou als ik haar nodig heb?' Net als ik over Caitlyn wil vertellen, barst Nico pas echt los. 'Oké, oké, zij is niet op tv en wij wel. Maar daar komt ze heus wel weer overheen.' Het klinkt pinnig, heel anders dan toen ze zo liefjes in de wc Trisha's bloedneus depte. Misschien heeft ze het dus toch gehoord van Trisha en Jase? Ze steekt haar wat verlijp handen uit, en Melanie haalt een doekje uit haar tas. Dankbaar blaast Nico een kusje naar haar.

'Dus...' zeg ik. Eigenlijk is het nu mijn beurt om iets interessants te vertellen, maar ik zou niet weten wat. Zeker niet nu er een camera op me gericht staat.

'Kijk eens, zit Drew nu bij Jase?' vraagt Nico ongelovig. Ze draait haar lange lichaam hun kant op.

'Ja, XTV wil geloof ik iedereen aan een loser koppelen,' mompel ik om leven in de brouwerij te brengen.

'Zo bedoelde ik het helemaal niet.' Ze knijpt met haar schoongemaakte hand in mijn arm. 'Maar, nou ja, wat hebben ze elkaar nou te zeggen?'

'Iets over seks of sport?' Ik haal mijn schouders op.

'Doet Drew daar dan aan?' vraagt ze, terwijl ze heen en weer wiebelt om de twee jongens beter te kunnen zien. 'Hij heeft geen pagina op MySpace en Facebook... Hij twittert niet eens!'

'Hij doet aan hardlopen. En hij had Jen. Die heeft hem vast wel in het een en ander ingewijd,' zegt Melanie.

Nico lacht met haar mond wijd open. Ik hoop dat ik ooit lang en blond genoeg word om ook zo te kunnen lachen en er niet idioot uit te zien.

Aan het eind van de schooldag, als ik inmiddels een klein beetje aan die camera gewend ben, gooi ik de deur open en stap de ijzige kou in. Plotseling zie ik achter alle wegrijdende auto's en gele schoolbussen de Camry op het bijna verlaten parkeerterrein staan. Ik denk niet meer aan mijn fiets, maar ren ernaartoe, waardoor mijn tas steeds pijnlijk tegen mijn heup aan botst. Door het raampje zie ik Caitlyn zitten. Ze bijt op haar duimnagel. 'Gaat-ie?'

Ze knikt, maar kijkt me nog steeds niet aan. Snel trek ik het portier open en kom naast haar zitten. 'Caitlyn?' Ik leun naar haar toe, maar ze duwt me weg. 'Wat is er?'

Ze haalt haar schouders op en blijft hoofdschuddend door de voorruit naar de weg staren. In haar ogen staan tranen.

'O God,' zeg ik zacht. 'Het spijt me verschrikkelijk.'

'Maar ik... ik ben heel blij voor je,' zegt ze uiteindelijk snikkend. De tranen stromen over haar gezicht en vallen op haar witte met dons gevulde jas, zodat daar donkere vlekken op komen. 'Zolang... zolang je dat maar weet.'

'Dat weet ik best, maar...'

'Nee, echt. Meer kan ik er nu niet over zeggen. Of sowieso niet.' Ze veegt haar tranen weg met haar mouw.

Ik voel me verschrikkelijk. 'Je weet toch dat ik dit echt niet had verwacht? Ik doe het alleen maar voor het studiefonds. Nee echt, ik ben wel de laatste die had gedacht...'

'Dat weet ik. Maar ik kan niet... Ik heb het nu al twee dagen uitgehouden. En nu... Ik moet naar huis, oké? Ik zet je wel even af. Maar kunnen we het over iets anders hebben?' Ze houdt het stuur stevig vast, en ik zie dat ze de gebreide, vingerloze handschoentjes draagt die mijn oma voor ons heeft gemaakt.

'Ja, prima. Wat jij wilt.' Ik blijf doodstil naast haar zitten. Ze haalt diep adem en knippert haar tranen weg, haar blik gericht op het lampje in het plafond van de auto, dat het niet meer doet.

'Hoe ging je proefwerk Frans?' probeer ik.

'Prima.' Ze zet de radio aan, zodat Akon de pijnlijke stilte kan vullen met muziek. Even later draait ze het volume wat hoger, om nog even duidelijk te maken dat ze me echt niet wil horen. Ik doe mijn gordel om en veeg met mijn mouw mijn deel van voorruit schoon. Nog nasnuffend rijdt ze van het parkeerterrein af naar Main Street. Al bij het eerste stoplicht heb ik de neiging om uit te stappen en voor de wielen te gaan liggen, zodat ze me kan overrijden.

Dan draai ik de volumeknop terug naar de nul. 'Ik maak mezelf nog liever van kant.'

'Nee!' Meteen barst ze weer in snikken uit. 'Jesse, alsjeblieft. Ik ben echt blij voor je. Echt waar! Het is gewoon dat ik het zo graag wilde. Ik dacht echt dat dit de oplossing voor alles zou zijn.'

'Oké. Nou, ik kan je vertellen dat het alleen maar een extra probleem is. Een heel groot, zweterig probleem.'

'Maar ik wilde het zo graag. Ik wilde dat grote zweterige probleem juist!' Even kijken we elkaar met grote ogen aan. Haar woorden blijven tussen ons in hangen. Dan verschijnt er een grijns op haar gezicht en kan ik eindelijk weer opgelucht ademhalen. Het is alsof iemand een enorme naald in het dak van dit autowrak heeft gestoken en alle spanning eruit is ontsnapt. 'Dit is zwaar klote.'

'Echt klote,' zegt ze met een zucht. Ze leunt achterover tegen haar hoofdsteun en neemt de eerstvolgende afslag.

Een blik op haar rode wangen bewijst maar dat we die lachstuip over zweterige problemen hard nodig hadden. Zij hoort niet te huilen, en ik hoor me niet te voelen als het laagste van het laagste. Zo hoort het, zoals het nu is. 'Zo, nu kan XTV ons laatste jaar niet meer om zeep helpen.'

'Ze staan op het graf te dansen.'

'Er moet een manier zijn om jou ook in het programma te krijgen.'

'Ik ben gewoon niet de persoon die ze willen hebben. Ik heb geen lang haar, of lange benen, ik heb niks bijzonders.'

'Wat zij willen is...' Ik denk diep na en bijt zachtjes op mijn lip. We rijden nu over Clover Road, en een eindje verderop zie ik al die belachelijke nep-Romeinse fontein bij het grote huis van Trisha. De rest van het terrein of het huis is lang niet zo indrukwekkend. 'Draai om!' roep ik, en ik sla op het dashboard.

'Wat is er?' Caitlyn gaat op de rem staan.

'Ik weet iets waardoor je misschien toch nog kan meedoen! Rij terug!'

'Ik moet naar huis, Jesse, mijn moeder heeft de auto nodig voor haar werk.'

'Ik ga straks wel op de fiets naar huis. Kun je direct terug. Draai nou om, voordat ik niet meer durf.'

'Kara?' roep ik als ik de caravan binnen kom. Ik loop langs de banken, de keuken en de spiegels met de lampen eromheen naar de deur helemaal achterin. Even blijf ik staan om mezelf moed in te spreken, maar dan stap ik naar binnen, het blauwe licht in. 'Kara?'

Het enige licht komt van een muur van televisieschermen boven op een bureau. Voor de schermen zit Kara met een koptelefoon op te kijken naar beelden van school, van Drew en... van mij! Doodstil blijf ik staan. De camera's en koude zendertjes zijn vergeten. Ik voel een lichte paniek opkomen, alsof ik net mezelf in een handdoek gewikkeld op YouTube zie. Kom op, koppie erbij, Jesse!

'Eh, hoi.' Ik klop op haar met een sjaaltje bedekte schouder en ze springt op.

'Ja?' zegt ze veel te hard. Ze haalt haar mouw langs haar rode ogen en zet de koptelefoon af. Rode ogen? Zou ze hebben gehuild? 'Wat kan ik voor je doen?' Ze zet haar bril op.

'Ik wilde even met je praten.'

'Prima. Kan moeilijk nog saaier zijn dan die duizenden filmminuten die we vandaag hebben opgenomen.'

'Pardon?'

'Wat haalden ze zich in hun hoofd? Het is januari! Maar de omroep wilde zo snel mogelijk een serie om in te spelen op de populariteit van *The Hills,* dus wat doe ik. Ik ga op zoek naar een beetje glamour onder lagen van dikke jassen en truien. Misschien moet ik maar solliciteren bij de Prickly Peach, want híer komt mijn carrière nooit meer overheen.'

'Pear.'

'Huh?' Ze snuit haar neus in een papieren zakdoek die zijn beste tijd heeft gehad. Bij gebrek aan prullenbakken propt ze hem maar in de zak van haar corduroy broek.

'Niks, hoor. Sorry. Ik weet zeker dat ik wel iets voor je kan regelen. Mijn collega is zo'n idioot, ze staan vast te springen om iemand als...'

'Jesse.' Ze zet haar bril af en wrijft in haar rode ogen.

'Ja.'

'Wat kom je doen?'

'O ja.' Ik ga naast haar zitten op een bureaustoel en strijk mijn haar uit mijn gezicht. Misschien is een directe aanpak wel het beste. 'Nou, ik weet dat je al genoeg mensen hebt voor het programma, maar... ze zijn niet echt grappig. Ze zien er goed uit en zo, maar willen de kijkers niet ook kunnen lachen? Mijn vriendin Caitlyn is heel mooi én heel grappig...'

'Goed zo. Heeft ze een privévliegtuig? Een verslaafde ouder? Heeft ze duizenden dollars aan gestolen spullen in haar kamer? Nee? Dan kan ze me niet helpen. Jullie zijn geen van allen echt interessant.'

Bezorgd kijk ik naar de televisieschermen waarop we allemaal, inclusief Nico, tegen de groene tegeltjes van de gang geleund staan. 'Maar als jullie rijkeluiskinderen wilden hebben, waarom zijn jullie dan niet naar een chique kostschool gegaan?'

'Zoals Fletch al zei, kunnen we die ouders echt niet overhalen met een kleine Doritos-cheque.'

'O.'

'Sorry, dat was gemeen van me.' Ze schudt langzaam met haar hoofd. 'Ik ben doodop. Luister, ik heb nu echt geen tijd. Morgenochtend wil Fletch de eerste beelden van me hebben, en ik heb nog geen spoortje spanning en sensatie gezien.'

'Ik heb best wat spanning en sensatie voor je!' zeg ik snel. Ik duw mijn geweten maar even weg. 'Ik kan je van alles vertellen, maar ik vind nog steeds dat jullie iemand nodig hebben die grappig is.'

Ze kijkt me doordringend aan. 'Wat voor spanning en sensatie precies?'

'Ik... Laten we zeggen dat ik iets van bepaalde hoofdrolspelers weet. Maar ik zeg pas iets als jullie Caitlyn in het programma laten. Jullie zullen me nog dankbaar zijn, want ze is echt heel lollig.'

'Goed dan, Jesse. Ik kan nog niks beloven, want Fletch heeft hier alle touwtjes in handen en hij is op vakantie in Sundance. Hij blijft nog tien dagen weg. Dus alles ligt hier een beetje stil, behalve dan mijn zeer wankele baantje.' Ze zucht diep. 'Maar ik zal mijn best doen.'

'Echt waar? Dus je belooft dat je zegt dat Caitlyn echt het einde is?'

'Ja hoor. Dus, wat weet je allemaal?'

Nu ik weer buiten Kara's kantoortje bij de onverlichte make-upspiegels sta, voel ik me steeds vreselijker en misselijker. Kara hangt aan de telefoon, maar ik kan het allemaal net niet verstaan. Ik leun een beetje tegen de wand van formica en doe mijn best iets op te vangen. Misschien was dit toch niet zo'n heel goed plannetje. Mijn vader zou zo teleurgesteld in me zijn als hij dit wist.

Maar wat heb ik eigenlijk gedaan? Ik heb ervoor gezorgd dat twee oneerlijke mensen hun verdiende loon krijgen, zodat een eerlijk en lief persoon iets leuks kan doen. Met mij. En zo krijgen we allebei geld en kunnen we allebei naar de universiteit!

Toch durf ik niet naar mezelf in de spiegel te kijken en draai me om naar de muur met foto's, verlicht door het gelige schijnsel dat door de luxaflex valt. Ik zie de foto's van Nico en Jase. Gadver, wat maak ik me weer zorgen om niets. Ik leen no niet oover, dat en Nico zelf. En Trisha is al helemaal verschrikkelijk. En Jase, nou ja... Ik heb toch niemand verteld dat zijn vader hem slaat? Het is echt niet mijn schuld dat Kara plotseling keek alsof ze het winnende lotnummer op een papiertje had staan. Bovendien, wat weet ik nou echt, zeg ik tegen mezelf terwijl ik naar de deur slenter. Ik was er toch niet bij in die slaapzak. Gadver. Maar als ik de deur wil opentrekken, voel ik me desondanks een liegende en bedriegende verrader, net als Jase en Trisha.

Dan vliegt de deur open en blaast de wind recht in mijn gezicht. Bijna val ik naar beneden, maar weet mezelf nog net overeind te houden. Voor me staat Jase, met een rode kop, nog bezweet van de basketbaltraining. Met zijn ene hand houdt hij de deur open en in zijn andere heeft hij zijn zendertje. Verbaasd staart hij me aan met zijn blauwe ogen.

'Hé!' zeg ik, onnatuurlijk hard en schel. 'Ik had mijn zendertje ook nog niet ingeleverd, daarom ben ik hier!'

Maar hij blijft me aankijken en zijn gezicht staat niet bepaald vriendelijk.

'Goed dan... T-tot ziens,' stamel ik. Hij kan toch onmogelijk weten wat ik net heb gedaan?

Hij blijft doodstil voor me staan, nog steeds zwaar ademhalend. Zijn bezwete shirt plakt tegen zijn borst en zijn adem komt in wolkjes uit zijn neusgaten. Net een roofdier dat me wil aanvallen. Zenuwachtig loop ik een paar passen achteruit, en hij blijft naar me kijken, zonder iets te zeggen. Dan draai ik me om. Ik neem niet eens de moeite om mijn fiets te pakken, en ik durf ook niet te rennen. Zo snel mogelijk loop ik klappertandend het hoekje om en over de stoep naar huis. Niet één keer kijk ik om.

Opname 5

'Is er nog iets eetbaars wat niet op me zit?' zegt Caitlyn hard genoeg om boven de luide muziek uit te komen. Ze sjort aan de plastic folie op haar hoofd, die haar in honing-en-kamillethee wekende haren uit haar havermout-en-yoghurt-gezichtsmasker houdt.

'Alleen alles wat op míj zit.' Ik veeg wat bananenprut van mijn kin en biedt die haar aan. Maar ze schudt haar hoofd, en er zit niets anders op dan mijn vinger aflikken. Dan glij ik op mijn sokken over de houten vloer om te kijken of mijn vader nog iets lekkers in de ijskast heeft gestopt.

'Ik voel me net een kaasstengel.'

Caitlyn kijkt mee over mijn schouder. 'Je ruikt naar mueslireep.'

In de diepvries zitten alleen maar de restjes van het restaurant. 'Laten we pizza bestellen.'

'Perfect! Met hoeveel geld hebben je ouders hun schuldgevoel afgekocht?'

'Met helemaal niks, natuurlijk. Ik ben alleen maar niet meegegaan naar oma omdat ik moest werken. Echt, ik moest ze haast geld toestoppen. Dus veel heb ik niet. Iets van vijftien dollar.'

'Maar het is het allemaal waard, want je krijgt een nachtje *avec moi*!' Ze knippert zo overdreven dat de stukjes mas-

71

ker in het rond vliegen. Ondertussen duik ik naar de telefoon. 'Laten we eerst de griezelfilm kijken, dan kunnen we daarna met de komedie tot rust komen,' zegt ze, terwijl ze de gehuurde dvd's bekijkt. Ondertussen moet ik me in bochten wringen om geen banaan of avocado van mijn haarmasker op de hoorn te krijgen en toch verstaanbaar een pizza te kunnen bestellen.

'Mij best, het is toch allemaal met Johnny Depp,' antwoord ik zodra ik heb opgehangen. '*Jack The Ripper* of *Peter Pan*, allemaal prima.' Dan gaat de eierwekker.

'Jij bent klaar!' Caitlyn zet de wekker uit en houdt zich dan met mijn iPod bezig om het volgende nummer uit te kiezen. 'Spoel maar uit. Maar schiet op, want ik heb nog...' Ze kijkt naar de timer van de magnetron. 'Nog zestien minuten, en dan ben ik een ware schoonheid.'

Ik steek mijn duim op en ren de trap op. Op de maat van *Way We Get By* van Spoon drum ik op de trapleuning, tot ik besef dat ik een spoor van avocado achterlaat. Met mijn handen in mijn nek om het druipende haarmasker op te vangen, haal ik de badkamer, waar ik alle troep van de vrijdagse tutavond van me afspoel. Met mijn tenen duw ik de stukjes door het afvoerputje, en ik begin me net af te vragen of we nog wat kunnen experimenteren met het bevroren koekjesdeeg, als Caitlyn ineens het douchegordijn openrukt en met uitpuilende ogen naar me kijkt.

'Wat doe je?' gil ik, terwijl ik het douchegordijn om me heen probeer te slaan.

'xtv,' zegt ze zacht. Onder haar maskertje ziet ze doodsbleek.

'Hè?' Met mijn vrije hand veeg ik het water uit mijn ogen. Maar Caitlyn is al druk bezig. Ze trekt hardhandig haar sokken uit en probeert ondertussen de plasticfolie los te trekken. Al snel geeft ze het op en springt ze met kleren en al onder de douche.

'xtv staat beneden in de kamer,' fluistert ze enthousiast. Ondertussen trek ik een handdoek van het rek, zodat ik die om me heen kan slaan voordat de hele badkamer nat wordt.

'Maar het is vrijdagavond!' zeg ik verontwaardigd, terwijl ze me wegduwt zodat ze haar plakkerige haren kan wassen. Ze laat de fles van de zenuwen uit haar handen glijden, en die stuitert over de tegelvloer. 'Ik dacht dat ze ons juist allemaal tegelijk wilden filmen. En in het weekend zijn we zeker niet samen. Nico bestáát misschien niet eens in het weekend, voorzover ik weet. Misschien sluit ze zich in het weekend wel op in de diepvries, om goed te blijven. Caitlyn, doe eens rustig en vertel me precies wat er aan de hand is.'

'Ik was aan het playbacken en bekeek mezelf in de tuindeuren, en... Nou ja, blijkbaar hoorde ik de bel niet omdat de muziek zo hard stond. Waarschijnlijk zijn ze achterom gekomen, want in plaats van mezelf zag ik ineens dat mens voor me staan. Ze keek me aan alsof... alsof ik een complete freak was.' Ze houdt haar handen stil in de schuimende massa en haar gezicht betrekt, en ik kan wel begrijpen waarom. Bij de gedachte alleen al huiver ik: Caitlyns eigen Idolsauditie met op de achtergrond de kleine Hummel-beeldjes van mijn moeder. Nu op tv.

Ik stap het bad uit en ruk het gordijn dicht. 'Oké, waren de camera's aan of uit? Was het lichtje groen of rood?'

'Geen camera's.' Ze gooit de plakkerige plasticfolie op de grond, dus stop ik die snel in de prullenbak. 'Er was alleen die vrouw. Die kleine met donker haar en een bril op.'

'Kara?' Ik trek mijn spijkerbroek aan, zonder mijn benen droog te maken. 'In de woonkamer?'

Dan draait Caitlyn de kraan uit en tast ze langs de muur naar een handdoek. 'Ik wil een broek van je lenen. En oorbellen.' Ze komt de douche uit en loopt langs me heen naar de haardroger. 'Geef me de krultang!' beveelt ze zodra ze haar spiegelbeeld heeft gezien. Haar gezicht ziet er in de beslagen spiegel knalrood en rauw uit van het boenen.

'Wacht even. Volgens mij is dit goed nieuws!' Ik pak haar bij haar natte schouders. 'Misschien is Fletch terug en komt Kara zeggen dat je ook mee mag doen!'

'Behalve dan dat ze zich vast heeft bedacht toen ze me zag dansen.' Ze trekt een la open en haalt er een haarborstel uit.

'Zei ze dat dan?' Ik trek mijn Henley-trui over mijn hoold.

'Zei ze dat ze zich heeft bedacht?'

'Ze zei helemaal niets. Nou ja, alleen dat ze je even wilde spreken.'

'Precies! Want ik had gezegd dat je grappig was, en dat ben je ook!' Ik bind mijn natte haren vast in een knotje. 'Tot zo, beroemdheid!'

Ze kijkt me grijnzend aan en houdt heel even op met zich opdoffen om me een grote knuffel te geven. Even springen we samen gillend op en neer, dan ren ik de trap af. Onderweg trek ik mijn shirt los van mijn vochtige beha en ga dan de woonkamer binnen, waar Kara de familiefoto's aan de muur staat te bekijken.

'Hoi Jesse! Hoe is het?' Ze kijkt me vriendelijk glimlachend aan.

'Hoi. Goed, hoor.' Ik plof neer op de bank. Zo gewoontjes mogelijk.

'Wat zijn we weer enthousiast.' Ze lacht.

'Wil je misschien iets drinken? Water of fris?' vraag ik. Zodra ik merk dat ze niet van plan is bij me te komen zitten, sta ik weer op. 'We hebben net pizza besteld, dus...'

'Lief van je.' Eventjes kijkt ze onzeker naar het mobieltje dat ze aan een lus om haar hand heeft hangen. 'Maar daar hebben we helaas geen tijd voor.'

Dan begint de magnetron luid te piepen. Dat betekent dat

Caitlyns maskers er nu af hadden gemogen. 'Sorry, even uit-doe.' Ik loop naar de keuken en Kara komt me achterna.

'Tja, Jesse. Het spijt me dat ik er de laatste tijd 's ochtends niet was bij de bespreking. Er was zo veel te doen, maar nu eindelijk hebben we de zaak op orde. Doordeweeks blijven we jullie op school volgen als in een documentaire, maar in het weekend gaan we nog een stapje verder. Ik sta te trap-pelen om te beginnen met filmen.' Ze slaat met haar hand op de aanrecht.

'Dus ze doet mee?' vraag ik.

Ze kijkt me fronsend aan, terwijl de timer nog piept.

'Caitlyn. Je zei dat het in orde was?'

'Kun je...' Ze gebaart naar de piepende magnetron

'Sorry.' Ik druk op de knop.

'Ik heb deze hele week al geen migraine gehad, en ik hoop mijn persoonlijke record te breken, snap je?'

'Klote. Ik bedoel, klinkt goed. Dat record, bedoel ik.' En Caitlyn dan? 'Dus...'

Ze tuit haar lippen en beweegt haar hoofd heen en weer. 'Ja, nou. Fletch komt hierheen gevlogen en wil morgen-ochtend met je praten. Sorry, maar vanavond moeten we Caitlyn nog even voor ons uit schuiven, is dat goed?'

'Oké.' Maar niet heus. 'Maar wat betekent dat precies?' Stoppen we haar in een kruiwagen of zo?

Kara stopt haar handen in de kontzakken van haar spij-kerbroek, waardoor haar schouders in het groene vestje bijna tot haar oren komen. Zo te zien begint ze ongeduldig te worden. 'Ik bedoel dat ik Fletch alles heb verteld, en hij was vreselijk enthousiast. Hij is hier de baas, en hij vond je idee-tjes allemaal erg creatief. Zijn mening is de enige die ertoe doet. Ik heb helemaal niets te zeggen. Maar je gaf ons heel veel stof tot nadenken, dus waarschijnlijk kunnen we het project een nieuwe draai geven, waarmee we waarschijnlijk veel kijkers zullen trekken. Ik ben dolenthousiast. We hebben drie keer zo veel cameramannen, en een cinematograaf die een prijs heeft gewonnen. Voorlopig heb ik het grootste budget van de hele omroep.'

Mijn hart gaat wild tekeer. En vanuit mijn natte knot druipt koud water in mijn hals. 'Dat is allemaal heel mooi en zo, maar Caitlyn is nog boven...'

'Jesse, dankzij jou is deze show nog iets waard!' Dan vibreert haar telefoon, en voordat ze opneemt steekt ze een vinger omhoog. Kan ze ooit opnemen zonder meteen dat vingertje tevoorschijn te halen? Doet ze dat ook als ze helemaal alleen thuis is, of als haar kat in de buurt zit? 'Ja, we zijn er bijna... Dat weet ik ook wel, Ben. Verdomme! Oké, we gaan nu weg. Jaja, nu meteen de deur uit.' Ze klikt het klepje van haar telefoon dicht, loopt om de tafel heen en legt haar arm om mijn schouders. 'Jesse.'

Dit is wel heel vreemd. 'Ja?'

'Morgen. Ik beloof het je. Nu moeten we gaan. Deze scène hebben we vandaag nog bedacht. Jij gaf ons een verhaallijn en nu maken we er een verhalenkronkel van. Beetje sfeer creëren, achtergrond scheppen...' Ze trekt me mee, door de woonkamer naar de voordeur. 'Dus haal je jas maar. Buiten staat het busje te wachten, en...'

'Ik haal Caitlyn wel even. Ze is al bijna klaar.' Ik ruk me los en wil de trap op stormen, maar Kara grijpt mijn pols vast. 'We zouden vanavond samen eten en tv-kijken, ik kan haar niet achterlaten.'

Opnieuw gaat haar telefoon. 'Jesse, nee. We moeten nú gaan. Nu meteen. Anders lopen we het moment mis.' Ze opent haar telefoon, maar blijft me stevig vasthouden. Met haar voet schopt ze de laarzen van mijn moeder naar me toe. 'We zijn er... Begin dan met Nico! Weet ik het, wat dacht je van pijpenkrullen?' Ze raapt de laarzen op en duwt ze in mijn handen.

'Kan Caitlyn niet gewoon komen kijken?' vraag ik, terwijl

ik de laarzen aantrek. Ik probeer haar aandacht te trekken, maar ze luistert niet en roept vanuit de deuropening:

'Zie je? Hier is ze al!'

'Hoi jongens.' Verbaasd draaien we ons om. Daar komt Caitlyn, volledig opgetut, achteloos de trap af.

Even grijns ik trots, maar dan zie ik dat Kara niet bepaald onder de indruk is. Ze zwaait even nonchalant naar haar en stapt dan in haar Uggs de sneeuw in. 'Hup! Hup!' zegt ze klappend.

Dan verstart Caitlyns gezicht. 'Wat gebeurt er allemaal, Jess?'

'Eh... Ik geloof dat ik ergens een opname moet maken.' Het busje dat op ons staat te wachten toetert ongeduldig. 'Maar Fletch vond je leuk, en morgen gaan we het erover hebben, dus...' Kara trekt me de veranda af en slaat de deur dicht. Ik gil nog: 'Begin maar met de grappige! Dan kom ik op tijd terug voor de enge! Beloofd!'

Opname 6

Twee uur later, als iemand mijn hoofd toetakelt met een enorme krultang, spoken Kara's woorden nog altijd door mijn hoofd. Verhaallijnen, verhaalkronkels, goeie tip... En zal ik ooit antwoord krijgen op mijn vraag? Het antwoord dat ik wil... dat wíj willen?

'Mag ik even iets vragen?' vraag ik door de wolk van poeder en haarlak heen. 'Waarom heb ik zoveel make-up nodig als het er in het kuuroord toch allemaal weer af gaat?'

'Zo gaat het in dit wereldje, schatje,' antwoordt Tandy, de visagiste. 'En dan nu... klaar! Doe maar open.' Zodra ik mijn ogen open, zie ik de voorkant van een tijdschrift in de spiegel. Wauw. Ik knipper met mijn ogen, die een stuk zwaarder voelen met die nepwimpers, en glijd met mijn vingers over mijn nepbruine jukbeenderen. Maar voordat ik me er echt van kan overtuigen dat ik die covergirl in de spiegel ben, tikt Tandy me op de vingers.

'Niet aanraken! Vanaf nu mag je nooit meer met je handen aan je gezicht komen. Afgesproken?'

Ik open mijn glanzende lippen om te antwoorden, maar voordat ik het weet wordt er een spuitbus met haarspray op me gericht en adem ik de helft in. Het prikt achter in mijn keel. Dan vliegt de deur open, en komt er eindelijk wat frisse lucht in mijn longen.

Kara komt voor me staan en klapt in haar handen alsof ze een cheerleader is. 'O mijn God. Jullie zien er geweldig uit! Helemaal fantastisch! Fletch gaat uit zijn dak!' Nico, die er als een uitgebreid gefotoshopte versie van zichzelf uitziet, trekt haar oortjes uit haar oren en glijd soepel van haar stoel af. Alsof ze dit elke dag meemaakt. Wat me eigenlijk niets zou verbazen. Waarschijnlijk zal mijn dure, door de Prickly Pear gefinancierde shampoo mijn haar nooit zo mooi laten glanzen als dat van haar. Melanie kijkt haar crew van schoonheidsspecialisten even vragend aan en zet dan haar voeten, die in hoge suède knielaarzen zijn gestoken, op de grond. Die laarzen heeft ze van Diane gekregen. Ik volg Nico's voorbeeld, maar heb vreselijk veel moeite om me overeind te houden in die belachelijke, harige, witte Wookie-laarzen die ik aan moest van Diane. Zenuwachtig trek ik aan de crèmekleurige kasjmier coltrui, die ik boven mijn strakke witte broek aanheb.

'Jesse,' zegt Kara verbaasd.

Zelfs Nico trekt haar wenkbrauwen op. 'Je ziet er goed uit.'

'Komt door die jukbeenderen, haar profiel,' zegt de vrouw die mijn haren martelt met een kam, met pijnlijke, kleine rukjes.

'Goed dan, dames!' Kara steekt een vuist in de lucht en slaakt een opgewonden kreet. 'We zijn klaar voor de eerste scène uit jullie nieuwe leven!' Ons nieuwe leven? Nico en Melanie kijken elkaar verwachtingsvol aan.

Als we onze toegewezen jassen aanhebben en onze stijve kapsels voorzichtig over de kraag zijn getild, lopen we achter Kara aan de caravan uit. Onderweg over het pad naar het kuuroord van de moeder van Melanie komen we langs wel een stuk of dertig cameramannen. Zo te zien bestaat ons nieuwe leven uit een kuuroord. En bovendien is het hier middag, in plaats van... Shit!

'Kara!' Zenuwachtig schuifel ik verder door de sneeuw, en allerlei mensen met zware zwarte apparatuur wijken voor ons uiteen. 'Kara, ik moet Caitlyn even bellen om te zeggen dat ik iets later kom. Mag ik heel even mijn telefoon terug voordat we beginnen? Hoe laat is het eigenlijk?' Ik kijk vragend om naar Melanie en Nico, maar die halen hun schouders op. 'Zoals ik nu al drie keer eerder heb gezegd zijn er geen telefoons toegestaan op de set. Tenzij je iemand moet bellen als onderdeel van een scène, maar in dat geval krijg je er eentje van ons. Regels van de producenten. Deze beelden moet ik echt hebben voordat Fletch morgen aankomt, dus doe je best. Alsjeblieft?' Dan pakt Kara een megafoon die op een van de vouwstoelen ligt, ook al heeft ze die helemaal niet nodig. We staan vlak naast haar. 'Oké! Jullie drieën, ga bij de deur staan en wacht op mijn teken. Denk eraan, dit is een gezellige meidendag. Jullie komen in het kuuroord bij elkaar om de hectische schoolweek te bespreken. Gewoon vriendschappelijk en meisjesachtig. Een meidenmiddag. Heel natuurlijk,' brult ze door de megafoon. Dan dumpt ze ons bij de deur en rent snel weg door de sneeuw naar een donker plekje. Achter haar aan komt iemand met een bezem om haar sporen uit te wissen. 'En... actie!'
Even kijk ik verbaasd naar al die roodneuzige mensen die ons verwachtingsvol aanstaren. Pech gehad. 'Hoe laat is het?' vraag ik een van de cameramannen. Melanie klakt misprijzend met haar tong.
'Niet naar ons kijken, Jesse. En... actie!'
'Hoe laat is het in de echte wereld?' vraag ik opnieuw. Ik ben helemaal klam en zweterig in die stomme kasjmier trui.
'Drie over tien,' roept Ben van achter de camera.
'Dankjewel!'
'Cut!'
'Jezus,' zegt iemand kreunend.
'Jesse, ik zeg het niet nogmaals,' roept Kara streng door de

megafoon. 'Hoe vaker dit over moet, hoe langer je hier blijft. Begrepen?'

'Sorry, maar…'

'Meidenmiddag. Actie!'

Deze keer komt Nico in actie. 'Melanie, ik kan niet wachten op de pedicure. En jij?'

'Ik ook niet!' zegt Melanie enthousiast terwijl ze de grote rode deur opent. Zodra we binnen zijn, staat ons een tweede verrassing te wachten. Het kuuroord zit vol met beeldschone dames die we nog nooit eerder hebben gezien. Even ben ik bang dat ze als in een videoclip gaan dansen, met al die wagentjes vol nagellakharen en andere spullen. We kijken elkaar aan, maar dan herstelt Melanie zich en gaat gewoon verder. 'Hoi mam!'

Mevrouw Dubviek komt van achter de balie naar ons toe lopen. Haar blonde haren zitten al even stijf als haar glimlach, en ze draagt bijna dezelfde outfit als die waarin ze ook naar sportwedstrijden en andere evenementen van school gaat: een bolero met luipaardprint, met bijpassende Just Cavalli-spijkerbroek met kontzakken met luipaardprint. Ik stel me altijd stiekem voor hoe ze daar in de Cavalli-winkel moet staan en met haar Oost-Europese accent om de hele luipaardset vraagt. Beha, ondergoed, sokken… Het hele pakket. Ze ziet eruit als een volwassen versie van Elle Woods uit *Legally Blonde* die met een Zuid-Amerikaanse dictator is getrouwd. 'Melanie, Nico en…'

'Jesse,' zeg ik snel, terwijl ze haar armen om de andere twee meisjes slaat. Volgens mij hebben we nog nooit een woord met elkaar gewisseld. 'Hallo, mevrouw Dubviek.' Aan de andere kant, ik ben ook nooit naar het kuuroord geweest. Ik doe mijn eigen pedicure. Dat doet me weer aan Caitlyn denken… Au! 'We zijn helemaal klaar voor onze pedicure. Wat is deze week een populaire kleur?'

Nico legt haar hoofd tegen de schoudervullingen van Melanies moeder aan, die nu iets minder stijf lijkt. 'Wat dachten jullie van een klassieke rode Chanel?'

'Cut!' roept Kara door de megafoon. Het galmt door de ruimte, alsof een god heeft gesproken. We blijven allemaal doodstil staan. 'Waar is de nieuwe kleur van het merk Essie? Die moet in beeld. Zet hem klaar!'

Een paar crewleden in vlekkerige dikke jassen en met petjes op komen om ons heen staan, terwijl twee mannen met bloempotkapsels in skinnyjeans op handen en voeten achter hen aan kruipen om de sneeuwsporen met een handdoek te verwijderen. Mevrouw Dubviek knijpt vriendelijk in Nico's kin en strijkt de pony van haar dochter uit haar gezicht. 'Dit is goed werk. Je nichtje in de Oekraïne werkt in de haringfabriek. Ik ben trots op mijn meisjes.'

'Dank je, mam.'

'Dank je, mamma Dubviek,' zegt Nico snel. 'Ik ga even naar de wc. Mag ik in het kantoortje?'

'Natuurlijk, Nikita.'

'Mag ik dan even de telefoon gebruiken?' vraag ik, nu we toch bezig zijn.

'Daar.' Melanie wijst naar de balie. 'Maar ik geloof dat Kara niet wil dat je belt.'

'Dankjewel!' Ik ren om het nepmarmeren zuiltje heen, en voordat iemand me kan tegenhouden heb ik mijn nummer al ingetoetst. 'Het huis van O'Rourke,' hoor ik.

'Het spijt me verschrikkelijk! Dit is echt zwaar klote. Wil je liever naar huis?'

'Hoe dan, op jouw rolschaatsen? Mijn moeder heeft me afgezet, weet je nog? Ze heeft nachtdienst in het ziekenhuis. En met dit weer spring ik niet op de fiets. Ik ga niet op die gladde weg de heuvel oprijden.'

'Goed. Shit. Nou ja, we zijn al begonnen met filmen, dus denk ik niet dat het nog lang gaat duren. Ga je de tweede film ook kijken?'

'En de rest van de avond doodsbang in bed liggen?'

'Jesse!' roept Kara door de megafoon. Ik kijk op en merk nu pas dat iedereen me aangaapt. 'We zijn begonnen!'

'Wat is dat?' vraagt Caitlyn verbaasd door de telefoon. 'Wie schreeuwt er daar in surround sound?'

'Moet gaan! Begin maar aan de tweede film, ben er zo!'

Maar helaas ben ik de enige die snel naar huis wil. Het lijkt wel alsof de tijd wordt tegengehouden door al die zoemende zogenaamde daglichtlampen, de stilstaande klokken die vinden dat het altijd twee over halftwee is, en de hyperactieve medewerkers en figuranten.

'Mijn hele huid is naar de maan,' zegt Nico bezorgd vanaf de behandeltafel waarop ze ligt.

Ik draai mijn hoofd, waar een handdoek als een tulband omheen zit gewikkeld, en kijk langs Melanie heen naar Nico. Die houdt een spiegel voor haar gezicht en bekijkt haar hoofd dat net zoals het onze is gescrubd, bemaskerd, en genadeloos opnieuw opgemaakt. En dat acht keer achter elkaar.

'Mijn lippen zijn gevoelloos,' vertel ik de schelle lampen die boven ons zijn gehangen. Het lijkt wel alsof we zijn ontvoerd door aliens in een heel klein ruimteschip. Het duurde uren voordat mevrouw Dubviek toestemming gaf een wandje tussen de behandelruimtes te slopen zodat de hele filmcrew naar binnen kon, hoewel iedereen nu met de rug tegen de perzikkleurige muur van nepmarmer staat gedrukt, en daarna bleef ze er nog minstens vijf maskers lang over doorzeuren.

'Komt wel goed,' zegt Melanie vrolijk.

Steunend op mijn ellebogen kijk ik haar aan. 'En hoe kom jij zo opgewekt?'

Nico rolt op haar rug en legt haar hoofd in het ronde kussentje met een gat erin. 'Zo is ze nou eenmaal,' moppert ze, terwijl ze haar dikke, pluizige badjas rechttrekt.

'Wat nou?' Melanie haalt haar schouders op. 'Dat moeten we toch zijn? Ik bedoel, het is altijd nog beter om hier te liggen dan om buiten in de kou te staan wachten om andere mensen hun gezichten onder te mogen smeren. Pak gewoon een tijdschrift.' Ze houdt haar eigen *US Weekly* op. Op de voorkant staat Miley Cyrus, die samen met iemand anders ergens in wegduikt.

'Ik haal wel,' zegt haar moeder, die opstaat uit haar stoel net buiten beeld. Met haar armen over haar enorme boezem gevouwen wurmt ze zich op kousenvoeten door de filmploeg heen.

'Goed, meisjes,' klinkt Kara's stem vanuit de andere kamer, waar ze veilig achter de monitors zit. We houden allemaal ons hoofd schuin, net zoals Caitlyns hond wanneer die denkt dat hij eten krijgt. 'We zijn tot de conclusie gekomen dat de kleur van de gezichtsmaskers niet goed uitkomt op camera, dus moeten we een creatieve oplossing vinden. Blijf waar je bent.'

Zacheria-zonder-achternaam, onze prijswinnende cinematograaf en tevens het meest onaangename persoontje dat ik ooit heb ontmoet, komt naar voren gewandeld in zijn zwarte legging en Hezbollah-sjaaltje. Hij houdt zijn vingers tegen elkaar zodat ze een rechthoek vormen en klimt over onze behandeltafels. 'Jenny!' roept hij onnodig hard. Een van zijn knieën staat vlak naast mijn schouder, de andere heeft hij boven op Melanies schouder gezet. De tranen schieten haar in de ogen.

Even later komt Jenny, een kleine, magere, en heel tragische figuur, aanzetten met open tubes... tandpasta in haar handen? 'Ja?'

'Hier.' Zacheria wijst naar Nico's gezicht. Jenny laat zich op haar knieën vallen en wurmt zich ongemakkelijk langs de tafels totdat ze op ooghoogte is met Nico. Zacheria kijkt hen beiden vanuit de hoogte aan.

Nico trekt een wenkbrauw op en ik zie haar walgen wanneer hij een tube aanneemt van Jenny en met een vinger vol dikke blauwgroene pasta zwierig Jenny's voorhoofd insmeert. Maar Jenny zelf glimlacht alleen maar schaapachtig, alsof ze wordt gezalfd. 'Ik heb het opgelost!' zegt Zacheria enthousiast. 'De tere kleurpigmenten komen tot hun recht naast het blauw in de muren. Moeder van Melanie! Waar is de moeder?'

'Mam?' roept Melanie. Al snel horen we het snelle geklikklak van mevrouw Dubvieks muiltjes, en even later komt ze binnenstormen met een stapel tijdschriften tegen haar boezem geklemd. Allemaal kijken we op. Afgezien van haar dochter, die nog steeds de knie van een getroostte gek op haar schouder heeft.

'Jullie hebben een fontein! Waar ook al weer?'

Het gezicht van mevrouw Dubviek klaart op. 'Jazeker. In de waxruimte. Ik laat u zien!'

'Even voor alle duidelijkheid, ik ben níét geschikt voor de camera als jullie die pasta op me smeren,' zegt Nico tegen niemand in het bijzonder.

'Positieve instelling, mensen!' Kara's stem schalt weer door de ruimte. Net de stem van God. 'Dus tandpasta, toch, Zacheria? Kunnen we dan nu filmen?'

Zacheria gaat eindelijk van ons af en gebruikt Jenny's hoofd als steuntje. 'Ik wil die fontein hier hebben,' beveelt hij. 'Dit wordt prachtig!'

'Nikita, niet zeuren, anders jij minder vaak in beeld komen,' waarschuwt mevrouw Dubviek terwijl ze de tijdschriften voor ons op de behandeltafel legt en er eentje aan Nico overhandigt. 'Beetje ijs op gezicht en alles weer zo goed als nieuw.'

'Goed, mamma,' zegt Nico liefdevol. Wat eng. Heb ik soms iets gemist? Een adoptie, bijvoorbeeld?

'Goed zo! Meneer Zacheria, ik u meenemen naar fontein.

Heel mooi!' Haar klikklakkende voetstappen sterven weg in de gang, en nu ze de hele filmploeg met zich mee heeft genomen, is het eindelijk stil om ons heen. Afgezien van die zoemende lampen. Ik leun op het schuimrubberen kussen met het gat erin en vraag me af wat Caitlyn nu aan het doen is. Zou Fletch er al zijn, en zou hij haar naam al hebben toegevoegd aan de lijst van hoofdrolspelers?

'Is het jullie ook opgevallen dat Jase de laatste tijd zo vreemd doet.' vraagt Nico ons. Ik ben blij dat we allemaal op onze rug liggen, anders had ze me misschien heel schuldig zien kijken.

'Mij niet.' Melanie schudt haar hoofd. Ondertussen doe ik net alsof ik niet besta. 'Hoezo vreemd?'

'Ik weet niet. Soms lijkt het of hij me... wel leuk vindt, en dan weer ineens helemaal niet, of zo.'

'Jase houdt van je.' Melanie klopt zachtjes op de arm van haar vriendin.

'Ja, misschien.' Nico gaat op haar zij liggen, met opgetrokken knieën, en staart naar de muur. 'Ik heb genoeg van al die zorgen.'

Steunend op mijn ellebogen duw ik met mijn voeten, die al vijf pedicures achter de rug hebben, de tijdschriften uiteen en kies uiteindelijk het exemplaar met de meeste artikelen over Robert Pattinson. Een paar minuten later hoor ik zacht gesnurk. 'Zijn Nico en jij familie van elkaar?' fluister ik.

'Nee.' Melanie bladert door haar eigen tijdschrift. 'Hoezo?'

'Nou ja, omdat zij en je moeder zo...'

'Ik bedoel, ik ken haar al sinds we in Amerika zijn, en toen was ik twee. Toen mijn moeder dit kuuroord opende, had haar vader net het land van de ouders van Trisha gekocht,' legt ze uit, zonder op te kijken van haar roddelblaadje. Aha. De moeder van Trisha heeft zo ongeveer alle grond aan Main Street geërfd van haar overleden derde echtgenoot. Dus zo hebben die drie elkaar leren kennen...

'Nico heeft me altijd gesteund.'

'Ik snap het. Dus jullie ouders zijn...'

'Vrienden. Je weet wel.' Ze haalt haar schouders op. 'Ze zijn niet heel erg close, hoor. Ik bedoel, we gaan echt niet met Nico's ouders op vakantie of zo,' zegt ze kalmpjes. Dan pas realiseer ik me wat ze daar eigenlijk mee wil zeggen. Dus zelfs al is ze beeldschoon en heel aardig, haar moeder zal altijd degene blijven die zich op de voeten van de moeder van haar beste vriendin stort. Ik begin Mel toch eigenlijk wel leuk te vinden. 'Nico en ik zijn al eeuwen vriendinnen, en mijn moeder vindt haar geloof ik heel aardig. Ik weet niet precies '

Ze zwijgt, en mijn oogleden worden wel erg zwaar.

'Wakker blijven, meisjes! We zijn zo klaar met de tandpasta, er moet alleen een beetje drilpudding bij om hem wat steviger te maken,' horen we Kara roepen.

'Precies wat we nodig hebben,' mompel ik.

Melanie glimlacht. 'Vind je het ook zo gek dat niemand ooit ondergoed aanheeft?'

'Wie? Waar?'

'In die tijdschriften.' Ze slaat een paar bladzijdes om en kijkt naar een foto van een of ander meisje dat in een kort jurkje zonder onderbroek de auto uit komt. 'Stom.' Ze denkt even na en bladert dan terug naar waar ze was gebleven. 'Ik snap niet waarom ze geen make-up opdoen voor dit soort "gewone" foto's. Ik bedoel, je staat wel met je smoel in een tijdschrift.'

'Inderdaad,' zeg ik zacht. Ik doe mijn ogen dicht en denk aan fotosessies op de parkeerplaats. Langzaam maar zeker val ik in slaap, nog voor de tandpastamaskertjes.

De zon komt al op als ik eindelijk de laarzen van mijn moeder weer aantrek. Ik sta met Nico en Melanie in de sneeuw tegen het busje aan geleund. We kijken toe terwijl onze 'zaterdagmiddag in het kuuroord' razendsnel wordt gemonteerd. En dat terwijl de zaterdag nog maar net is begonnen.

Vanuit de drukte komt Kara naar voren. Met haar headset nog om haar nek komt ze naar ons toe gelopen. 'Goed gedaan, dames. Geweldig gedaan! Fletch gaat vast uit zijn dak!' Ze klinkt zo blij en opgelucht dat ik haar bijna wil omhelzen. 'Goed dan, hier zijn jullie telefoons weer.' Ze haalt de telefoons uit de zak van haar met dons gevulde vest. Allemaal steken we onze vingers uit onze heerlijk warme mouwen en kijken meteen of we nog nieuwe berichten hebben. Het is nog niet eens halfzeven. Snel toets ik Caitlyns nummer in en hoop dat ze opneemt.

'Melanie,' zegt Kara terwijl ze door haar brillenglazen tuurt. 'Je kunt met je moeder mee naar huis, je bent klaar. Nico, we moeten nog even bij je thuis zijn voor wat buitenopnames. En Jesse, als jij nog even wilt blijven... Je kunt in de caravan op me wachten.'

Wat?

Melanie kijkt haar geschrokken aan. 'Heb ik iets verkeerd gedaan?'

'Nee, natuurlijk niet! Je deed het geweldig.' Kara legt een hand op Melanies arm. 'Jullie komen allemaal heel vaak in beeld, en we zijn heel blij met jullie prestaties.'

Melanie lijkt opgelucht. 'Fantastisch! Het was hartstikke leuk. Tot ziens, Nic.' Ze omhelst haar vriendin. 'Dag, Jesse!'

Ik zwaai haar niet helemaal gemeend uit, terwijl Caitlyns voicemail me vertelt dat hij vol zit met berichten van mijn verbroken beloftes en er niets meer bij kan.

Ik schrik wakker als de deur dichtvalt. Blijkbaar had niemand eraan gedacht dat ik nog op een van de witte banken lag. Ik rek me uit in het licht dat door de luxaflex valt en merk nu pas dat de make-uphoek helemaal leeg is. Geen spoor van Diane of Tandy te bekennen, of van hun team met de magische handen. Langzaam loop ik naar de deur en duw hem open. Het zonlicht is zo fel dat ik moet knipperen. Geen enkele zoemende lamp kan dit licht nadoen.

'Sorry, maar heeft u Kara misschien ergens gezien?' vraag ik aan de medewerker die zo te zien de allerlaatste kabel oprolt. Het parkeerterrein is verder verlaten.

'Op de andere locatie,' snauwt hij.

'Is ze weggegaan? Wanneer dan?'

'Weet ik het?'

'Weet u dan of ze mij hier nog nodig hebben?'

'Er is hier helemaal niemand meer, behalve ik. En ik heb je niet nodig, nee.' Hij gooit de rol over zijn schouder. 'Hé, is er nog iemand in de wagen? Ik moet hem meenemen.'

Ik gluur de donkere caravan in. 'Hallo?' roep ik. Geen antwoord. 'Denk het niet,' antwoord ik. Ik sluit de deur en rits mijn jas dicht tegen de bijtende kou. 'Dus, eh… zeg maar tegen Kara dat ik al naar huis ben. Want niemand had me hier nodig, en zo.' Ik blijf even kijken terwijl hij tape van de grond plukt. 'Tot ziens, dan!'

Zo snel als ik kan spring ik de trap af en loop door de wirwar van voetstappen in de sneeuw langs de voordeur van het kuuroord. De ijspegels hangen aan de bomen, en af en toe valt er een stukje af.

Met de capuchon van mijn trui gedeeltelijk voor mijn ogen om ze te beschermen tegen het licht dat door de sneeuw fel wordt weerkaatst, en mijn jas dichtgeritst tot aan mijn kin, begin ik aan de lange weg naar huis. Eindelijk. Zodra ik Caitlyn met al mijn aardse bezittingen heb terugbetaald zodat ze me misschien kan vergeven, ga ik meteen in mijn oude, versleten trui in het bed van mijn ouders liggen. Met natuurlijk hun tv aan, en met een kop warme chocolademelk met marshmallows. Of misschien ga ik eerst in een heerlijk warm bad weken, met de tv uit de keuken op de wc-pot… Met de dvd-speler erbij…

Plotseling rijdt er een zwarte SUV met donkere ramen vlak naast me. Het raampje aan de passagierskant gaat langzaam omlaag en ik zie een flits. 'Doe natuurlijk!' zegt iemand. 'Je ogen zijn dicht. Nou ja.' Dan herken ik die belachelijk grote pilotenbril met spiegelende glazen die over de iPhone heen kijkt. Fletch!

'Hoi!' Ik ren naar hem toe.

'Jesse, hoe is het ermee?' Hij steekt zijn hand op, maar rukt zijn blik niet weg van zijn iPhone-scherm. Pas na een tijdje begrijp ik dat hij een high five van me wil, maar als ik mijn hand uiteindelijk uitsteek, ben ik al te laat en raak ik alleen maar zijn vingernagels. Oeps. 'Stap in.' Blijkbaar is hij niet beledigd. Hij beweegt zijn vingers heen en weer, waardoor ik het woordje *Killah* tussen zijn duim en wijsvinger getatoeëerd zie staan. Juist, instappen dus, maar hij maakt geen ruimte voor me.

'Oké dan!' Ik loop om de auto heen, waarbij ik me langs een druipende heg moet wringen, en open het achterportier.

Binnen is de auto met zwart leer bekleed, en Fletch begroet me met weer zo'n flits. 'Twee keer is scheepsrecht.' Zodra ik weer een beetje kan zien, vallen me de kleine doodshoofdjes van Swarovski-kristalletjes in zijn iPhone op.

'Prachtig, hè?' vraagt hij. 'Heb hem van Diddy.'

'Cool.' Ik zet mijn capuchon af en probeer iets van leven in mijn doodgespoten haar te duwen. Ondertussen stopt Fletch de iPhone weg in zijn Prada-parka.

'Wilde gewoon een foto voor onze sponsors. Jong en natuurlijk, daar gaan ze voor. G, rijden maar!' Hij slaat hard op de schouder van de chauffeur, een enorme zwarte man in een lichtroze shirt met bloemetjes.

Ondertussen kijkt Fletch naar mij, en dan weer naar een van de drie schermen waarop een of ander financieel bericht wordt uitgezonden. 'Ben je er klaar voor, Jesse?'

'Ja hoor. En ik ben blij dat je er weer bent, want ik wil graag met je over Caitlyn praten. Mijn hilarische en beeldschone vriendin. Ik heb het met Kara al over haar gehad, en ze zei dat je al een besluit had genomen. Klopt dat?'

Hij knikt en bijt op zijn lip. Mijn God, kan die man niet gewoon antwoord geven? Als hij ja zegt, zal ik nu meteen drie lange brieven aan mijn oma schrijven voordat ik zelfs maar in de buurt van een warm bad kom. 'Precies, ja,' zegt hij. Wat een boeiende conversatie. 'Ik vind het fantastisch dat je onconventioneel durft te denken, Jesse. Dat heb ik nodig. Dat hebben we allemaal nodig.'

'Inderdaad.' En nu ja zeggen. Alleen maar ja, verder hoef ik helemaal niets.

'Man.' Lachend slaat hij zijn vuist in zijn hand. 'We stonden te springen om een verhaallijn! Iets dynamisch! En jij, Jesse, jij kreeg het voor elkaar!'

O ja? 'Geweldig.' Dus hier komt de ja. Hier komt-ie...

'Nog een klein dingetje,' zegt hij, terwijl we de afslag naar Dune Road nemen. 'Ik wil dat je je personage laat groeien. Niet terughoudend zijn, ga er gewoon voor!'

'Mijn personage?' Ik kijk naar buiten en hoop Caitlyn te zien staan in die massa mensen die om de auto's op het parkeerterrein van de Beach Club heen lopen.

'Een hartje van goud met een klein beetje hersens, zodat mensen zich met je kunnen identificeren. En het beste is dat we je filmen op het moment dat je je duistere kant laat zien. Fantastisch.' Ik kijk om me heen. Buiten staat Kara met alle medewerkers en die zoemende lampen. Fletch steekt zijn handen omhoog. 'Gewoon, als je kwaad bent, wees kwaad. Als je jaloers bent, neem wraak. Als je verliefd bent, doe er iets mee. Weet je wel? Je moet niet naar de hemel, je moet op tv.'

Ik heb geen flauw idee waar hij het over heeft. 'Oké,' mompel ik.

'En als je het er een keertje over wilt hebben, kom je maar naar me toe. Ik voorzie grote dingen voor jou.'

Ja, ja. Prima allemaal. 'Zal ik doen. En Caitlyn doet mee?'

Zijn gezicht betrekt, en ik krijg een voorproefje van een woedende Fletch. Met hem wil je niet alleen zijn. Met hem wil je geen auto delen. 'Jesse, ik moet nog minstens tweehonderd e-mails beantwoorden en vierhonderd telefoontjes plegen. En dat allemaal nog voor de lunch. En in plaats daarvan kies ik ervoor om je persoonlijk op te halen en hoogstpersoonlijk met je te praten. Waarom luister je dan niet?'

'Sorry, nee, ik luister echt!'

'Cool.' Hij steekt zijn duim omhoog en haalt zijn blingbling telefoontje uit zijn parka. 'Je krijgt alles wat je maar wilt. Geloof me. De set bij het water is al klaar, dus schiet op!'

En omdat ik maar wat graag wil zien wat 'alles' inhoudt, stap ik snel uit.

Het maakt me niet eens meer uit dat ze al mijn poriën dichtgooien met foundation en mijn arme mishandelde haren opnieuw voorzien van slag. Of dat ze mijn jas afpakken en me een of ander geval van nertsbont, skinnyjeans en veel te ruime suède laarzen geven, en me zo de duinen in sturen.

Zacheria loopt langs, houdt zijn handen een eindje bij elkaar vandaan en zet ze dan in zijn zij. 'Dit ochtendlicht is schandalig!'

'Dat betekent dat het mooi is,' legt Kara uit. Ze wijst naar het water. 'Goed dan, loop maar naar de uitkijkpost van de strandwacht. We gebruiken deze keer geen geluid, geen microfoons, helemaal niks.'

'We staan op zoom,' zegt Zacheria. 'Heel artistiek.'

'Zo kom je iets natuurlijker over.' Kara houdt haar haren vast vanwege de krachtige zeewind.

Ik knik en ren tegen de wind in honderd meter over het strand naar de zee. Zelfs al plakken mijn haren in mijn lipgloss, toch weet ik een glimlach tevoorschijn te toveren. Als ik eindelijk bij de oude houten ladder ben aangekomen, kijk ik naar Kara, die in de verte gebaart dat ik naar boven moet klimmen. Met moeite klim ik heel langzaam omhoog, zodat mijn nertsbont niet wordt geruïneerd door een of andere roestige oude spijker.

'Caitlyn!' roep ik. Misschien zit er toch iets in dat advies van Dr. Phill aan mijn moeder, dat je met voldoende hoop krijgt wat je wilt. Eenmaal boven gekomen, trek ik me op aan het plateau en klop het zand van mijn broek. 'Caitlyn?'

Maar als ik opsta, geloof ik mijn ogen niet. Is dit mijn nieuwe verhaallijn?

Opname 7

'Jase?'

'Jesse? Wat is dit in godsnaam?' vloekt hij. Door de bruiningscrème van XTV ziet zijn kin er nog hoekiger uit dan anders.

'Ik hoopte eigenlijk... Laat maar zitten.' Ik leun tegen de reling en geef mezelf ervan langs omdat ik in dat idiote advies van Dr. Phil heb geloofd en me nu een echte stommeling voel.

'Geef eens antwoord. Wat doe jij hier?'

'Zij stuurden me,' zeg ik, wijzend op de cameracrew die beneden in de duinen staat. Allemaal zwaaien ze wild naar me met hun in donsjassen gestoken armen, omdat ik geen aandacht op hen mag vestigen.

'Maar waarom hebben ze jóú gestuurd?' Met zijn blauwe ogen kijkt hij achter me.

'En waarom jou?'

'Ik weet alleen maar,' zegt hij zacht, terwijl hij een stapje dichterbij komt, 'dat je vannacht bij Nic was.'

'En?' Maar plotseling snap ik wat hij wil zeggen. Mijn God, mijn hele leven draait echt niet om dat ding in die broek van jou, en of het er wel netjes in blijft zitten. Ik word helemaal warm van woede. 'Weet je, ik ben moe en ik heb honger en ik moet mijn vriendin het slechte nieuws brengen.

Dus als je het niet erg vindt...' Ik wil weggaan, maar hij grijpt mijn in bont gestoken armen vast.

'Laat me los,' snauw ik.

'Je hebt Nico niks gezegd.'

'Ik heb Nico niks gezegd,' herhaal ik. Mijn paardenstaart zwaait wild heen en weer in de wind, als een soort vlag.

Hij kijkt me even doordringend aan en laat me dan los. Ik trek mijn jas recht en begin aan de klim naar beneden. Maar terwijl ik kijk naar mijn in suède gehulde voet die op weg is naar de volgende sport, moet ik denken aan Nico, opgekruld in een ochtendjas op de behandeltafel. 'Jij moet het doen,' roep ik, nu mijn hoofd nog net uitsteekt boven het plateau.

Hij knielt en kijkt me vol ongeloof aan. 'Watte?'

'Jij moet het haar vertellen.' En dan is het geen geheim meer en heb ik niemands privéleven verkocht voor iets wat ik toch niet heb gekregen. 'Ze verdient het om het te weten.' Maar aan zijn gezicht te zien, is hij dat helemaal niet van plan. Waarschijnlijk was het helemaal geen ongelukje. Waarschijnlijk waren het een heleboel 'ongelukjes'.

Ik kijk naar beneden en wil verder klimmen. 'Hoe dan ook, ik ga.'

'Je weet niet waar je het over hebt, oké?' Hij pakt me bij mijn kin en trekt mijn hoofd omhoog, zodat ik hem wel moet aankijken. 'En je zegt niets.' We hebben het niet meer over Nico. 'Ga maar terug naar huis en doe waar je goed in bent, zoals wc's schoonmaken, net zoals je moeder.'

Ik trek me los en klim snel naar beneden. Het laatste eindje spring ik, en ik kom terecht in het zand. Laat alles maar zitten. Jase, Fletch, alles en iedereen. Ik loop weg, maar wanneer ik even omkijk, zie ik Jase van de ladder springen, net Christian Bale in Batman-pak. Allebei lopen we worstelend met de wind terug naar de duinen, met grote stappen, alsof we doen wie er het eerste is.

Zodra ik weer bij de duinen ben, ren ik naar de caravan om mijn spullen op te halen, zodat ik hier eindelijk weg kan. Maar dan staat Fletch opeens voor mijn neus, hij komt tevoorschijn van achter een batterij beeldschermen. Ik wil iets zeggen, maar voordat ik mijn mond open kan doen, heeft hij me al tegen zijn naar Axe riekende borst gedrukt. 'Ja, ja, ja!' roept hij.

Met tranende ogen vanwege die sterke geur, probeer ik me uit zijn arm te bevrijden. Maar dan zie ik dat Jase ook een arm om zich heen heeft gekregen, en even staren we elkaar verbaasd aan, omhuld door oranje parka-armen.

'Fantastisch gedaan, gozers!' Fletch geeft Jase een keihard schouderklopje.

'Jongen, er waren echt geen microfoons, toch?' vraagt Jase voor de zekerheid. 'Ik dacht dat Nico zou komen.'

'Beetje aan het mengen, man. Wauw!' Fletch pakt onze schouders beet en schudt ons door elkaar. 'Jullie hebben het!'

'Wat hebben we?' vraag ik.

Fletch kijkt me schaapachtig aan. Waarschijnlijk kan hij niet geloven dat ik zo'n domme vraag heb gesteld. 'Helemaal! Jullie twee hebben het helemaal!' Hij laat ons los en klapt wild in zijn gehandschoende handen, wat een hol geluid geeft. 'Schrijf dat maar op, Kara!'

'Caitlyn!' Buiten adem kom ik de verlaten Bambette binnenstormen, trek de deur achter me dicht en leun uitgeput tegen de pastelkleurige muur vol leuke figuurtjes. 'Ik heb... gerend... vanaf Beach Club... in deze... idiote laarzen.' Ik schop er onmiddellijk eentje uit. 'Echt... belachelijk.' Ik schop de andere uit en laat mijn hoofd hangen. 'Het spijt me van...'

'Nou en? Hij komt toch morgenochtend terug? Fletch, bedoel ik?' Caitlyn staat op uit haar geïmproviseerde leeshoekje op een van de kartonnen dozen achter de kassa en kijkt me hoopvol aan. 'Wat zei hij allemaal?'

Ik kijk op, klaar om een hele rits excuses te spuien over dat het allemaal beter is, zo. Maar ze kent me te goed. Voordat ik ook maar iets kan zeggen, heeft ze het al aan mijn gezicht gezien, zelfs met al die make-up. Het lijkt alsof alles aan haar er ineens treurig bij hangt. Haar gezicht, haar schouders, alles.

'Ook goed.' Ze haalt haar schouders op.

'Nee, wacht even.' Maar hoe kan ik iemand overtuigen die me al kent sinds de kleuterschool? 'Het probleem is, zeg maar, dat...'

Ze loopt naar een rek met kasjmier slabbetjes, schudt er eentje uit en vouwt het weer op. 'Zal wel,' mompelt ze. Dit doet nog meer pijn dan mijn arme voeten. Ik trek mezelf op aan een klerenkast vol babypakjes.

Meteen steekt ze haar hand op. 'Laat maar zitten, Jesse. Ik zei toch dat het al goed is?'

'Maar het is helemaal niet goed!' Ik ben eindelijk aangekomen bij de blankhouten balie vlak bij de slabbetjes en leg mijn hand op de hare. 'Het is vreselijk! En ze durfden me niet eens iets te zeggen. In plaats daarvan stuurden ze me naar een moorddadige Jase McCaffrey, omdat we het blijkbaar helemaal hebben. Hoe eng is dat? En toen ik eindelijk doorhad dat ze je helemaal niet wilden, kwam ik meteen hierheen.'

'Dus je houdt ermee op?' vraagt ze zacht. De cd die hier altijd draait, en waarvan we altijd dachten dat hij Caitlyn nog eens in een gesticht zou jagen, vult de pijnlijke stilte op.

'Nee, ik...' Ik trek mijn hand terug. 'Je weet toch dat ik dat geld niet kan weigeren? Mijn ouders zouden me vermoorden. Ik voel me echt verschrikkelijk schuldig, er zijn gewoon geen woorden voor. Jij verdient ook een rol, ook al is het allemaal geen lolletje. Het is allemaal zo idioot. We moeten de hele tijd wachten en dan krijgen we lagen make-up opgesmeerd en dan moeten we bevelen opvolgen en allemaal dingen zeggen tegen mensen die we helemaal niet aardig vinden, en dan zijn er nog allemaal mensen die zich vreselijk bemoeien met echt alles, en ongeveer een miljoen acteurs uit de stad die allemaal in het hotel achter Saks zitten. En dat duurt uren.'

'Sorry hoor,' zegt ze, terwijl ze nog een slabbetje opvouwt. 'Moet ik je nu zielig vinden?'

'Dat bedoelde ik helemaal niet...'

'Want zoals je weet,' gaat ze verder, 'heb ik de hele nacht alleen gezeten. In het gezelschap van een aquarium vol vissen.' Kwaad knijpt ze in een slabbetje en vouwt het op. Een keer, twee keer, op de stapel. Volgende. Haar neusvleugels trillen. 'O ja, maar eerst ging het rookalarm nog af vanwege de oven. Daar had ik je pizza in gelegd zodat hij warm zou blijven. Dezelfde pizza die ik heb betaald met dubbeltjes uit de pot van je vader terwijl de bezorger stond te wachten. Dat duurde werkelijk waar een uur, en dat allemaal omdat een zekere persoon al het geld nog in haar zak had.'

'Jezus, Caitlyn, het spijt me...'

'En zodra ik dat stomme alarm eindelijk had uit gekregen, bleef het elk uur afgaan en omdat een zeker iemand had gezegd dat ik die horrorfilm ook wel kon kijken, was ik doodsbang. Maar die iemand had beloofd op tijd thuis te zijn. Maar helaas, diegene bracht liever de nacht heel ergens anders door.'

'Ik heb je nog gebeld zodra we klaar waren, toen het al licht werd, maar je voicemail zat vol.'

'En toen ik wakker werd, was je er nog steeds niet. Dus ging ik op je fiets naar het kuuroord, maar daar was niemand meer. En dankzij die film en dat rookalarm was ik helemaal nerveus en dacht ik dat er iets vreselijks was gebeurd, dus heb ik je moeder gebeld. Ik wist toch ook niet dat ze je de hele nacht nodig hadden? Het had best gekund dat je naar huis was gelopen en dat iemand...'

Langzaam maar zeker raak ik in paniek. 'Heb je mijn moeder gebeld?'

'Ja, ze zei dat ze meteen in de auto stapte.'

'Wanneer precies?'

'Vlak nadat het alarm voor de vijfde keer was afgegaan, maar nog voordat ik het ziekenhuis heb gebeld. Sorry hoor, ik maakte me gewoon zorgen over je.'

'Nee, het spijt mij! Het is gewoon... Nou ja, je voicemail zat vol.'

Dan vliegt de deur open en komt er een vrouw binnen met een enorme Birkin-tas en een enorme bontmuts op.

'Toerist,' mompelen we tegelijkertijd.

'Ik wil drie van deze in een heel klein maatje. Apart ingepakt.' Ze zwaait met een gifgroen babypakje en bekijkt de rest van het rek.

'Ik moet aan het werk.' Caitlyn stormt langs me heen en pakt het babypakje aan.

'Het spijt me,' zeg ik nog een keer. 'Ik heb echt gedaan wat ik kon.'

'Mijn hemeltje, is dat de nieuwe J. Mendel?' De hebberige toerist walst over Caitlyn heen en voelt aan mijn bonten gevalletje. 'Prachtig! Ik sta op de wachtlijst, en ondertussen geef ik al het geld van mijn man uit aan babycadeautjes van mijn IVF-vriendinnetjes. Jippie.' Dan wendt ze zich weer tot Caitlyn. 'Ga je ze nog inpakken?'

Caitlyn lacht als een boer met kiespijn. 'Ja, natuurlijk.' Met het babypakje in haar handen loopt ze naar de kassa.

'Volgens mij kiezen ze hun personeel hier niet vanwege hun uitmuntende kwaliteit,' fluistert de toerist. Ze heeft lipliner om haar mond.

'Dat is mijn beste vriendin,' reageer ik. Caitlyn kijkt me vernietigend aan.

'Nou ja, ik…' Blozend schudt de vrouw haar hoofd.
Ik voel me een beetje ongemakkelijk, dus loop ik naar de deur.
'O, mevrouw O'Rourke?'
Ik draai me om. Was dat Caitlyn?
'U kunt vanmiddag uw chauffeur vragen om me die zeven tweeënvijftig te geven die u me schuldig bent voor die films. Ik neem ook centen aan.'

'Jessica Taryn O'Rourke.'
Hardhandig word ik door mijn moeder uit mijn diepe slaap gehaald. Ze heeft haar jas nog aan en haar armen over elkaar geslagen. Zo te zien is ze kwaad. 'Wat is er gisteravond in godsnaam gebeurd?'
Ik veeg plukjes haar uit mijn gezicht en kom overeind op de bank. Op mijn wang voel ik de lijntjes van waar mijn telefoon heeft gelegen. Die had ik daar gelegd voor het geval ze me terug wilde bellen, omdat ze zo onaardig halverwege een gesprek op de snelweg had opgehangen. 'Het spijt me,' zeg ik half gapend. Snel trek ik mijn badjas over mijn blote benen.
'Dat heb je al gezegd. Ik wil graag iets meer horen.'
Ik wrijf in mijn ogen om niet ter plekke weer in slaap te vallen. 'Het spijt me verschrikkelijk. De filmploeg had me de hele nacht nodig.'
'De hele nacht? Waar hadden ze je voor nodig?'
'Opnames. Blijkbaar willen ze ook in het weekend nog aan het werk.'
Ze ploft neer op de leunstoel. 'Dus je was aan het werk,' zegt ze in zichzelf. Met haar hand masseert ze haar nek. Ze staart me aan. 'Oké. Je hebt ons echt vreselijk laten schrikken.'
'Maar mam, dit programma is gewoon…' Hoe kan ik het goed verwoorden? 'Ik dacht dat ze me alleen wilden volgen met een camera. Maar dit is gewoon raar. Ze laten

me iemand anders zijn. Iemand zonder Caitlyn. Volgens mij komt ze hier nooit meer overheen.' De tranen lopen over mijn wangen. Gelukkig kijkt mijn moeder niet meer kwaad.

Ze staat op en trekt me naar zich toe voor een knuffel. Ik kruip tegen haar aan. 'Dit is gewoon nog nieuw voor je. Net als elk nieuw baantje. Net als een huis dat zo'n troep is dat je denkt dat het nooit meer schoon wordt. Maar kamer voor kamer krijg je alles toch in orde, en dan wordt het een gewoonte. Je bent een slimme meid, je redt het echt wel, Jess.'

'Maar wat nou als ik het niet wíl redden?'

Ze veegt mijn tranen weg met de versleten mouw van haar dikke jas. 'Als jullie volgend jaar allebei op een goede school zitten, maakt het vast niets meer uit. Waarschijnlijk is het dan even belangrijk als die keer dat die jongen die jullie allebei leuk vonden, jóú meevroeg naar de rolschaatsdisco.'

'Ik weet het niet, hoor,' zeg ik zacht. Ik weet nog heel goed hoe gekwetst Caitlyn eruit had gezien toen ik aan die klamme hand van Josh Dupree de dansvloer over werd getrokken, en we samen op een nummer van LeAnn Rimes rolschaatsten. Dat was de enige keer die avond dat hij iets tegen me zei. Caitlyn had me die hele verdere avond niet meer aangekeken. En dat terwijl ik haar zo graag wilde vertellen dat hij er van dichtbij eerder uitzag als een kleuter met een blond snorretje, en dat hij stonk naar Old Spice en kaasknabbels. Maar het duurde twee dagen voordat ze weer met me wilde praten, ook al belde ik haar nog zo vaak, en pas weken later was alles weer bij het oude en verdween die gekwetste blik uit haar ogen.

Mijn moeder trekt eindelijk haar jas uit en houdt hem over haar arm. Ze peutert aan een scheurtje in de voering. 'Maar het is zo wel veel spannender dan een leven dat gevuld is met muffins en afwas. Wil je dat soms voor de rest van je leven doen?'

'Nee.'

'Dat wil niemand, Jesse,' glimlacht ze vermoeid.

De volgende ochtend probeer ik de deur van de Prickly Pear van het slot te krijgen, zonder de hele stapel zondagskranten in mijn armen op de gepekelde stoep te laten vallen. Het vroege zonnetje verlicht de gesloten winkeltjes van Main Street. Ondanks een goede nachtrust voel ik me nog steeds even verschrikkelijk als gisteren. 'Shit.' Ik laat de ijskoude sleutels uit mijn bevroren handen vallen. 'Jamie Beth?' Met de kranten stevig in mijn handen draai ik me om. Jamie Beth is zo te zien druk bezig genoeg nicotine op te zuigen om het tot lunchtijd uit te houden. 'Hé.'

Eindelijk kijkt ze me met tot spleetjes geknepen ogen aan. Een sliert rook stijgt op uit haar mond.

'Kun je even...' Ik knik naar beneden, waar de sleutelbos naast mijn gympen ligt.

Met de sigaret stevig tussen haar droge lippen bukt ze en houdt even later de sleutels voor mijn neus.

'En dan in de deur, graag.' Ik maak een hoofdgebaar naar het slot. Zuchtend steekt ze de sleutel in het slot en doet de deur open, en eindelijk kan ik die enorm zware stapel papier op een wiebelig tafeltje deponeren. In ieder geval is de geur van bleekmiddel en gebakken deeg een stuk prettiger dan die rook van Jamie Beth.

'Als jij met de koffie begint, haal ik de zonneschermen naar beneden,' probeer ik, al weet ik heel goed dat ze niet luistert. Ze is nog druk bezig met haar favoriete klusje: tegen de toonbank aan hangen en haar nagellak er afkrabben.

Nee. Hier wil ik niet de rest van mijn leven werken.

'Alsjeblieft, Jamie Beth?' Ik zet de doos koffiefilters voor haar neus. Bedachtzaam kijkt ze ernaar.

Dan ga ik naar buiten, de zonneschijn in, en draai ik aan de metalen stang om de gestreepte zonneschermen naar beneden te halen. Zo kan de zon de ovens tenminste niet helpen de boel te verhitten, en is het pas na de middag een snikhete hel.

'Jesse!'

Ik draai me om. Drew komt over de parkeerplaats van de Stop & Shop aanrennen. 'Je bent altijd aan het rennen!' Wat zeg ik nou weer?

'Wat zei je?' vraagt hij, als hij eindelijk hijgend naast me staat.

'Wat zei jíj?' Tweede poging. 'Hé, wat doe je hier?'

Hij wijst naar het rode schort dat hij over zijn windjack draagt. 'Aan het werk. Een van de jongens is ziek geworden, dus val ik voor hem in.'

'Cool. Ik wist helemaal niet dat je daar werkte,' lieg ik. Omdat ik letterlijk stijf sta van de zenuwen, leun ik op de metalen stang. Anders was ik allang omgevallen. Ook al hadden we besloten een team te vormen, hij is tot nu toe steeds met Jase en Rick opgetrokken en ik moest steeds bij Nico en Melanie zitten. Alleen 's ochtends, bij de chaotische bespreking, hadden we even tijd om elkaar te begroeten.

'Ja, meestal op zondag. Om m'n ouders met hun rekeningen te helpen en zo.' Hij kijkt me niet aan, waardoor ik me afvraag hoeveel rekeningen ze precies hebben. 'En ik spaar voor een auto, een Maybach.' Hij kijkt op en knijpt zijn ogen tot spleetjes tegen het felle licht. 'Maar ik werk meestal als jij ook aan het werk bent, dus daarom heb je misschien...' Je weet dat ik hier sta te werken als jij ook aan het werk bent? Ik hoop maar dat hij me niet heeft zien staren van onder mijn betoverende Prickly Pear-pet. Dankjewel, verplichte hoofddeksels.

'Ja...' Even kijken we elkaar stom grijnzend aan. Zijn wangen zijn rood van de koude wind. Ik heb geen idee wat ik moet zeggen. 'Dus...' Goede poging.

Hij steekt zijn handen in zijn zakken. 'Best lekker hier in de ochtend, helemaal alleen.'

'Als je wilt, ga ik weer naar binnen.'

Hij lacht. 'Ik bedoel, zonder al die camera's.'

'Wat moest jij eigenlijk van ze doen?' vraag ik. Ondertussen hoop ik maar dat mijn neus een keertje niet gaat druipen van de kou.

'Niets speciaals. Moest naar een of ander zwembad in Montauk met Jase en Rick. Ze deden echt de hele nacht over een stomme scène, dus moesten we steeds hetzelfde doen. Was echt...'

'Vreemd?'

'Precies. En toen moesten er nog wat strandwandelingen opgenomen worden. Er waren zoveel mensen.'

'Kom op, jochie,' zeg ik zoals Fletch dat ook zou doen, en ik geef hem een por tussen zijn ribben. 'Alsof het ooit zo spannend is geweest om gewoon je ding te doen, weet je wel?'

'Niet slecht,' zegt hij grijnzend.

'Hadden we nu maar een zendertje.'

Hij haalt zijn schouders op, waardoor het naamplaatje op zijn borst scheef gaat hangen. 'Moet toegeven dat ik dat plakkerige gevoel van zweterige draden wel een beetje mis.'

Nu moet ik lachen.

'Ja...' Hij kijkt me aan. 'Het is allemaal gewoon...'

'Te veel,' onderbreek ik hem. 'Te veel make-up, te veel mensen, te veel idioot gedoe met vrienden...'

'Jij ook al?' Hij komt zo dichtbij staan dat ik een klein stukje slecht geschoren stoppeltjes op zijn rode wang kan zien zitten.

'Ik had Caitlyn beloofd dat ze een rol zou krijgen, maar gisteren moest ik haar vertellen dat het niet doorging,' leg ik uit. 'Het was alsof ik haar hond had overreden.'

'Weet ik.' Hij slaat zijn armen over elkaar. 'Ik moest vrijdag op mijn broertje passen. Dat ging dus niet door. En mijn moeder maar zeuren dat de roem me naar het hoofd is gestegen.'

'Dan heb ik er nog eentje voor je.' Ik kijk op, en durf heel even zijn onderarm aan te raken. 'Mijn ouders waren in Providence en moesten 's ochtends vroeg meteen rechtsomkeert maken om alle ziekenhuizen af te gaan, op zoek naar mijn toegetakelde lijk. Nu weet ik dus dat ze van me houden. Maar het lijkt alsof er een soort muur staat tussen ons en...'

'De rest van de wereld. Precies, ja.' Hij stopt zijn handen in zijn zakken en schraapt zijn keel. Zijn haar valt over zijn ogen. 'Heb je misschien zin om een keertje ergens te gaan lunchen? Ik heb pauze om kwart over elf. Ik neem wel iets mee uit de winkel, ik krijg daar toch korting, wel zes procent.'

'Ik zorg wel voor de toetjes.' Ik ga op mijn tenen staan. 'Want ik krijg namelijk wel ácht procent korting.'

'Cool!' Glimlachend stapt hij achteruit.

'Cool.'

Maar dan staat hij plotseling stil. Even later zie ik het ook, het busje van XTV komt aangehobbeld en komt met piepende banden naast ons tot stilstand. Het portier schuift open, en als er een stuk of wat gewapende soldaten uit waren gesprongen, had ik niet vreemd opgekeken.

Maar in plaats daarvan verschijnt Kara in de deuropening. De kringen onder haar ogen zijn nu paars geworden. 'Spring er maar in, Jesse.'

'O, sorry, maar ik kan vandaag niet.' Met mijn duim wijs ik naar het gebouw achter me. 'Ben vandaag de hele dag aan het werk.' En ik heb nog een lunchafspraakje ook!

'Ja, dat hebben we al opgelost. Kom erin, je had vijf minuten geleden al in de make-up moeten zitten.'

'Opgelost?'

'We hebben je ontslag ingediend. Kom in het busje.'

Ik kom naar voren, maar snap er nog steeds niets van. 'Heb je met mijn baas overlegd?'

Kara laat haar hoofd hangen en maakt een gekweld geluidje. 'Dat heeft mijn assistent gedaan. Alles is in orde, geen ge-Prickly Pear meer. Wil je nu alsjeblieft instappen?'

Ik kan geen woord uitbrengen. Ineens heb ik geen baan en geen afspraakje. Ik kijk naar Drew, maar hij haalt hulpeloos zijn schouders op.

'Jij bent vanavond aan de beurt, Drew,' roept Kara naar hem. 'De jongens hebben om halfzes bij Jase afgesproken. Schiet op, Jesse.'

'Goed, goed. Ik moet alleen even...' Ik wijs met de metalen stang van de zonneschermen naar de deur.

'Die zetten ze maar op onze rekening. Kom op, Jesse.'

Ik leg de stang op de stoep neer en loop langzaam naar het busje. 'Jullie hebben mijn ontslag ingediend?'

'Bedank me later maar.' Kara pakt mijn hand en sleurt me naar binnen.

Opname 8

Een maand later probeer ik wanhopig mijn gezicht schoon
te vegen. Door het raam van de caravan zie ik enthousiaste
leerlingen opgewekt de school uit lopen, klaar voor het weekend. Ik heb Caitlyn zoveel ruimte gegeven als ze maar wilde,
maar nu is het genoeg. Ik mis haar vreselijk, en ik hoop dat
zij mij ook een beetje mist.

'Tot ziens, Jesse.' Nico dumpt haar zakdoekjes in de prullenbak van Tandy en gaat dan snel naar buiten.

'Tot ziens.' Ik zwaai haar ongeïnteresseerd na, maar dan
zie ik plotseling de van blonde highlights voorziene paardenstaart van Caitlyn in de massa leerlingen. Ik pak mijn
tas, smijt de doekjes met foundationvlekken in Tandy's
prullenmand en loop zo snel mogelijk naar de uitgang.
'Dankjewel!' roep ik naar Tandy, en naar Kara in de ruimte met de schermen: 'Dag, Kara!' Eindelijk sta ik buiten.

'Morgenochtend, zeven uur,' roept Kara me na.

'Is goed!'

'Hé!' roept Drew, die net op tijd opzij weet te springen
om niet door het portier geraakt te worden. 'O, ben jij
het!'

'Hoi!' Ik kijk over zijn skimuts heen en probeer Caitlyn
niet uit het oog te verliezen. Shit, Jennifer Lanford is bij
haar. Alweer. Misschien mist ze me toch niet zo erg. Dan

kijk ik weer naar Drew, die er onhandig bij staat. 'Sorry. Deze week was echt hectisch.'

'Elke week is hectisch. We zijn net wandelende microfoons die elkaar in de caravan tegenkomen.'

Ik knik. Ze zijn nu bijna bij haar auto. 'Inderdaad.'

'Ja, nou, ik denk dat ik nu moet...' Hij wijst naar de deur. Caitlyn zoekt haar autosleuteltjes.

'Ik moet echt gaan.' Even leg ik mijn hand op zijn arm en loop dan langs hem heen 'Het spijt me!'

'Is goed. Maar ik krijg nog een muffin van je!'

'Zeker weten.' Even grijns ik, maar dan word ik weer zenuwachtig en hol naar de Toyota Camry. 'Caitlyn!'

Ze kijkt op nadat ze haar jas op de achterbank heeft gemikt. Ik zwaai. Ze glimlacht niet bepaald hartelijk naar me. Jennifer draait zich bij het open portier aan de passagierskant om en trekt haar dubbelgepiercete wenkbrauwen op. Dus ze weet er alles van. Geweldig.

'Hoi,' zegt Caitlyn. Ze slaat haar armen over elkaar, over haar dunne shirtje. Ik kom tot stilstand bij de passagierskant.

'Hoi!'

Over het dak van de auto heen kijken we elkaar aan. Hier komt-ie dan. 'Ik vroeg me af of ik misschien mee kon rijden of zo... We kunnen pizza halen, ik trakteer. Hebben jullie honger?'

'Ik wel,' zegt Jennifer. 'Die hamburgers waren echt smerig.'

Caitlyn zucht diep. O God, ik wil hier weg. Ik wil nu een uur vooruit in de tijd, zodat het niet meer pijnlijk en ongemakkelijk is. Ik voel me net een vreemde bij haar, en dat kan ik haar niet eens vertellen. 'Prima,' zegt ze.

'Ik zit voorin.' Jennifer duwt de stoel naar voren zodat ik achterin kan gaan zitten. Eerst moet ik een hele stapel cd's en een stuk of wat lege colablikjes opzij schuiven om plaats voor mezelf te maken. Dan stappen de twee zelf ook in.

Caitlyn kijkt me niet één keer aan terwijl ze de motor start en achteruit rijdt.

'Dankjewel!' Ik maak mijn gordel vast. 'Voor de lift, bedoel ik.'

'En, Jesse...' Jennifer draait zich om en kijkt me tussen de twee stoelen door aan. Haar leren jasje kraakt onder de gordel. 'Hoe is het leven van een superster?'

'O, maar ik ben geen...'

'Ja, vertel eens,' zegt Caitlyn vreselijk onverschillig. Ze kijkt recht voor zich uit naar de weg.

'Jullie willen vast niet...'

'Jawel. Alle details,' zegt Jennifer. 'We zien dat ze jullie op school de hele tijd volgen. Maar hoe gaat het in het weekend? Caitlyn zegt dat je dan ook van alles moet doen.'

Nou, ze heeft in ieder geval al door dat het een kwestie van 'moeten' is. 'Het is verschrikkelijk,' antwoord ik, met mijn tas stevig tegen me aan geklemd.

'Details, graag!' beveelt Jennifer.

'Goed dan. Nou, vorige week moesten we nog voor zonsopgang de caravan in, en daar zat ik dan met Nico, Melanie en een of andere gast genaamd Zacheria. Ja, zo heet hij echt. Hij denkt dat alles aan hem artistiek is, maar volgens mij heeft hij hiervoor gewoon bij een of ander stom kinderprogramma gewerkt, of zoiets. Maar goed, hij vertelt ons dat we het allemaal niet meer zien zitten. Wij geven hem natuurlijk groot gelijk en hopen op een dagje vrij. Maar nee, dat bedoelde hij niet. Hij wilde zeggen dat we geen zin meer hebben in het winkelen en de kuuroorden en sushi. Dus nu willen we de natuur in.'

Ik zie Caitlyn heel even glimlachen. Goed zo, het werkt.

'Dus de komende twaalf uur probeert hij van het lokale bos de Mont Blanc te maken.'

'Twaalf uur?' vraagt Jennifer geschrokken.

'Drie uur hand in hand door het bos lopen, en een poging

doen om een gesprek op gang te houden terwijl we allemaal enorme Gautier-oorwarmers dragen. Het zag er echt belachelijk uit. Bovendien hebben we niets om over te praten, want we zitten de hele tijd al op elkaars lip.' Dan maakt Caitlyn een scherpe bocht naar links en ik zet mezelf schrap met mijn hand tegen het plafond. 'Ik bedoel, we krijgen allemaal dezelfde informatie voorgeschoteld.'

'Zijn jullie nu beste vriendinnen?' vraagt Jennifer, oprecht geïnteresseerd.

'Natuurlijk niet!' zeg ik snel. 'We zijn niet eens vrienden. Eerder collega's. Ik bedoel, ze zijn wel aardig, maar...'

'En verder?'

'O ja. Na een lunch van Maltesers en een chocoladereep besloot Kara, onze producer, dat we nu wel genoeg meidengezelligheid hadden opgenomen en dat we moesten re-integreren. Met andere woorden: we werden de set van de jongens op gesmeten. Dat was voor het eerst dat ik Rick, Drew en Jase samen zag,' zeg ik. Met Jennifer erbij kan ik moeilijk ingaan op al het gedoe met Jase. 'Dat was best vreemd. Maar wij hoefden tenminste geen hout te hakken, zoals die arme afgebeulde jongens. Die hebben blaren op hun handen. Fletch, de grote baas, stond daar maar in zijn enorme moonboots blikjes Red Bull leeg te slurpen. Hij schreeuwde dat Drew beter zijn best moest doen. Waarschijnlijk had hij ze een hele blokhut laten bouwen als Rick niet een splinter vlak naast zijn oog had gekregen. Daarna werden onze kapsels bijgewerkt en kregen we meer make-up en Doritos. We moesten andere kleren aan, een soort Duitse lederhose. En tot slot een sneeuwballengevecht. Een vier uur durend sneeuwballengevecht.'

Dan hoor ik Caitlyn giechelen en durf ik eindelijk mijn hoofd tussen de stoelen door te steken. 'Ik bedoel, iedereen weet toch dat je niet moet blijven stilstaan als er met sneeuw wordt gegooid. Want voor je het weet glijdt er koude sneeuw in je nek. En als je vaak genoeg valt, heb je een koude, natte, lederhose aan. Je zou zelfs een blauw oog kunnen oplopen.' Even zwijg ik. Dit vertellen is nog best leuk. Het is fijn anderen aan het lachen te krijgen. 'Ik ontkwam aan geen van die drie.'

'Dat meen je niet.' Lachend slaat Jennifer op het dashboard.

'Dat meen ik wel. Natuurlijk maakt Nico van de gelegenheid gebruik om zich op Jase te storten, en probeer ik ervoor te zorgen dat er altijd minstens een boom tussen ons in stond. Melanie gooit braaf handenvol sneeuw in het rond terwijl Zacheria haar bevelen toeschreeuwt, maar dan heeft Rick er genoeg van om door haar bekogeld te worden en raakt hij haar in haar buik, waardoor ze even geen adem kan krijgen. En dan komt Kara met een of ander contract en roept dat alles eigen risico is en dat XTV niet aansprakelijk is. Dus, in het kort, Nico gaf Rick een klap, Jase duwde Nico omver, Drew duwde Jase omver, Jase wilde terugslaan maar miste en brak bijna mijn neus. En dat was dan het eerste uur. Waarschijnlijk moeten we morgen kreeften vangen met onze blote handen. Zijn jullie al jaloers?'

Dan merk ik dat Caitlyn rechts afslaat naar Main Street. Shit. 'Gingen we niet een pizza halen?' vraag ik.

'Hè ja,' zegt Jennifer, en ze draait zich terug om door de voorruit te kijken.

'Nee.' Caitlyn rijdt op volle snelheid het laatste eind naar mijn huis. 'We hadden al plannen.' Even kijkt ze naar Jennifer, op de manier waarop ze altijd naar mij keek. Die blik is van míj!

'Ook goed.' Ik haal mijn schouders op. We zijn bij mijn huis aangekomen.

'Je bent echt hilarisch,' zegt Jennifer terwijl ze uitstapt om mij eruit te laten.

'Dank je.' Ik klim de auto uit. 'Dank je voor de lift,' zeg ik zacht tegen Caitlyn, zonder haar aan te kijken. Ik wil zo snel mogelijk naar binnen, voordat de tranen komen.

Maar net als ik naar binnen wil gaan, hoor ik het portier van de auto dichtvallen. Ik kijk om en zie dat Caitlyn me achterna is gekomen. Ze heeft haar schouders opgetrokken en ze ziet rood van de kou. 'We kunnen niet doen alsof er niets is gebeurd, Jesse.'

'Dat weet ik. Ik dacht alleen...'

'Je verwacht toch niet dat je me kunt overtuigen met een of ander Jesse-verhaal.'

'Ik hoopte gewoon dat je weer met me wilde praten! Dit is verschrikkelijk. Weet je wat ik het ergste vind aan de weekends? Dat we het tijdens ons werk in de pauzes niet meer over alle verdwaalde toeristen met hun lijsten van landgoederen en echte bontmantels kunnen hebben.'

'Maar jij hebt nu je eigen bontmantel,' snauwt ze met een harde blik in haar ogen.

'Caitlyn, je kunt het mij toch niet kwalijk nemen dat ik ben gekozen en jij niet.'

'Begin alsjeblieft niet weer, Jesse. Het doet nog te veel pijn.' Meteen rent ze terug naar de auto, en voordat ik nog iets kan zeggen, zie ik de auto door mijn tranen heen uit het zicht verdwijnen.

De volgende ochtend, na de bespreking en het ontbijt van junkfood, worden Nico, Melanie en ik naar de Stop & Shop gereden.

'Precies goed!' schreeuwt Kara door de megafoon, waardoor het winkelend publiek zich doodschrikt. Die arme, nietsvermoedende mensen hebben het zo al moeilijk om al hun boodschappen te vinden, en nu stuitten ze ook nog op door Zacheria afgesloten paadjes. 'Prachtig! Niet naar de prijs kijken. Melanie, Jess, niet kijken! Cut! Jullie zijn rijk en doen inkopen voor een romantisch etentje. Wat maakt het uit hoeveel iets kost? Opnieuw.'

Ik ben nog steeds niet helemaal over de confrontatie met Caitlyn heen, maar ik doe mijn best om er niet aan te denken. Ik leg de biefstukken terug in de koeling en leeg dan de rest van mijn mandje boodschappen. Opnieuw.

'Goed zo, geweldig,' zegt Zacheria, die net buiten beeld staat. 'Olijven! Vergeet de olijven niet! En die kleine augurkjes! Wel de dure, natuurlijk. Precies, pak de kleine augurkjes!'

Dan houden Melanie en Nico het niet meer. Schaterend vallen ze in elkaars armen.

'Cut!'

'Goed dan.' Kara, die altijd al veel ijsbeert, loopt nu achter de drie stoelen in de caravan heen en weer. Ondertussen krijgen we een nieuw kapsel en wordt onze make-up bijgewerkt. Deze keer hebben we geen schort voor, en om onze cocktailjurkjes niet te verpesten gaat alles heel, heel langzaam. 'Jullie hebben de ingrediënten, dus nu gaan jullie naar Melanies huis om eten te bereiden voor de jongens.'

Geschrokken draait Melanie haar hoofd om, waardoor ze een groene streep eyeliner over haar gezicht krijgt. 'Mijn huis? Maar het is helemaal niet... Ik bedoel, ja, goed, als jullie willen, maar ik moet eerst even mijn moeder bellen. We moeten eerst...'

'Maak je geen zorgen, Melanie,' onderbreekt Kara haar. 'We hebben speciaal voor vandaag een huis gehuurd.'

'O,' zegt Melanie. Ze draait zich weer terug zodat de visagiste die groene streep met een wattenstaafje kan weghalen. Ondertussen ben ik allang opgelucht dat zelfs Melanies huis niet genoeg glamour heeft. En zij hebben nog wel een garage! Mijn huis maakt gelukkig geen schijn van kans. Hoef ik tenminste niet om zes uur 's ochtends de boel van een nieuw laagje verf te voorzien.

'Goed, zodra jullie weer mooi zijn, beginnen we met koken!'

'Achteruit!' roept Zacheria door de megafoon. De zon gaat al onder, en ik sta nog steeds in een koperen pannetje van mevrouw Richardson door de spaghetti te roeren. 'Van een afstandje roeren, anders krijg je stoom in je gezicht. Jenny, buk zodat je buiten beeld blijft en wuif die stoom weg!' Met moeite zet ik twee stapjes terug van het fornuis van mevrouw Richardson, balancerend op de hoge hakken van mijn glimmende leren laarzen. Dan roer ik verder met de antieke pollepel van mevrouw Richardson in de koperen pan van mevrouw Richardson. In de prachtige, landelijk ingerichte keuken van mevrouw Richardson. Hier ben ik al zo vaak geweest met mijn moeder, en nooit mocht ik iets aanraken. Nooit.

'Cut! Haar make-up loopt uit. Schiet op en doe er iets aan. Kan er ook gekookt worden zonder te zweten?'

'Misschien als we sushi maken,' antwoordt Nico. Melanie kijkt haar vol ergernis aan, net als alle eerdere keren dat Nico iemand durfde tegenspreken.

Zodra ze klaar zijn met mijn make-up, word ik in het ontbijthoekje gedumpt en moet ik aan de slag met een professioneel uitziend koksmes en een duur snijplankje van olijfhout, dat volgens mij eigenlijk wordt gebruikt als kaasplankje. Iedere keer dat ik een worteltje snijd, ontstaat er een nieuw deukje in het hout.

'Kara!' roep ik, terwijl ze met de belichting bezig zijn. 'Weet je zeker dat ik deze spullen mag gebruiken?'

'Ze hebben een contract getekend, Jesse. Maak je geen zorgen.'

'Goed,' klinkt het door de megafoon. 'Een dineetje maken voor de jongens. Actie!'

Nico, Drew, Jase, Rick en ik zitten aan een grote mahoniehouten tafel en knikken allemaal enthousiast als Melanie voor de duizendste keer zegt wat ze moet zeggen: 'Ik ben blij dat jullie de pasta lekker vonden. Het toetje is een recept dat ik op de Doritos-website heb gevonden, www.doritosdelights.com. Het heeft een heerlijke limoenvulling en een krokante Doritos-korst...'

Dan rommelt iemands maag. We kijken allemaal naar Drew, die verontschuldigend zijn schouders ophaalt.

'Drew,' zegt Kara zuchtend. De megafoon legt ze op haar schoot.

Mijn niet-etende collega-eters zakken onderuit in de antieke houten stoelen met de kaarsrechte ruggen, terwijl de visagiste meer babyolie op Melanies taart smeert. Zo ziet hij er tenminste nog een beetje glanzend uit. Net als de rest van onze geoliede maaltijd. Zo langzamerhand vraag ik me af hoeveel hersencellen ik kwijt zou raken als ik mijn knoflookbrood met babyolie zou opeten. En zou ik ze missen?

'Zo kan ik niet werken!' roept Zacheria boos vanaf het balkonnetje boven de eettafel.

'Drew...' zegt Kara handenwringend. Ze staat bij de batterij monitors. 'Nog even. We zijn bijna klaar met de taartscène, goed?'

Drew zucht. 'Het zou allemaal een stuk beter zijn als we tijdens deze scène echte taart mochten eten.'

'Die pizza ziet er goed uit,' zegt Rick. Hij staart verlangend naar het eetbare eten dat op de tafeltjes buiten beeld staat.

'Mogen we ten minste een paar hapjes nemen van het eten dat we hebben gekookt?' Nico draait zich om en knippert tegen de felle lichten.

'Deze keer lukt het me, Kara,' zegt Melanie achter mijn stoel.

'Denk erom, niet alleen maar herhalen wat ik heb gezegd, dat klinkt te geforceerd.' Dit is de eerste keer dat Kara nauwelijks moeite doet niet geërgerd te klinken. 'Geef er gewoon je eigen draai aan, Melanie. Maar schiet wel een beetje op.'

'Natuurlijk,' zegt Melanie. Ik draai me om en zie Melanie knikken met een stijf lachje op haar gezicht. In haar groene ogen staat paniek te lezen. Hoe ongeduldiger Kara wordt, des te slechter Melanie het doet.

'Dat kan ze nu wel zeggen, maar daar merk ik niets van,' mompelt Zacheria.

'Sorry. Het gaat me echt lukken.'

Ik zou haar graag helpen, al was het maar om mijn eigen maag een plezier te doen. Straks rammelt die van mij nog in koor mee met die van Drew. Ik fluister: 'Zeg maar gewoon iets van: "Deze taart van doritosdelights.com is geweldig! Jullie moeten echt eens naar hun site." En dan vraag ik wel wat er nog meer op hun site staat. Oké?'

'Fantastisch idee, Jesse!' schreeuwt Kara door haar megafoon. Blijkbaar is er van mijn privacy weinig over sinds mijn ouders dat contract met XTV hebben getekend. Net zoals er weinig meer over is van het kaasplankje van de Richardsons, die ook een contract hebben getekend.

'Bedankt, hoor.' Melanie bloost hevig onder alle lagen make-up.

'Sorry. Ik bedoel... Ze doet het natuurlijk al goed...'

'Melanie, ga zitten. Jesse, sta op. We gaan het anders doen. We beginnen opnieuw in de keuken. Pak die taart.'

'Maar ik denk dat Melanie...'

'Neem die rottaart mee naar die verdomde keuken, Jesse.' Jase houdt het tafelblad zo stevig vast dat het tafelkleed verkreukelt.

'Schiet alsjeblieft op,' zegt Nico. 'Ik ga nog dood van de honger.'

'Het is niet erg.' Melanie gaat staan en geeft me de porseleinen schaal. Dan loop ik langs haar heen, en strijkt zij haar donkergroene satijnen rok glad voordat ze gaat zitten. Zo snel als ik kan, loop ik de mahoniehouten klapdeurtjes door en blijf wachten in de keuken. Tussen alle rondslingerende troep zie ik een vergiet met plakkerige pasta staan. In topsnelheid prop ik zo veel mogelijk in mijn mond. Maar dan hoor ik Kara roepen. Actie.

Ik loop door de klapdeurtjes en naar het hoofd van de tafel, waar iedereen bij het flakkerende kaarslicht verwachtingsvol op me zit te wachten. 'Deze taart is te gek! Vanbinnen een limoenvulling en de buitenkant is knapperig door alle Doritos. Gevonden op doritosdelights.com.'

'Cool,' zegt Drew, die enorm zijn best doet. 'Die site ken ik wel.'

'Hij is vet,' zegt Jase behulpzaam.

'Echt wel!' Nico kijkt Jase koket aan. 'Daar zoek ik vaak naar ideetjes voor snacks.'

'Hé, zullen we na het eten even in de jacuzzi van mijn ouders?' vraagt Melanie, terwijl ik de taart op tafel neerzet.

'Cool!'

'Goed idee!'

'Kom op, dan!' We juichen allemaal alsof we meedoen aan een kleuterprogramma.

'Cut! Volgende!' roept Kara. Eindelijk. 'Dat was geweldig, jongens! Oké, korte pauze en dan allemaal zwemkleding aan.'

'Meisjes, geen pizza vandaag. Anders staan jullie straks allemaal met bolle buikjes in beeld,' waarschuwt Zacheria terwijl we allemaal over elkaar heen proberen te klimmen om iets te eten te halen.

'Nico!'

Ze kijkt op met een mond vol kaaszoutjes. 'Wat is er?'

'Tijd voor de make-up,' zegt een van de assistenten met een soort hanenkam.

'Nog een paar minuutjes,' smeekt ze. De stukjes kaasknabbels vliegen in het rond.

Melanie en ik kijken haar vol medeleven aan, maar blijven ons volproppen met alles wat geen pizza is.

'Nú, Nico,' roept Kara.

Met haar handen vol snoep wordt ze weggevoerd naar de bibliotheek, waar nu alle spullen uit de caravan staan.

Ondertussen maak ik van de gelegenheid gebruik om een stuk pizza te pakken. Omdat ik dit huis ken, kan ik gemakkelijk uit het zicht verdwijnen. Het water loopt me al in de mond. Zodra ik in een donkere nis van het halletje sta, neem ik een hap van de heerlijke kaasbende. Hemels. Kazig. Zout. En zonder een spoortje babyolie. Langzaam glijd ik langs de muur naar beneden, tot ik op de zwart-witte marmeren tegels zit. Ik geniet van elke hap.

'Betrapt.' Voor me zie ik twee John Varvatos Converse-gympen. Als ik opkijk, zie ik Drew voor me staan. Hij grijnst.

'Als je me verklikt, moet ik je laten vermoorden. Ik meen het.' Snel veeg ik mijn lippen met een servetje schoon. 'Mijn vader heeft een ex-gevangene als bordenwasser in dienst, en die snapt maar al te goed dat het verschrikkelijk is om alleen op gezette tijden te mogen eten.'

'Maak je geen zorgen, O'Rourke. Ik wil nog wel een tijdje blijven leven. Trouwens, volgens mij ben je niet zo'n type dat al opgeblazen is na één stukje pizza. Is er hier ergens een wc?'

'Verderop.' Ik trek mijn benen in zodat hij door kan lopen. Hij heeft me tenslotte een complimentje gegeven. Mijn dure laarzen piepen op het marmer. 'In die panelen.' Ik wijs naar de panelen van groen brokaat, omlijst door glanzend hout.

'Waar dan?' In verwarring gebracht kijkt hij om zich heen.

'Tussen het schilderij van de jachthonden en het schilderij van de fazanten. Goed verstopt.'

Hij loopt naar de muur en voelt eraan. 'Willen rijke mensen de indruk geven dat ze nooit naar de wc gaan? Aha!' Eindelijk heeft hij de deur gevonden en opent hem.

'Heeft iets met status te maken.'

Hij kijkt me vragend aan, zijn bruine haar valt voor zijn ogen.

'Gewoon een observatie.'

'Je hebt...' Hij komt op me af gelopen.

'Ja, ik observeer wel meer. Volgens mij houden rijke mensen alleen van dure gadgets die ze nooit gebruiken, van gordijnen die ze onmogelijk dicht kunnen doen, van huisdieren waar ze niet naar omkijken en van wc's die ze nooit meer terugvinden.'

'Nee.' Hij bukt en veegt zachtjes over mijn kin. 'Pizzasaus.' Hij veegt zijn vinger af aan het servet dat ik nog in mijn hand hou. Ik ga dood.

'Dank je,' weet ik uiteindelijk uit te brengen.

'Graag gedaan.' Hij glimlacht naar me. Zijn gezicht is vlak bij het mijne. Met moeite blijf ik door mijn neus ademen, zodat ik tenminste geen wandelende wolk van pizzalucht ben.

'Is dit de rij voor de plee?'

Drew springt op, en we zien Jase staan. Onhandig trekt hij aan de gesteven kraag van zijn geleende shirt.

'Wacht even.' Drew gaat snel de geheime deur door. 'Vertel hem maar over al je observaties,' zegt hij voordat hij de deur dichtdoet.

Jase leunt tegen de muur tegenover me. 'Dit is klote,' zegt hij, terwijl ik uitgebreid mijn mond afveeg. Ik knik, met mijn lippen stevig op elkaar.

'Inderdaad,' zeg ik.

'Ik bedoel, ik dacht nog dat ze een zwembad hadden.'

'Precies. Dat is nou precies het probleem.' Het feit dat we urenlang niets mochten eten is lang niet zo erg.

'Iedereen hier heeft toch een overdekt zwembad. Mijn vader is hiernaast bezig met een zwembad met waterval. Naast het gastenverblijf.'

Ik sta op. Dat is nou net de persoon waar ik het absoluut niet met hem over wil hebben. Voor je het weet valt er weer een ongemakkelijke stilte.

'Die pizza was wel aardig,' voegt hij toe aan zijn verslag van de avond.

'Yep.' Ik trek de rok van mijn roodpaarse mini-jurkje naar beneden, zodat hij mijn dijen bedekt.

'Spijt me trouwens dat ik je neus heb geraakt,' zegt hij. Als ik opkijk, zie ik dat hij naar het schilderij boven mijn hoofd staart. 'Ik wilde Drew raken. Misschien kan ik niet meer pitchen. Nou ja, de trainingen komen er weer aan.'

'Maakt niet uit.' Ik haal mijn schouders op. 'Tandy heeft me onder handen genomen.'

Voor het eerst kijkt hij me echt aan met die blauwe ogen van hem, en er verschijnt een lach op zijn gezicht. 'Ik was gewoon een beetje in de war van al die lederhosen. Mochten jullie ze houden?' Met zijn vingers trommelt hij tegen de muur achter zich.

'Dat behang is van echte zijde,' zeg ik, wijzend op zijn vettige handen. Dan pas denk ik na over wat hij net heeft gezegd.

'Is dit nu ineens jouw huis, of zo?' zegt hij terwijl hij zich uitstrekt en me een flirterige blik toewerpt.

Ik vouw mijn servetje op totdat het heel klein is en kijk naar het deel van de muur waarachter de jongen zit met wie ik veel liever wil praten. Die leuke, knappe, grappige en aardige jongen. 'Nee, ik dacht alleen...' Mijn moeder had met Pasen nog urenlang zitten schrobben omdat er een klein moddervlekje op zat. Tien vette vingerafdrukken kan ze er echt niet bij hebben.

'Wat dacht je?' vraagt hij op zachte toon en port me in mijn zij. Zijn gezicht komt dicht bij de mijne. Ik heb liever dat hij flirt van een afstand. 'En waarom stelt Fletch me steeds vragen over Trisha?'

'Jesse!' schreeuwt Kara vanuit de andere kamer.

'Sorry, moet gaan!' Voor het eerst ben ik blij dat Kara me roept en ik maak dat ik wegkom.

Een uur later staan we met zijn allen in het solarium. De meisjes in designer-zwemkleding, en de jongens in bermuda's. De gordijnen zijn dicht en we hebben het allemaal ijskoud. Onze bruingesprayde huid zit onder het kippenvel. Ondertussen wachten we tot een van de warm ingepakte crewleden eindelijk de deur opendoet en ons laat gaan. Om niet aan de kou te denken, hou ik mijn ogen gefixeerd op Drews gespierde schouders, die nauwelijks twee centimeter van mij vandaan zijn.

'Jase,' roept Kara door haar megafoon, al staat ze hooguit een meter verderop.

'Ja?' Tot mijn schrik draait het hoofd boven de schouders voor mij zich om. Dus dat was niet Drew. Dat was absoluut niet Drew. Even kijkt hij me aan, en dan verschijnt er een geniepige glimlach op het gezicht van Jase. Heeft hij gemerkt dat ik bijna kwijlend naar die schouders stond te kijken? Langzaam laat hij zijn blik brutaal over mijn lichaam glijden. Vreemd genoeg krijg ik een kop als een boei.

'Verdomme, ik kan je niet zien in het donker. Jase, hand omhoog en zwaaien!'

Ik schud wild met mijn hoofd om alle feromonen kwijt te raken. Hallo, brein. Hij is een klootzak, weet je nog? Ik zet een stap opzij en bots tegen Melanie aan. Hardhandig duwt ze me van haar tenen af. Meteen steekt Jase een hand uit om me te helpen mijn evenwicht terug te vinden terwijl hij met zijn andere hand naar Kara zwaait.

'Goed zo. Jij gaat vooraan staan, zodat jij als eerste de patio op loopt. Dan komt Nico, en dan de rest.'

Hij grijnst nog even brutaal naar me en laat me dan los om naar voren te lopen. We moeten allemaal opzij schuiven om Jase en Nico door te laten.

'Leuk pakje.'

Ik ruk mijn ogen los van de plek waar Jase me net heeft vastgehouden. Voor me staat Drew. Hij rilt, maar wauw, wat ziet hij er goed uit. 'Dank je. Ik wist niet dat gehaakte zwemkleding tegen chloor kon,' fluister ik.

'En... actie!' De deuren gaan eindelijk open, en in een keurig rijtje lopen we naar buiten, waar het heel licht en heel koud is.

'Trisha?' hoor ik Nico zeggen. 'Wat doe jij nou hier?'

Ik stap even uit de rij om te kijken wat er aan de hand is. Boven aan de trap naar de verzonken jacuzzi staat een soort gefotoshopte versie van Trisha Wright. Ze draagt een piepklein goudkleurig bikinibroekje over haar platte kont, en het bovenstukje bedekt zo te zien twee onnatuurlijke C-cups. Bovendien zien haar neus en jukbeenderen eruit alsof ze van iemand zijn die veel ouder is dan Trisha. Een heel gewoon iemand. Ze slaakt een kreetje en stapt dan in het warme water om ons nat te spatten. De man die met een ventilator haar hairextentions probeert te laten wapperen, krijgt de volle lading. We kijken haar allemaal vol ongeloof aan.

Daar staat onze verhaallijn.

'Kom erin, jongens! Het is heerlijk!'

Rick steekt zijn hand uit om Jase een high five te geven, maar Jase is te geschokt en ziet het niet, dus maakt hij er maar een vuist van en juicht. 'Deze heeft bekerhouders!' Hij rent over de met ijs bedekte binnenplaats, haalt een blikje fris uit een van de koelboxjes en springt het water in. Drew volgt zijn voorbeeld. Melanie werpt even een blik op Nico, maar gaat daarna snel de jongens achterna.

'Jase!' Zacheria, gehuld in camouflagekleuren, wuift uitgebreid vanuit de bosjes waarin hij zich heeft verstopt. Blijkbaar had Jase dat even nodig, want hij tovert een glimlach tevoorschijn en gaat dan ook het borrelende water in.

Maar Nico blijft als aan de grond genageld staan. Uit haar mond komen kleine wolkjes adem en ze ziet er doodsbleek uit. 'Kom op,' zeg ik tegen haar. Ik leg mijn hand op haar arm. 'Het is hier ijskoud.'

'O ja.' Braaf loopt ze met me mee. Dat ijs op de grond doet echt pijn aan je voeten. 'O ja,' herhaalt ze als we eindelijk bij het water zijn aangekomen.

'Getver, het is hier snikheet!' roept Rick, terwijl Jase op de ronde bank gaat zitten.

'Je moet gewoon even wennen aan al die hitte,' kirt Trisha opgewekt. Ze duikt onder water en komt vlak voor Jase weer tevoorschijn. Nico blijft doodstil staan met haar hand op de reling. Haar ene voet heeft ze al in het water gestoken. Dan draait Trisha zich om en gaat bij Jase op schoot zitten. Haar lange haren drijven langs zijn borst. 'En, Nico, heb je me gemist?' vraagt ze, terwijl ze haar hoofd op de schouder van Jase legt. Haar vernieuwde voorgevel blijft vlak boven de bubbels drijven.

Maar Nico kan geen woord uitbrengen.

'Nou ja, we hebben het heel druk gehad,' antwoord ik. Met moeite weet ik Nico met me mee het water in te trekken. Het is inderdaad verschrikkelijk warm. 'School, bedoel ik. Druk met school,' voeg ik er snel aan toe. Melanie schuift op om plaats te maken voor haar vriendin, maar die blijft Trisha met open mond aangapen. Zo dichtbij Trisha zie ik de blauwe contactlenzen die haar bruine ogen bedekken. Zo ziet ze er nogal nep uit. Dan kijkt Nico Jase vragend aan, maar hij haalt zijn schouders op, alsof hij door Trisha onder schot wordt gehouden. Vragend kijk ik naar Melanie, de grote Nico-expert. Maar ze is druk bezig met het opvolgen van Zacheria's bevelen en houdt een watergevecht met Rick.

'Kom je zitten?' vraag ik aan Nico, terwijl ik naast Drew plaatsneem.

'Goed idee.' Vol ongeloof kijkt Nico naar Trisha, die nog

steeds op de schoot van haar vriendje heen en weer wriemelt. Trisha strekt zich uit en tuit haar lippen verleidelijk voor Jase, voor Nico, en waarschijnlijk vooral voor alle camera's die ons vanuit de bosjes begluren. Heeft ze soms een cursus verleiden gevolgd na haar plastische chirurgie?

'Nico?' zegt Drew ineens. Hij schuift bij me vandaan om plaats te maken voor Nico. Ondertussen lijkt het alsof de pizza een salto in mijn buik maakt.

Dankbaar komt ze op hem afgelopen, als een blonde godin door het tot haar heupen reikende water. Ze gaat tussen ons in zitten en slaat een arm om Drew heen.

Jase kijkt haar fronsend aan. Maar dan draait Trisha zich naar hem om en gaat verder met haar show. En ik? Als versteend kijk ik toe.

'Cut! Dit is perfect voor op tv!' roept Kara door de megafoon en de stoomwolken. 'Trisha, je bent geweldig! Prachtig dat je bent gekomen, zelfs al zijn je hechtingen er nog niet uit.'

Jenny klopt op de zijkant van het busje om de chauffeur te laten weten dat hij kan wegrijden. Trisha en ik worden naar huis gebracht. Nico en Melanie zijn al eerder weggegaan. Ik heb me in een hoekje opgekruld en mijn natte haar staat stijf van de chloor. Straks bevriest het nog. Helaas is mijn huis niet dezelfde kant op als dat van Drew. Maar dat van Nico wel. Waarom deed Drew in vredesnaam zo aardig tegen haar?

Het busje rijdt door de verlaten straat. 'Dat was echt te gek!' gilt Trisha. Ze is druk bezig een van haar valse wimpers eraf te trekken. 'Wauw.' Ze draagt een driekwart jasje, en haar schoudertas staat tussen haar in sandaaltjes gestoken voeten. 'Die kleding, en al die mensen en die verlichting! De vrouw van de make-up heeft zelfs mijn buik opgemaakt,' ratelt ze voort. 'Gaat dat de hele tijd zo?' Ik krijg er geen woord tussen. 'Jij hebt echt geluk gehad.' Ze haalt wat doekjes met make-upremover uit haar handtas. 'Maar ik heb ook geluk gehad! Ik bedoel, ik kon het echt nauwelijks geloven. Ik zat dus in Palm Springs om te, eh, herstellen...' Ze wijst naar haar gezicht. 'Omdat ik geen rol had gekregen, en toen zei mijn moeder dus van, hallo, denk eens na! En toen zat ik daar dus te herstellen van mijn vernieuwingen en dan komt Fletch ineens met een heel verhaal over een verandering in de opzet van het programma. Volgens mijn moeder ben ik de nieuwe opzet.' Ze veegt haar gezicht schoon. Meteen is het witte doekje bruin van de foundation, en zie ik enorme blauwe, groene en gele plekken in haar gezicht.

Dan gaat de telefoon van de chauffeur. Hij neemt op en luistert even. 'Zal ik doen,' zegt hij, en hij hangt weer op.

'Eigenlijk wilde Fletch dat ik meteen kwam,' gaat Trisha verder. 'Maar een week geleden zag mijn gezicht er niet uit. Zelfs niet met make-up waarmee je tatoeages kunt verbergen. O, dit is veel beter dan ik had verwacht!'

Het busje schudt hevig als we een scherpe bocht maken en door een kuil in de weg rijden.

'Goed, ik heb een hoop lessen gemist, maar pech, hoor. Mijn hele familie heeft op Goucher College gezeten, dus daar kom ik ook wel.' Ze haalt een haarstukje uit haar haren. Het is een kletsnatte pluk. 'Zo wordt Jase eens goed wakker geschud. Zag je hoe hij naar me keek? Het is echt triest, hij is alleen nog maar met Nico omdat het zo lekker makkelijk voor hem is. Maar nu beseft-ie vast wel dat hij ook wel iets beters kan krijgen. Bijvoorbeeld mij!' Ze haalt nog een stuk nephaar uit haar echte haren. 'En ik heb echt schijt aan Nico. Zij kan wel weer een of andere loser vinden. Drew Rudell, bijvoorbeeld. Die wil immers zo graag dat ze naast hem komt zitten. Prima, hoor.'

Dan komt het busje tot stilstand. Ik wil uitstappen, maar kan mijn ogen niet van haar losrukken. Helemaal niet prima. Helemáál niet.

'Oké! Tot ziens op de set!' Ze glimlacht. Ik zie een klein zwart draadje uit haar neusgat piepen.

'Ja,' mompel ik. Ik wil hier zo snel mogelijk weg. Het is gewoon ongelooflijk. Dus toen ik mijn best deed Caitlyn een rol te geven, heb ik per ongeluk Nico in Drews schoot geworpen. Dan krijg ik eindelijk het portier open en kijk ik naar buiten. Dit komt me niet bekend voor. 'Eh, meneer?'

'Ja?'

'Dit is het huis van Nico, niet het mijne. Ik woon aan Belvedere.'

'Telefoontje van Kara. Jullie moeten er hier allebei uit. Slaapfeestje.'

Trisha en ik kijken elkaar verbaasd aan. En dan zie ik dat het busje van Ben achter dat van ons tot stilstand komt.

Opname 9

Ik duw Nico's voordeur aarzelend open, met achter me Trisha, die haar gezicht niet aan Bens camera durft te laten zien. Daarom houdt ze haar tas ervoor. 'Hallo?' Ik knijp mijn ogen tot spleetjes tegen het felle licht van Bens camera, dat door alle kristallen pegels van de kroonluchter in de hoge hal wordt weerkaatst. Snel houdt hij de camera lager, maar eerlijk gezegd is de reflectie in de glanzende tafel van roze marmer niet veel minder schel.

Dan duwt Trisha me opzij en stormt langs me heen naar een wc onder de enorme trap. 'Ik moet even... je weet wel.' Je gezicht opzetten? Met gebogen hoofd verdwijnt ze uit het zicht.

'Ik ben hier, Jesse!' hoor ik Nico's stem vanuit de dubbele deuropening links. 'Doe je schoenen maar uit. En niet roken!' Dat laatste is waarschijnlijk bedoeld voor de wandelende asbak die achter me aan loopt. Ben, bedoel ik uiteraard.

Ik ga op Nico's stem af en loop de woonkamer in. Nooit gedacht dat ik hier nog eens zou komen. Vlak voor de enorme flatscreen, tussen de glazen planken met koperen randen en de leren bank in, blijf ik staan en kijk rond. Maar mijn aandacht wordt toch wel het meest getrokken door het portret dat boven de schoorsteenmantel hangt. Ik wist wel dat Nico als kind model was voor het dure warenhuis JCPenney.

127

Ik heb haar vaak gezien in de reclamefolders, in een bloemen-
jurkje en met een roze parasolletje. Maar hier hangt Nico afgebeeld in een trui van zwart velours tegen een felblauwe
achtergrond. Haar haren waaien wild om haar stevig opgemaakte gezicht. Net als ik wil vragen of ze nog steeds mo-
dellenwerk doet, zie ik dat de Nico van het portret nog helemaal plat is van voren. Dus ze kan hier nauwelijks ouder
dan tien zijn geweest.

Maar dan zien Ben en ik de huidige Nico, met alles erop
en eraan. Haar natte haren heeft ze opgestoken en ze is bezig
de hele diepvries leeg te halen op het granieten aanrecht,
onder toeziende blik van Sam.

'Waar is Mel?' vraag ik.

'O, Kara heeft haar eerder al afgezet. Dit gaat alleen om
ons.' Gezellig, een feestje met jou en Frankenstein-Trisha.
Geweldig. Nico haalt een koperen pan van een rek boven
het aanrecht af en giet er olijfolie in. Dan steekt ze een pit
van het fornuis aan. 'Kip-cacciatore met linguine?' vraagt ze,
terwijl ze een wortel in stukjes hakt. 'Ik heb een heel pak
gummibeertjes weggewerkt, maar heb nog steeds honger.'

'Klinkt goed, maar je hoeft je voor mij niet uit te sloven.
Ik ben al blij met een boterham.' Bovendien hoef jij niet te
weten dat ik een stuk pizza heb gejat.

'Ik had de kip al gebakken voordat ik weg moest. Geen
moeite,' zegt ze op monotone toon. Net als bij die oefenin-
gen die we van meneer Bauer moesten doen om te leren
spreken in het openbaar. Als je iemand wilt uitschelden,
maar op een aardige manier, dan klink je ongeveer zo. Dan
vult ze de pan met kokendheet water. De stoom die eraf
komt maakt haar gezicht nog roder.

'Kook jij?' vraag ik, omdat ik toch iets moet zeggen om
een prettiger sfeer te scheppen.

'Heb je soms nooit een keukenprinses in me gezien?'
snauwt ze, terwijl ze een halflege fles witte wijn uit de ijskast

haalt. 'Mijn vader wil eten zodra hij thuiskomt, en na tennis heb ik niet veel tijd meer over om te koken.' Ze haalt de kurk van de fles en schenkt haar wijnglas vol. Hopelijk kalmeert ze daarvan. Want mij lukt het niet haar in een betere stemming te brengen.

Ben kucht luid en richt de camera naar beneden. 'Kun je dat in een gewoon glas doen, het liefst eentje met een kleurtje, dan is het goed.'

Zuchtend doet ze wat haar wordt gevraagd. 'Wil je ook een beetje, eh, appelsap?'

'Nee dank je,' zeg ik, terwijl ik Ben vanuit mijn ooghoek aankijk. 'Ik krijg altijd hoofdpijn van appelsap.' Zodra ze weer druk in de pasta roert, bekijk ik de saaie keuken. De roestvrijstalen apparatuur en de beige, leren ontbijthoek maken het geheel nog grauwer dan het al is met al dat graniet. Onze ijskast mag dan van gele kunststof zijn, maar wij hebben er tenminste foto's van mijn Halloweenkostuums en kerstkaarten van familieleden op geplakt. Bij ons ziet de keuken er bewoond uit.

'Mijn vader vindt het niet erg, hoor,' zegt Nico.

Ik frons, maar realiseer me dan dat ze het over de wijn heeft.

'Niet tegen me praten,' waarschuwt Ben met zijn blik op de zoeker.

'Niet tegen me praten,' doet ze hem na met een zeurderig stemmetje.

Dan komt hij per ongeluk met de hengel van de microfoon tegen een rek met pannen aan, en dat maakt een hoop lawaai.

'Zou je misschien een beetje voorzichtig kunnen doen?' snauwt ze hem toe.

'Waar is je vader eigenlijk? Is hij thuis?' vraag ik snel. 'Eet hij mee?' En anders kunnen we de buren misschien wakker maken en uitnodigen?

De saus begint te koken en Nico gooit zuchtend de kip erbij. Dan loopt ze naar het antwoordapparaat en drukt op een knopje. 'Hoi liefje,' zegt een mannenstem. 'Sorry, maar ik ga uit. Sal neemt me mee naar die nieuwe club bij North Shore. Maar morgenochtend gaan we samen ontbijt halen. Dan kun je me alles over de nieuwe beroemdheid van XTV vertellen. Ik ben zo trots, Nicolina. Toen Alec Baldwin het hoorde, was hij behoorlijk onder de indruk. Misschien komt het wel tot een gastrolletje in *30 Rock*...' Dan geeft hij de hoorn een kusje en hangt op.

'Nou, Alec Baldwin... dat is best cool,' zeg ik snel. Alsof ik hem niet elke week muffins verkoop.

'Hij is van plan een nieuwe Aston Martin te kopen,' zegt ze onder het roeren.

'Is je vader nog op de club? Waarschijnlijk liggen mijn ouders te slapen na een avondje voor de tv.'

'Grappig.' Dankjewel. Ze neemt een grote slok wijn. 'Hij houdt van dansen. Zo heeft hij ook mijn moeder ontmoet.' Ze legt wat kip op een bord, en ik neem het dankbaar mee naar de tafel. Zo heb ik tenminste iets te doen. 'Ken je die reclame van die vrouw die haar vinger omhooghoudt en dan verdwijnt haar litteken?' Ze steekt haar vinger in de lucht.

'Ja.'

'Dat is mijn moeder,' zegt ze trots. Eindelijk lijkt ze een beetje rustiger.

'Wauw,' zeg ik met volle mond. 'Dat is best cool.' Ik ben allang blij dat de sfeer inmiddels wat ontspannen is. 'Dus... woont ze in de stad?'

'Ze zijn niet gescheiden of zo, hoor.' De glimlach verdwijnt van haar gezicht. 'Althans, niet echt.' Ze haalt haar schouders op en gaat tegenover me zitten. 'Op een dag, tijdens de lunch, pakte ze haar tas en verdween.'

'Jezus, wat erg. Het spijt me.'

'Het maakt niet uit,' zegt ze met weinig overtuiging. 'Ik heb haar sinds mijn tiende niet meer gezien. Toen nam ze me mee naar de dierentuin.' Ze pakt mijn gebruikte servet op en maakt er een prop van. 'Soms google ik haar nog wel. Of ik kijk op een filmsite om te zien wat ze uitspookt. Een paar jaar geleden had ze een rolletje in *Law and Order*.'

'Nico, ik weet niet wat ik moet zeggen...'

'Zeg dan niks.' Ze kijkt me met tot spleetjes geknepen ogen aan. Zelfs al heeft ze me toegelaten tot haar clubje als we op school zijn of voor de camera moeten, het is wel duidelijk dat ze me meteen laat vallen als we klaar zijn.

'Oké'

'Hé,' roept Trisha die in een op haar heupen hangende trainingsbroek en een topje met spaghettibandjes de kamer in komt lopen. Haar gezicht ziet er weer normaal uit en haar extensionloze haar zit in een wrong. Dan slaat ze haar armen om Nico heen, die er als versteend bij zit. 'Ruikt heerlijk, Nico.'

Even blijft Nico stil zitten, maar dan rukt ze zich los. 'Kara heeft niet gezegd dat jij ook zou komen.' Ze kijkt met een geforceerde glimlach richting camera, maar waarschijnlijk is de hevige spanning alleen maar voelbaar als je in levenden lijve aanwezig bent.

'Nou, ik ben er toch.' Trisha haalt haar schouders op, alsof hiermee alles is gezegd. Nog steeds met een brede glimlach op haar gezicht staat Nico op om een bord uit de kast te halen en er eten op te scheppen.

'Dankjewel.' Trisha neemt het bord aan, zet het neer op het kookeiland en haalt de fles wijn van achter de kookboeken vandaan. Zonder haar aan te kijken, overhandigt Nico haar ook een glas. Trisha schenkt het vol tot aan het randje en neemt dan een enorme slok. Nico leunt achterover tegen het aanrecht.

'Het was weer gezellig, hè?' zegt Trisha.

Nico knikt en kijkt haar dan doordringend aan. 'Waar was je eigenlijk?'

'Bij mijn tante in West Palm.' Ze zet haar glas, dat al bijna leeg is, op tafel neer.

'Dat is grappig. De vorige keer dat ik daar met jou was, had mijn telefoon prima ontvangst.' Nico dumpt haar bord in de gootsteen en spuit er wat afwasmiddel op uit de fles die op een porseleinen zeeprekje staat, met daarnaast flesjes handzeep en handcrème. 'Vroeger gingen Mel en ik meestal met haar mee op vakantie,' legt ze me uit. 'En als we niet meegingen, belde ze ons.'

Trisha lacht net iets te hard. 'Maar Nico had het deze keer veel te druk. Toch, Jesse? Ze kon moeilijk weg nu ze hoofdrolspeelster is, vind je niet?'

Ben zucht diep. 'Meisjes.'

'Ik bedoel, omdat ze het zo druk heeft met school,' zegt Trisha gauw. Ze kijkt al net zo gekwetst als haar vriendin.

'Nou, ik vind de kip heerlijk,' zeg ik maar.

'Je had me toch wel kunnen terugbellen?' zegt Nico zacht.

'Jij had me toch wel een rolletje kunnen bezorgen?'

Opnieuw hoor ik Ben vermoeid zuchten, en ik schud mijn hoofd. 'Dat kon ze niet...'

'Hou je kop,' schreeuwen ze allebei naar me.

'Jij had je niet op mijn vriendje moeten storten.' Nico pakt de wijnfles van Trisha af en spoelt de inhoud door de gootsteen. 'Je bent gewoon nep en wanhopig. Wanhopig en nep.'

'Niet waar.' Trisha omklemt met haar gelakte nagels het aanrecht en loopt langzaam rood aan. Zo te zien komen er jaren van opgekropte frustratie naar boven. 'Ik ben beeldschoon.' Nico draait zich om. 'Ik ben net zo sexy als jij, Nico. Eindelijk ben ik niet meer je lelijke vriendin. Die rol is nu voor Mel weggelegd. En ik wil geen minuut langer opgezadeld zitten met jou en je stomme buien.'

'Fuck you.'

Trisha bijt op haar lip en veegt onder haar oog een beetje mascara weg. 'Ik geef hem tenminste wat hij wil.' Dan loopt ze weg, en even later horen we de deur dichtslaan.

Nico draait zich om en draait de kraan open. Dan drukt ze op het knopje van de afvalvermaler. Ik zie haar schouders schokken en sta op, al weet ik niet precies wat ik moet doen. Maar het is al voorbij. Ze zet alles weer uit, droogt haar tranen met haar mouw en draait zich naar me om. 'Die uien zijn erg, hè?' zegt ze vrolijk, terwijl ze mijn bord aanneemt.

'O ja?' Ik vraag me af of dat soms een codenaam voor Trisha is.

'Ik krijg altijd tranen in mijn ogen als ik met die dingen bezig ben.'

Aha. 'Ja, ik ook. Vreselijk, hè?'

Dan stopt ze de borden in de vaatwasser en doet hem dicht. 'Ik ben doodmoe. Zullen we gaan slapen?'

'Oké,' zeg ik. Echt waar? Wil je soms niet tot zonsopgang vreselijk ongemakkelijke gesprekken met me voeren?

'Goed zo. Ik heb een heel groot bed, kom er maar bij.'

Om zeven uur word ik wakker in Nico's bed en met een pyjama van Nico aan. De slapende Nico heeft mijn hand vastgepakt, en in haar andere hand houdt ze een verfomfaaide pluchen eenhoorn. Ik draai mijn hoofd en zie in het daglicht dat de muur is volgeplakt met foto's uit het gezamenlijke leven van de drie meisjes. Melanie, Trisha en Nico op de glijbaan, bij het vuurwerk, op paarden, op hun dertiende verjaardag, allemaal met hun armen om elkaar heen. Op de ene foto lachen ze hun melktandjes bloot, op andere foto's zijn hun beugels te zien, en vervolgens een tandpastalach.

En op haar nachtkastje en haar klerenkast staan foto's van Nico en Jase in zilveren lijstjes, tussen de vallende bladeren, in het zwembad, voor de kerstboom. En er hangen kleine briefjes op haar prikbord, die allemaal zijn ondertekend met: liefs van je Jase.

Ik maak voorzichtig mijn hand los en probeer om ook maar één overeenkomst tussen de Trisha van de foto's en de Trisha van gisteravond te vinden. En de Jase die zo te zien smoorverliefd naar Nico kijkt, lijkt helemaal niet op de Jase die ik uit het gastenverblijf heb zien komen.

En dan denk ik terug aan zijn hand op mijn blote heup. Dat past ook helemaal niet in dit plaatje.

En dan denk ik aan Drew. Als ik nog een kans wil maken, moet ik eerst zorgen dat alles weer wordt zoals het was, en dat Nico zich weer op Jase stort.

Opname 10

'Jesse!' roept mijn moeder de volgende zaterdag van beneden aan de trap. Het is nog vroeg in de ochtend en haar stem
trilt een beetje. 'Kun je de krant even halen?'

Ik staar met zware oogleden naar mijn spiegelbeeld. Mijn
gezicht zit onder de puistjes die Tandy veroorzaakt met al
die zware lagen make-up, en die ze daarna weer verbergt
onder nog meer zware make-up.

'Jess?'

'Moet dat?' antwoord ik verontwaardigd, met mijn mond
vol tandpasta.

'Ik ben bezig met de wentelteefjes, dus mijn handen zijn
plakkerig. Maar ik hoorde hem tegen de deur aan vliegen.
Dus schiet op, voordat hij nat wordt.'

Ik zucht en stamp de trap af, met mijn tandenborstel nog
in mijn mond. Dan open ik de deur en buk om de *Sunday
Star* op te rapen. Plotseling zie ik uit mijn ooghoek iets roze.
Ik kom overeind en kijk verbaasd naar de enorme witte
teddybeer die op de rieten schommelstoel zit, met een paarse
roos in zijn muil en een envelop in zijn poot. Al is het ijzig
koud met die venijnige februariwind die dwars door mijn
katoenen pyjama waait, toch stap ik naar buiten en loop er
langzaam naartoe. Door het raam van de woonkamer zie ik
dat mijn moeder opgewonden in haar handen knijpt.

Ik kijk rond in de stilte die slechts wordt verbroken door getjilp, maar ik zie niemand. Geen busje, geen camera's. Voorzichtig haal ik de envelop uit de fluwelen poot van de beer en maak hem open.

Onder een plaatje van een hoop bloemen en hartjes met veel glitter staat geschreven: *Laten we samen weglopen. Wij, met z'n tweetjes. Drew.*

Weglopen. Samen. Drew. En ik. Niet Nico. Die zit, Frankenstein-Trisha! Yes. Yes! 'Yes!' roep ik uit, met mijn tandenborstel boven mijn hoofd. Enthousiast spring ik op en neer met de kaart tegen me aan geklemd.

'En... cut!'

Geschrokken blijf ik staan.

'Volgende scène!'

Dan loop ik het trapje af en zie Kara in elkaar gedoken onder de veranda zitten. Ze heeft een enorme koptelefoon op haar hoofd en kijkt naar een monitor. 'Geweldig. Dat was fantastisch, Jesse. Het werd wel tijd, trouwens. Twee uur heb ik hier zitten wachten, en nu pas ziet je moeder de beer.' Ze zet haar koptelefoon af, komt overeind en stapt door een opening in het rasterwerk de veranda op. Al heeft ze rode ogen van vermoeidheid, ze ziet er toch heel gelukkig en stralend uit. 'En Fletch is me twintig dollar schuldig. Hij gokte op Jase, maar ik zag meteen dat je meer een Drew-meisje was. Ik wilde dat we dit al eerder hadden opgenomen, maar we moesten zo lang op Trisha wachten. Natuurlijk moesten eerste de huidige opnames perfect verlopen voordat we maar over een tweede romantische verhaallijn konden dénken. Maar nu we onze probleemrelatie op film hebben, kunnen we ons op jou en Drew storten. Het was echt geweldig, meisje. Met die beer en alles. En we hebben je prachtig van opzij kunnen filmen. Je profiel ziet er fantastisch uit! Je vindt het vast prachtig!'

Walgend kijk ik naar de nepkaart in mijn hand. De kaart waarmee ik me net voor schut heb gezet.

'Maar goed,' ratelt ze verder. Ze kijkt even op haar klembord. 'Eerst gaan we je kleden en dan geef ik je een lift naar het kuuroord. Je gaat vanavond met Drew uit...'

'Zogenaamd, neem ik aan?' Ik blaas op mijn ijskoude vingers.

'Het is Valentijnsdag...'

'Dat was twee weken geleden.' Ik wijs naar haar met mijn tandenborstel. 'Die dag heb ik me in lederhosen in elkaar laten meppen.'

'Vandaag.' Ze trekt het snoer van haar headset uit de monitor en draait het om de set heen. 'Het kost veel te veel geld om voor Valentijnsdag een locatie af te huren. Maar nu moet je je klaarmaken voor je afspraakje. Je echte afspraakje. Met een limousine en een restaurant en alles erop en eraan. Het doet er niet toe hoe dat afspraakje tot stand is gekomen.' Ze kijkt me aan. 'Misschien vind je het leuk om te weten dat Drew de kleur van de roos heeft gekozen.'

Met opeengeklemde lippen en gefronste wenkbrauwen kijkt Kara langdurig naar mijn borsten. Ze blijft maar staren. Ik krijg een knalrode kop, die vast mooi bij mijn roze jurk past. Achter het enorme kamerscherm hoor ik Jase en Drew, en de crew die de set klaarmaakt. Ondertussen stop ik nog wat dropveters in mijn mond. Dit is zo ongeveer het enige wat ik kan eten zonder dat Zacheria door zijn megafoon naar me schreeuwt.

'Ik snap het niet,' zegt Kara uiteindelijk tegen Diane. 'Jess, rits naar beneden.' Ik trek aan de rits, waardoor het bovenstukje van mijn jurk naar beneden valt. 'Ik snap het niet. Ze heeft ze wel, maar waar blijven ze dan?'

'Kunnen we geen andere jurk nemen?' vraagt Diane. Ze haalt een knalroze tutu uit een Cynthia Rowley-tas.

'Nee. Viktor en Rolf betalen ons om die jurk in deze scène te gebruiken. Wat te doen?'

'Er is geen ruimte voor een beha, maar ik kan er wel iets in naaien?'

'Geen tijd voor.' Kara kijkt even op haar telefoon. 'Het is al halfzes geweest. De zon is al onder. Plak het zendertje maar vast, maar kijk uit dat je niet aan de verf komt.' Ik draai me om en bekijk nogmaals de rij met kleine lila hartjes die over mijn ruggengraat naar mijn nek loopt. Dezelfde kleur als mijn teennagels. Ik vraag me af of ze vanavond sowieso wel in beeld komen. Dit lijkt wel een beetje op zo'n datingprogramma. Niet dat goedkope en wanhopige gedoe, maar het gedeelte waarin de makers van het programma voor een perfecte romantische omgeving zorgen, en je je eerste zoen kunt verwachten op een afgelegen en exotisch strand, of in een luchtballon. Zo'n programma waarin je tien miljoen krijgt voor een droomhuwelijk. Of waarin ze zorgen dat je eerste afspraakje, met wat televisiemagie, een groot succes wordt. Kara loopt met haar walkietalkie weg van de geïmproviseerde kleedkamer die is opgezet tussen de biljarttafel van meneer Wooten en de bank met aapjesmotief van mevrouw Wooten. Dan geeft Diane me twee vormeloze siliconen dingetjes die me aan kipfilets doen denken.

'Hou ze er maar voor,' zegt ze.

Dan duwt ze mijn handen wat dichter bij elkaar, waardoor het lijkt alsof ik een drie maten grotere borstpartij heb. Met tape plakt ze alles aan elkaar vast waardoor ik me net een rollade voel.

'Au!' zeg ik wanneer ze over mijn blote huid krabt.

'Schat, dit is nog niks,' zegt Diane. 'Wacht maar tot het er weer af moet.'

Als ze klaar is, knijpt ze nog even in mijn nieuwe voorgevel en ritst dan mijn jurk dicht. Jezus, ik lijk Angelina Jolie wel.

'Je moet ze echt laten vergroten,' zegt ze terwijl ze mijn silhouet bewondert.

Ik schud mijn hoofd. 'Ik heb nog geen flauw idee wat ik later wil gaan doen, maar ik wil er in elk geval niet uitzien alsof ik zo uit een pornofilm kom stappen.'

'Ook goed.' Ze haalt het kamerscherm weg, en ik loop door de statige hal van het monumentale huis van de familie Wooten. 'Ta-da!'

'Stil!' sist Kara. Door alle lampen en snoeren heen zie ik dat Nico bezig is met Kara's dolle plannetje om de traditionele rollen eens om te draaien. Gehuld in een strapless, heel strakke rode jurk komt ze Jase bij 'zijn' huis ophalen voor hun date. Vreemd genoeg ziet hij er in zijn zwarte pak heel op zijn gemak uit, zelfs tussen de opnames door terwijl Zacheria tegen hem schreeuwt omdat hij de bos bloemen in de verkeerde hand houdt. Zo te zien knijpt Nico nog harder in zijn andere hand dan vorige week in haar slaap in de mijne.

Maar als ze voor de vijfde keer een dichtslaande deur filmen, verliest Jase zijn geduld. 'Mensen, is dit niet veel te overdreven voor een Valentijnsdag? Vorig jaar...'

'Vorig jaar nam je haar mee naar McDonald's en gaf je haar een nieuwe, dure string? Fantastisch, hoor. Wij vieren Valentijnsdag op de manier waarop iedere tiener het wel zou willen vieren. Met heel veel glamour. En... actie!' roept Kara.

Nico loopt de hal van de familie Wooten door, pakt het vossenbontje van het tafeltje af en gooit het om haar schouders. Dan valt de deur achter haar dicht en even later horen we de auto starten.

'Cut!'

Zacheria staat op uit zijn groene klapstoeltje. 'Prachtig! En nu naar de achterdeur voor Drew en Jesse. Waar zijn Drews bloemen gebleven?'

Dan komt Jenny niezend aangerend met een enorm boeket roze rozen.

'Goed zo. Jesse! Waar is Drew?'

'Hier!' Drew komt in een grijs pak uit de statige bibliotheek aan de andere kant van de hal gelopen. Meteen duwt Kara hem het boeket in de handen. Net als ik eraan kom lopen, draait ze hem om en staan we vlak tegenover elkaar. Alleen de enorme hoeveelheid bloemen zit nog tussen ons in.

'Hoi,' zegt hij blozend.

'Hoi.'

'Jongens, opschieten!'

Ik trek mijn jas van Viktor & Rolf aan, en dan leidt Zacheria ons naar de dienstuitgang van het huis. Vervolgens gaat hij naar buiten, blijft achter een stel vuilnisbakken staan en bekijkt de deur door zijn vingers die hij in een vierkant houdt.

'Drew, Jesse!' roept hij. 'Hier gaan staan. Als we er genoeg afknippen, lijkt het net de voorkant van een villa. Ben!'

'Drew!' zeg ik, overdreven streng. 'Jij gaat nu op de wc zitten. Als we er genoeg vanaf halen, lijkt het net alsof je in een duur restaurant zit.'

'Jesse,' zegt hij op dezelfde manier. 'We gooien je nu in de fontein. Met een beetje montagewerk lijkt het net een olympisch zwembad.'

Hysterisch lachend vallen we elkaar in de armen. Ik krijg zelfs tranen in mijn ogen. 'Wacht even,' weet ik uit te brengen. Met mijn ene hand hou ik zijn schouder vast, de andere heb ik tegen mijn buik gedrukt. 'Mijn make-up loopt uit. Ik ga echt dood als ze het allemaal weer opnieuw moeten doen.'

Hijgend komen we overeind. 'Het ziet er nog goed uit,' zegt hij. 'Ik bedoel, jij ziet er goed uit.'

'Dank je. Leuke das, trouwens.' Ik leg mijn vinger op een van de kleine pinguïns die een hartje vasthouden.

'Dank je. Hij is echt van mij.'

'Kan ik niet zeggen van mijn kleren.'

'Drew, kom hier!' roept Zacheria door de megafoon van Kara. 'Uit de limo, naar de deur. Jesse, jij wacht even. Wacht op het moment. Hét moment. Voel het aan, alsof je er eigenlijk niet staat. En dan doe je open. Hij zal je de rozen geven. Arm in arm naar de limo, liefde en maneschijn. En dan filmen we verder als jullie bij het restaurant zijn, goed?'

Ik knik en doe de achterdeur dicht, wacht op hét moment zonder de indruk te geven dat ik aan het wachten ben. En ook al weet ik dat Drew op de drempel zal staan, geschminkt en in een pak van de sponsor, en ook al heb ik Jenny hem net nog de bloemen zien geven, toch ben ik even van mijn stuk gebracht als ik hem zie. Arm in arm lopen we naar de limousine. Hij houdt het portier voor me open en ik stap in, voor een echt afspraakje in een echt restaurant. Maar ver komen we niet. Aan het eind van de oprijlaan keert de limo en rijden we weer naar het huis van de Wootens. Kara en haar drie assistenten stappen in. Kara ploft tussen Drew en mij in, en de andere drie gaan achterin zitten en kwetteren luidkeels verder over hun zwarte nagellak, huurhuisjes in East Village, bepaalde cafeetjes en hun favoriete kliniek voor geslachtsziektes. Drew en ik kijken ongemakkelijk uit de raampjes en doen net alsof we het gesprek over jeuk en afscheiding niet kunnen horen.

'Heerlijk om eens niet in een busje te zitten,' zegt Kara, die het zich gemakkelijk maakt. Een paar tellen later snurkt ze al en kwijlt een beetje op mijn schouder.

Drie uur van verschrikkelijke verhalen later komen we aan bij een groot huis op 52nd Street in Manhattan. 'De Twenty-One Club!' zegt Kara, die druk bezig is haar derde frappuccino naar binnen te gieten. Even verderop staat de limo van Nico en Jase. 'Geweldig,' zegt Kara glimlachend. Ze kijkt op naar het ijzeren hek rond het balkonnetje, waar kleine jockeys op staan afgebeeld. 'Het echte New York. Fletch was het er niet mee eens, maar gelukkig had ik vanochtend een weddenschap gewonnen.' Ze prikt me in mijn zij. 'Dus mocht ik kiezen! Hier hebben alle beroemdheden gezeten. Bacall en Bogart, Howard Hughes, Alfred Hitchcock...' Blozend stap ik uit en loop achter Kara aan, terwijl de crew bezig is lampen en zandzakken naar binnen te sjouwen.

Als ik achter Kara aan het trapje af loop, houd ik mijn zijden rok een stukje omhoog. Door het ijzeren hek naar de ouderwetse saloon. Het plafond hangt vol kleine vliegtuigjes uit de jaren twintig of dertig. Dan lopen we langs alle in dure kleding gestoken klanten die van een verwarmend drankje genieten naar het trappenhuis. De eerste, tweede en derde verdieping zitten ook vol drinkende en etende mensen. 'We hebben de bovenste verdieping weten te regelen. Gelukkig maar dat het nu iets minder druk is. Goed, jongens. Jullie kunnen hier gaan zitten.' Ze wijst naar een bankje naast de trap. 'Jullie worden een voor een gefilmd. Nico en Jase hebben hier een romantisch etentje.' Ze wijst als een stewardess naar twee met leer beklede deuren. 'Tot nu toe hebben we het met een kleine crew gedaan, maar nu gaan we groots uitpakken. Rustig blijven zitten, we komen jullie wel halen voor jullie afspraakje.' Dan verdwijnt Kara door de dubbele deuren.

Eenmaal alleen doen Drew en ik alsof we plotseling heel erg zijn geïnteresseerd in de prentjes van meloenen uit de negentiende eeuw die naast ons aan de wand hangen. Goed, het kleden, de rozen en al dat gedoe was al een beetje vreemd, maar het is pas echt ongemakkelijk nu iemand anders het over een afspraakje heeft. Óns afspraakje. Net zo erg als die nepkaart of mijn uitgebreide tietenonderzoek.

Ik trek mijn jas uit en ga naast Drew zitten op de abrikooskleurige bekleding onder de kroonluchter. Plotseling komen Ben en zijn team met alle cameraspullen langslopen.

'En...' zegt Drew. Hij plukt nerveus aan zijn manchet-knopen.

'Tja,' zeg ik, terwijl ik met mijn armband speel.

'Wat deed je vorig jaar op Valentijnsdag?' vraagt hij.

Ik schuif een eindje weg en leg mijn benen op het bankje. De onderkant van mijn jurk raakt bijna de grond. 'Ik heb met Caitlyn een aardbeientaart gebakken en daarna zijn we *The Notebook* gaan kijken. En jij?'

'Ik had voor mijn ex een doosje dure bonbons gekocht in dat zaakje in Bridgehampton. Toen kregen we ruzie en smeet nu hut uit di anti.'

'Kijk, dat is nou het echte leven,' zeg ik. Eigenlijk verrast het me wel dat hij zo makkelijk over zijn ex praat. Stiekem hoop ik dat hij nog meer vreselijke verhalen over haar wil vertellen.

Plotseling schieten we allebei overeind en steken we als ratten onze neus in de lucht.

'Patat,' besluit Drew na even de heerlijke geuren diep te hebben opgesnoven. 'Allemachtig, wat heb ik een honger.'

'Ga eens kijken of ze al eten? En vraag of ze bijna klaar zijn, en wanneer wij mogen aanvallen,' zeg ik.

Drew sluipt naar de deuren, tilt de lap stof op die de crew daar heeft opgehangen en gluurt door het ronde raampje.

'En?' fluister ik.

'Pech gehad. Ze zijn nog bezig met hun garnalencocktails.'

'Misschien hebben ze er al drie op,' zeg ik hoopvol, terwijl ik naar hem toe loop. 'Of misschien hebben ze al patat en biefstuk en toetjes gehad, en zijn ze nu bezig met het filmen van het voorgerecht. Je weet maar nooit. Misschien kunnen we iets bestellen voor onder het wachten.'

Hij draait zich naar me om. 'Goed idee.' Hij pakt mijn arm en leidt me terug naar het bankje. 'Blijf hier.' Dan loopt hij naar beneden.

En ik blijf zitten waar ik zit. Ondertussen luister ik naar het geschreeuw van Zacheria. 'Vreselijk!' 'Afschuwelijk!' 'Hopeloos!'

'Ta-da!'

Ik kijk op en zie Drew stralend de trap op lopen. In zijn handen heeft hij een dienblad met daarop twee afgedekte borden. Dan zet hij het blad op tafel en haalt de afdekborden er met een sierlijk gebaar af. Het ruikt heerlijk. 'Hamburgers. Hun specialiteit.'

'Je bent geweldig.' Het water loopt me in de mond. Ik wil een van die heerlijke broodjes pakken en het in één keer in mijn mond proppen.

'Wacht even!' Snel loopt hij naar de andere tafel en rukt als een toreador het witte tafelkleed eraf. 'Omdraaien.' Ik gehoorzaam.

'Wauw,' zegt hij ineens. 'Mooie tatoeage.'

Even heb ik geen flauw idee waar hij het over heeft, maar dan herinner ik me het weer. 'Dank je,' zeg ik, terwijl ik even aan de verf voel.

Hij schraapt zijn keel en drapeert dan het tafellaken over me heen, zodat de voorkant van mijn zijden jurk wordt bedekt. Dan haalt hij een metalen clip uit een van de lampen, en maakt mijn slabbetje goed vast.

'Slim,' zeg ik in mijn witte poncho, terwijl ik een patatje naar binnen werk.

'Ik ben bang dat Kara je met haar klembord doodmept als er een vetvlek op je jurk komt.' Hij komt naast me zitten en pakt zijn hamburger. 'Dat zou zonde zijn.'

Zonder te praten eten we onze borden leeg, met maar een korte onderbreking om cola te jatten uit de koelbox van de crew. 'Proost!' zegt hij, terwijl we onze blikjes tegen elkaar stoten.

'Proost.'

'En op de vreemdste Valentijnsdag ooit.' Hij grijnst.

En de allerbeste.

'Kijk haar aan!' We schrikken ons dood als Zacheria opnieuw door zijn megafoon schreeuwt. Waarschijnlijk tegen Jase. 'Kijk haar liefdevol aan! Geef haar een complimentje over haar jurk! Zeg dat ze mooi is. Nog eens! Klink overtuigender!'

'Hou van haar. Doe alsof je van haar houdt,' imiteert Drew terwijl hij zijn handen afveegt aan een servetje en dat vol afkeer op de tafel gooit. 'Jezus, wat ziet ze toch in hem? Hij is onbeleefd tegen de mensen van de make-up, hij is arrogant. En hij heeft minstens drie shirts gestolen. Alsof hij niet genoeg geld heeft om zelf zulke shirts te kopen. Die idioot.'

Ik knik.

'En zij is veel te goed voor hem.'

'Nou ja, hij is een knappe idioot,' antwoord ik. Vindt hij haar te goed voor hem? Vindt hij haar echt zo geweldig?

'Vind je hem knap?' Hij kijkt me doordringend aan.

'Nee, ik bedoel, zij vindt hem knap. Hij lijkt een beetje op een gekooide leeuw.'

'En alleen daarom blijft ze bij hem? Omdat ze een roofdier als vriendje wil?'

'Drew, ik heb geen flauw idee. Ik ken haar nauwelijks.'

'Maar toch vind je hem knap.'

Ik vind jóú knap! 'En wat maakt haar dan zo geweldig, behalve dat ze op Heidi Klum lijkt?'

Even kijkt hij me aan, en ik vraag me af hoe dit ooit heeft kunnen misgaan. Zo ineens. 'Dit slaat nergens op,' zegt hij. Dan staat hij op en loopt naar de deur. Ik blijf achter bij de twee borden en luister naar het gekakel van Zacheria.

Verslagen speel ik met de ketchupfles op tafel en denk aan wat Drew over Nico heeft gezegd. Eigenlijk wil ik de klok vijf minuten terugdraaien. Ik probeer diep adem te halen, maar alle tape op mijn rug houdt de boel te strak bij elkaar.

Dit slaat inderdaad helemaal nergens op.

'Zal ik een ijsje halen uit de magische voedselfontein die jij beneden hebt ontdekt?' probeer ik.

'Bedankt, maar ik zit vol.'

Ik gooi mijn armen in de lucht. Tenminste, voorzover die stomme tape dat toestaat. 'Sorry, maar kun je misschien...' Ik wijs op mijn slab en de klem waar ik niet bij kan.

Hij komt naar me toe en ik buig voorover. Was het nog maar zo ontspannen als daarnet. Dan glijdt het tafellaken langs me heen naar beneden, als het bovenstukje van een bikini waarvan de koordjes niet zijn gestrikt.

'Bevrijd,' zegt hij zacht. Hij overhandigt me de clip van de lamp. Maar dan stormt Fletch zonder enige waarschuwing de dubbele deur door. Trillend blijft hij vlak voor de tafel staan waar we net aan hebben gegeten. Geschrokken spring ik op. 'Nico, hierheen!' roept hij.

Maar Nico, omringd door etende figuranten, staat niet op van haar plekje in het restaurant.

'Nu meteen!' schreeuwt Fletch. Zijn gezicht is al net zo rood als het Perzisch tapijt.

Dan brengt Nico langzaam een servetje naar haar mond-hoeken, legt het neer naast het onaangeroerde eten en staat op. Ze loopt langzaam langs Jase, die zich met een glazige blik in de ogen naar voren buigt, waardoor we niemand minder dan Trisha ontdekken. Jawel, Trisha en Rick zitten aan tafel met Nico en Jase. Ze heeft haar gemodelleerde ge-zicht naar Rick – Rick? – gedraaid, maar haar volgepropte tieten wijzen in de richting van Jase.

Nico loopt langs ons heen naar Fletch. 'Wat is er?'

'Je bent overstuur. Je rivaal is net binnengekomen met Rick, terwijl jij een romantisch dineetje hebt met Jase. Na-tuurlijk is ze alleen maar met hem uit om je vriendje jaloers te maken, en dat gaat nog voor veel problemen tussen de twee vrienden zorgen. Maar dat regelen we later wel.' Jase en Rick kijken elkaar aan en halen hun schouders op. Fletch slaat zijn armen over elkaar, over zijn shirt met sterrenpatroon, en wipt ongedurig op en neer. 'Nico, we filmen je terwijl je gekwetst wegrent. Begrepen? Ga maar terug naar je tafel en probeer het in één keer goed te doen.'

'Maar ik ben helemaal niet overstuur,' zegt ze, terwijl ze hem uitdagend aankijkt. 'Ik vertrouw Jase. Het maakt me niet uit.'

'Met zo'n houding trekken we absoluut geen kijkers. Dan zappen ze massaal weg. Wil je soms dat ik geen geld krijg en jij onbekend blijft?' Zo te zien heeft Fletch een gevoelige snaar geraakt. 'Dus terug naar de tafel en doe je best. Nu.'

Dan draait ze zich om en ziet hoe Trisha de zakdoek van Jase uit zijn borstzak heeft gevist en ermee over haar totaal onbezwete boezem veegt. Met geheven hoofd loopt Nico sierlijk terug en gaat weer aan tafel zitten, maar ze kijkt Jase strak aan. Trisha propt de zakdoek terug en kijkt ook naar Jase, die zonder naar een van hen te kijken een broodje pakt en er een hap van neemt.

'Jase,' zegt Nico. Zo te horen heeft ze moeite om kalm te blijven. 'Zeg ze dat ik je kan vertrouwen. Zeg maar tegen Trisha dat ze kan ophouden met dat uitsloven.'

Gespannen kijkt Jase eerst naar Fletch, dan naar mij, en dan naar zijn bloederige biefstuk. Ik vraag me af wat er nu gaat gebeuren. Hoever wil Fletch gaan voor de kijkcijfers? 'Kom op, Nico, laten we hier een eind aan maken,' zegt Jase met schorre stem. Trisha schuift iets dichter naar hem toe en kijkt Nico licht triomfantelijk aan.

Nico kijkt hen alleen maar aan met een mengeling van afkeer en angst.

'Jullie hebben dat toch zeker wel op film, hè?' schreeuwt Fletch kwaad. Alle cameramannen halen hun schouders op of schuifelen een beetje onzeker heen en weer. 'Verdomme! Jullie moeten álles opnemen! Daar had ik nog wel iets moois van kunnen maken! Ach, laat ook maar zitten.' Dan draait hij zich om. 'Drew!'

'Ja?' Onzeker komt Drew naar voren.

'Laat Jesse maar zitten. Jij komt Nico tegen bij de bar en troost haar.'

Ik voel een knoop in mijn maag, en niet eens omdat mijn afspraakje nu niet doorgaat. Drews gezicht klaart helemaal op van dit nieuws en hij kijkt me even aan. 'Zo goed. Nu met-een?'

'Ja natuurlijk,' zegt Fletch. 'Jesse, jij kunt beneden wachten.' Hij klapt in zijn handen en de crew begint in te pakken. Ik blijf als aan de grond genageld staan. Kara overhandigt een geschokte Nico haar omslagdoek en Jase komt overeind en trekt aan de knoop van zijn das. Trisha, daarentegen, ziet eruit alsof ze net een geweldige auditie in *Dancing With The Stars* heeft gedaan.

'Misschien moeten we maar naar beneden gaan,' zegt Drew, terwijl hij even in de antieke spiegel kijkt of zijn haar wel goed zit.

'Ja.' Ik loop met mijn jas over mijn armen naar de trap. Met elke stap voel ik me vreselijker. 'Succes met het troosten en zo.'

Dan staan we naast elkaar boven aan de trap. 'Ze verdient het,' zegt hij. 'Dit was echt een valse streek. Hoelang hebben Jase en Trisha al iets met elkaar?'

'Geen idee,' zeg ik, zonder hem aan te kijken.

'Zit er iets tussen mijn tanden?' Hij ontbloot ze voor me.

'Helemaal niks. Klaar voor je close-up.'

'Dank je.' Dan rent hij naar de eerste verdieping en kan ik even tot rust komen bij het bloemetjesbehang.

Plotseling zie ik Nico boven aan de trap staan. Ze schudt met haar hoofd, alsof ze zichzelf terug wil halen naar de werkelijkheid. Heel erg langzaam loopt ze langs me heen de trap af.

'Nico!' roep ik als ze al bijna beneden is. 'Dat was niet eerlijk,' probeer ik. 'Fletch is echt een eikel, maar...'

'Maar wat?' vraagt ze.

'Ik... Ik vind Drew leuk.'

Even blijft ze staan. Ik kijk naar haar hoofd vol blonde lokken. Maar dan verdwijnt ze, zonder iets te zeggen, uit het zicht.

'Waar gaan we naartoe?' zegt Jase, terwijl alle medewerkers mopperend naar beneden lopen. 'Wat halen jullie je wel niet in je hoofd? Mijn vriendinnetje, getroost door Drew? Ik weet niet wat ik daarvan moet denken.'

'Goed zo,' zegt Fletch, terwijl hij met twee treden tegelijk langs me heen loopt. 'Heel goed.'

Ik loop achter de rest van de groep aan naar beneden, de nooduitgang door en dan de stoep op. Het is ijskoud en ik trek mijn jas stevig om me heen. Zelfs Trisha verstopt haar korte jurkje met de hartjes erop onder haar jas. Even later komt het busje eraan.

Fletch klopt op het portier, dat openvliegt. 'Trisha,' zegt hij met uitgestoken hand.

'Wat is er?' vraagt ze, terwijl ze tegen Jase aan kruipt. 'Ga ik niet mee met Jase?'

Glimlachend duwt Fletch haar het busje in. 'Nee, sorry.' Hij bekijkt haar gezicht, dat onder de make-up zit. 'Dat zou veel te makkelijk zijn.' Dan glijdt het portier dicht en rijdt het busje weg. 'Jase, kom mee. Jess, hier blijven.' Fletch en Jase lopen door het ijzeren hek, en ik blijf rillend achter. Zijde mag dan mooi zijn, het beschermt je niet tegen de kou. Van waar ik sta, kan ik Jase horen schreeuwen: 'Ik ben je slaafje niet!' Ik draai me om en vang een glimp op van rood fluweel, en dan zie ik Nico achter het raam op de eerste verdieping zitten. Als ik op mijn tenen sta, kan ik net zien wat er gebeurt. Zo te zien heeft Drew een arm om Nico's blote schouders geslagen, en is ze tegen hem aan gekropen. Dan komen Ben en Zacheria door de nooduitgang naar buiten. Dus ze zijn nog niet eens aan het filmen!

Ik wou dat ik Caitlyn kon bellen.

Warme tranen biggelen over mijn wangen als Jase, gevolgd door Sam en zijn camera, woedend langsloopt. Als hij me ziet, blijft hij staan.

'Wat is er gebeurd?'

'Niks,' lieg ik. Het schelle licht van de camera schijnt recht in mijn ogen. 'Ik heb het gewoon allemaal verkloot. Mag ik alsjeblieft naar huis?'

'Mijn auto staat hier.' Hij werpt een kwade blik op Fletch, die nog steeds in de wolken is, en opent dan het portier van de limo voor me. Ik stap in. Het maakt me toch allemaal niet meer uit, zolang ik maar niet voor de camera hoef te staan. Jase smijt het portier dicht, en zodra we wegrijden, barst ik in snikken uit. Ik huil tranen met tuiten en hoop dat er vanavond niet meer gefilmd moet worden. Dat we niet weer rechtsomkeert moeten maken om alles opnieuw te doen.

Maar deze keer rijden we snel verder, en niet veel later rijden we al door de Midtown Tunnel.

Dan strijkt er iets over mijn arm. Ik kijk op en zie dat Jase me de zakdoek aanbiedt die Trisha hem eerder had ontfutseld. Dankbaar neem ik hem aan en snuit mijn neus. Dan haalt hij een heupflacon tevoorschijn, neemt een slok en biedt me vervolgens ook iets aan. Gretig drink ik een beetje whisky. 'Dank je.' Ik moet even hoesten en geef hem dan de fles terug. Maar als ik opkijk, zie ik dat hij me aankijkt op de manier waarop hij eigenlijk naar de halfnaakte Trisha of die arme Nico had moeten kijken.

'Klotedag,' mompelt hij.

'Inderdaad,' zeg ik. De warmte van de alcohol vloeit door mijn lichaam, en ik leun achterover. Dan zijn we weer op bekend terrein, de Long Island Expressway met zijn lage gebouwen. Jase komt naast me zitten, met zijn hoofd vlak bij het mijne. Zenuwachtig draai ik me om en kijk uit het raampje, maar hij bukt zich, legt mijn voet op zijn knie en trekt mijn sandaaltje uit.

Met een luide bons valt het op het tapijt in de limo. Allebei kijken we naar beneden, naar het licht dat weerkaatst wordt in de lila lak. Dan dringt de situatie tot me door. Ik trek mijn voet terug en ga erop zitten. Maar hij streelt met zijn duim over mijn betraande wang en kijkt me diep in mijn betraande ogen. We houden allebei onze adem in.

Langzaam trekt hij mijn gezicht naar hem toe. En dan raakt mijn mond de zijne. Hij zoent mij, en ik zoen hem. Ik ben ongelooflijk stom bezig, maar deze keer heb ik er tenminste zelf voor gekozen.

Opname 11

'*Oh, the tide is high, but I'm holding on.*' Trisha zingt hard mee met haar iPod. Met zijn allen klimmen we het witte busje van de luchthaven uit en strompelen naar de marmeren hal van het Las Vistas, een vijfsterrenhotel met casino in Cancún, Mexico.

Terwijl iedereen de van de sponsor gekregen koffers achter zich aan trekt, probeer ik zo veel mogelijk uit de buurt te blijven van de jongen met wie ik nog geen drie dagen geleden heb gezoend, zijn beste vriend, diens vriendinnetje, haar beste vriendin, haar aartsvijand, en Drew. In ieder geval is het binnen lekker warm door de zwoele zeelucht die naar binnen komt. Dat werd wel tijd, want alle warmte was uit mijn lijf weggesijpeld, eerst in het ijskoude busje van XTV, toen op het vliegveld JFK met zijn hard werkende airconditioning, daarna in het vliegtuig en ten slotte het busje met al evenveel airconditioning. Volgens mij zie ik blauw van de kou onder al die zelfbruiner, en bovendien is het na twee dagen van stevig boenen nog steeds niet gelukt die stomme hartjes op mijn rug weg te halen. Hoewel Kara me heeft verzekerd dat ze niet door de camera worden opgepikt. Gelukkig maar.

Jase en Rick storten zich onmiddellijk op de roze drankjes bij de receptie, terwijl Nico en Melanie er alleen maar aan ruiken. Rick kijkt even op het kaartje en neemt er dan nog een. 'Guavesap. Lekker.'

'Neem plaats op de banken, dan kan ik jullie inchecken,' zegt Kara. Ze trekt haar katoenen blouse met geborduurd patroontje een stukje omhoog – iemand moet haar ooit hebben verteld dat die blouses haar goed staan – en haalt al onze paspoorten uit het heuptasje om haar middel. 'En ik wil jullie nog even bedanken voor jullie medewerking. Geloof me, ik was net zo verbaasd als jullie toen ik gister-avond om tien uur hoorde dat ons reisje zo plotseling door-ging. Het rooster van Fletch was veranderd, hij kon alleen den werk. Sorry dat ik jullie allemaal uit bed moest pluk-ken, en het spijt me dat ik jullie allemaal zelf heb moeten insmeren met zelfbruiner. Sorry, maar ik kan de producers niet zover krijgen om meer dan acht uur van tevoren te horen wat er gaat gebeuren. Zelf heb ik mijn vriend al twee maanden niet kunnen zien, en ik heb mijn afspraak bij de dokter gemist. Shit, ik ben vergeten af te bellen!'

Ben houdt even op met uitpakken en masseert haar schou-ders. Dankbaar glimlacht ze, en klooit dan wat met haar telefoon. Volgens mij ben ik deze keer net zo uitgeput als Kara. Dankbaar neem ik plaats tussen Trisha en Melanie op de zachte witleren bank en doe mijn ogen dicht. In het vlieg-tuig zat ik ook al tussen hen in, en ik ben van plan hen steeds om me heen te houden. Zelfs al word ik kotsmisselijk van Trisha's parfum en neuriet Melanie zonder dat ze het doorheeft.

'Goed, jongens. Kom maar mee.'

We rijden onze Tumi-koffers met het label goed zichtbaar naar de lift die ons naar het penthouse zal brengen. Ik wurm me tussen Trisha en Melanie in, en Jase slaat hard op de kont van Nico, die iets te hard giechelt om Trisha te pesten.

'Daar zijn we dan. Hier wonen jullie de komende vier da-gen.' Kara opent de deur en we komen in een vertrek dat een

woonkamer zou kunnen zijn, maar net zo goed een slangen-
fokkerij. Meer kan ik er namelijk niet over zeggen, want
mijn aandacht wordt opgeslurpt door de zee. De prachtige
blauwe zee. Helemaal niet zoals thuis aan het strand. Die zee
is donker en viezig en koud, zelfs in de zomer. Nee, deze zee
is blauw, rustig en vast heel lekker warm. Ik stap het balkon
op en snuif de geur op van de bougainville die veertien verdiepingen lager bij het zwembad bloeit.

'Waarom is er niemand?' vraagt Trisha, die ook naar beneden kijkt.

'Het is toch nog geen vakantie, idioot,' snauwt Nico.

Kara knijpt haar lippen samen en duwt haar bril hoger
op haar neus. 'Goed, een paar regeltjes. Niet in het zwembad,' zegt ze, terwijl ze de deur naar een van de slaapkamers
opent. 'Jullie bruine kleurtje kan niet tegen het chloor. Meisjes, jullie slapen hier. Jongens, aan de andere kant.' Ze wijst
naar een tweede deur achter de banken met papegaaien-
print.

Nico, Trisha, Melanie en ik nemen een kijkje in de kamer
met twee enorme bedden. 'Startpunt van de actie hopelijk,'
zegt Kara met een knipoog. Het ziet er eerder lachwekkend
dan suggestief uit.

'Ik slaap bij Mel,' zegt Nico snel. Ze gooit haar Tumi-kof-
fer op het bed bij het raam.

'Geweldig, hoor.' Trisha snuift en kijkt me aan. 'Wel voorzichtig, hè? De jongens zijn nog erg gevoelig,' waarschuwt
ze met haar handen op haar borsten.

'Ik zal mijn best doen om niet aan je te zitten in mijn
slaap.'

'Zullen we gaan zwemmen?' vraag ik aan Melanie. Ik rek
me uit op mijn ligbed naast het zwembad. Na een ochtend
verspild te hebben aan het zogenaamd uitzoeken van dia-
manten en juwelen in de lobby van het Ritz-Carlton, onder

de kritische neus van Zacheria, ben ik allang blij dat ik mijn eigen bikini weer aan mag. Geërgerd pluk ik mijn natuurkundeboek van mijn buik af. Dankzij de laagjes zweet en zonnebrand zit de inkt nu op mijn huid.

'Kara zei dat het niet mocht. Bovendien heb ik geen zin om me weer helemaal in te smeren.' Ze tilt haar hoofd even op van haar armen. 'Ik heb mijn moeder beloofd dat ik altijd genoeg zonnebrandcrème op zou doen. Je gelooft niet hoe snel je huid veroudert door de zon.'

'Is dat soms je lijfspreuk?' Ik krab op mijn hoofd. Mijn hoofd waar voor de verandering helemaal geen belachelijk knapoel op zit. Heerlijk.

'Het is wel zo.' Ze legt haar gezicht met de sproetjes weer op haar armen.

'De afgelopen twee dagen hebben we buitenopnames gemaakt,' zeg ik, terwijl ik over mijn licht verbrande decolleté wrijf. 'Zijn we niet al bruin genoeg zonder al die troep? Zíj zien er niet bleek uit.' Door de glazen van mijn zonnebril kijk ik naar Nico, die aan de rand van het zwembad zit, met haar benen in het blauwe water tussen de luchtbedden van Jase en Drew in. Vanachter een palmboompje in een bloempot zo'n twee meter verderop filmt Ben haar bruine benen, die langs de gebronsde schouders van Drew strijken. Ik haat haar.

Dan draait Jase zich naar ons toe en heft zijn glas, met parasolletje en al. Nu haat ik alleen nog maar mezelf. Stijfjes zwaai ik terug en ik hoop dat hij me in godsnaam niet meer aanstaart. Maar helaas, hij blijft me maar aangapen. Die idioot is al net zo subtiel als een zonsverduistering. Getver. Nou ja, ik zou dankbaar moeten zijn dat hij helemaal niets heeft gezegd over ons avontuur in de limo, maar alleen maar met een veelbetekenende blik naar me kijkt. We hebben sinds dat zoenen geen woord meer gewisseld.

'Toch wacht ik liever tot Kara toestemming geeft,' zegt Melanie, die zo te zien niets heeft gemerkt van de kwijlende blikken van die slijmbal. Ik kan haar nog maar net verstaan vanwege de muziek die uit de boxjes in de plantenbakken komt. Drew lacht om een grap van Nico – waarschijnlijk iets over het feit dat dit al minstens de vierde keer is dat we precies hetzelfde nummer moeten aanhoren. Dan kijkt Nico hoopvol naar Jase, maar hij is te druk met juichen om iets wat er gebeurt op de tv die onder de palmboom is verstopt. Het is geloof ik een autorace. Even ziet Nico er verdrietig uit terwijl ze naar Jase kijkt, maar als ze nat gespat wordt door Drew, gilt ze vrolijk.

Ik zak achterover op mijn ligbed. Kon ik maar een dagje vakantie nemen van haar perfecte persoontje. Gewoon één dag, voor mijn geestelijke gezondheid. Vierentwintig uur waarin Nico's adem stinkt, haar kapsel door de war zit, en haar rug onder de puistjes zit.

'Dus je komt niet zwemmen?' vraag ik, terwijl ik mijn zonnebril af gooi. Ik kom weer overeind en probeer mijn haar op te steken. Mijn heerlijk natuurlijke haar, zonder middeltjes van de sponsor erin.

'Niet voordat we toestemming hebben.'

'Veel plezier dan met het zonnen.' Ik hobbel over het snikhete beton naar de rand van het zwembad.

Melanie leunt op haar ellebogen en zet haar zonnebril af terwijl ik een duik neem. 'Hoe is het?' vraagt ze jaloers.

'Heerlijk!' Ik duik weer onder water en geniet van de heerlijke stilte.

'Fijn dat we eindelijk eens niet al die zendertjes nodig hebben voor de opnames,' zegt Melanie zacht wanneer ik weer bovenkom.

'Absoluut.' Ik zwem terug naar de muur vlak bij haar ligbed. 'Het is fijn om hier gewoon te mogen relaxen als we niet aan het werk zijn.' Maar het is niet fijn dat het zo ongelooflijk moeilijk is om Jase uit de weg te gaan. Hij is altijd in de buurt van Drew, die weer altijd bij Nico rondhangt, die ons niet met rust laat. Dus het enige wat ik nog ongestoord kan doen, is slapen, huiswerk maken of praten met Melanie.

'Nou, volgens mij werken we nog steeds, hoor,' zegt Melanie, knikkend met haar onder een sjaaltje schuilgaande hoofd naar Sam en zijn pogingen om al het geluid op te vangen met zijn microfoon.

'Dank je wel, mammie.' Ik spat haar nat.

'Ik zeg het alleen maar!' Ze leunt naar voren en drinkt met een rietje uit haar glas ijswater.

'Maak je geen zorgen. Ik hou mijn bikinitopje aan.' Ik laat mijn benen achter me aan drijven.

'Over topjes gesproken...' Met opgetrokken wenkbrauwen kijkt Melanie naar de grote rode deuren van de lobby. Ik kijk ook en zie Trisha met een flesje water naar het zwembad lopen.

'Het feest kan beginnen,' mompel ik terwijl ze op haar muiltjes met belachelijk hoge hakken op ons af komt wankelen. 'Rond vijf uur lag ze op de vloer voor de badkamer te slapen. Dat zag ik toen ik moest plassen. Waar zijn jullie geweest?'

'Bij Señor Frog. Het was echt te gek, zelfs de cameramensen dansten mee. Vanavond moet je echt mee.'

'Ik heb nog steeds koppijn van de eerste avond drinken met Rick en Ben. Bovendien moet ik drie proefwerken inhalen als we weer thuis zijn.'

'Dat is dan jouw lijfspreuk. We hebben ook nog karaoke gezongen in de bar bij de lobby. Fletch was echt goed als Jay-Z. Rond drieën ben ik teruggegaan, en toen was Trisha nog bezig.'

'Hé meiden,' zegt Trisha slaperig. 'Kara zei dat we hier moesten gaan zitten. Maar waarom?' Ze houdt haar hand boven haar enorme zonnebril en kijkt om zich heen naar de zee van lege stoelen rondom het vrijwel lege zwembad. 'Natuurlijk worden we hier precies vóór de vakantie heen gestuurd. Net nu het hier doodsaai is.'

'Ze willen dat we hier gaan zitten, zodat ze ons beter kunnen filmen,' zegt Melanie, terwijl ze zich omrolt en de handdoek gladstrijkt.

'Nou, ik wil liever daar liggen.' Trisha wijst naar een ligbed vlak bij de bar, vlak voor de neus van Jase.

'Waarom gedraag je je zo verwend?' Melanie zucht.

'Waarom ben jij zo'n slijmbal?' Uit haar gouden Marc Jacobs-tas haalt ze een pakje Camel Light-sigaretten.

'Omdat míjn moeder toevallig niet genoeg geld heeft om mijn hele gezicht te verbouwen,' zegt Melanie kalm. Ze sluit haar ogen.

Trisha houdt haar hand boven de aansteker en neemt een trekje. 'Jaloers?'

'Hé jongens!'

Op teenslippertjes komt Kara de deur van het hotel uit lopen. In haar hand heeft ze een dienblad met bier, en ze houdt een plastic bekertje tegen haar borst gedrukt. Zoals altijd draagt ze weer haar tropenuniform: een wit T-shirt met V-hals en een versleten korte broek met legerprint.

'Ik kon niet anders,' zeg ik vanuit het heerlijke water vol chloor.

'Kon wat? O, laat maar zitten. Je bent al bruin genoeg.'

Een halve seconde later heeft Melanie zich al ontdaan van haar zonnebril en haar hoofddoekje, en springt ze over mijn hoofd heen het water in.

Kara kijkt haar van onder haar XTV-petje aan. 'Trisha? Niet doen.' Ze houdt haar koffiebekertje voor Trisha's neus en laat haar de sigaret uitmaken. 'Een rondje van Fletch,' zegt ze bij het uitdelen van de blikjes bier. 'Omdat jullie hier al oud genoeg zijn om te mogen drinken. En het zou fijn zijn als jullie iets dichter bij de jongens gaan zitten. Fletch vindt dat het anders net een basisschoolfeestje.' Trisha pakt een biertje en een schijfje limoen van haar aan. 'Fletch en Zacheria zijn al bezig met het plannen van de rest van de week. Morgen gaan we prachtige scènes maken, zeker nu jullie even hebben kunnen uitrusten.'

Melanie komt naast me boven water en houdt zich met één hand aan de rand van het zwembad vast. Met haar andere hand veegt ze het water uit haar gezicht. 'Heerlijk zwembad.'

'Biertje?' bied ik aan, terwijl ik het blikje pak dat op de rand staat.

Maar ze schudt haar hoofd. 'Nog geen achttien.'

'Goed zo,' zegt Kara. 'Nu moet ik jullie indelen voor de opnames van vanavond. Misschien moet ik een volleybalnet regelen.'

'Moeten we echt met zijn allen wat doen?' vraag ik. 'Ik bedoel, kunnen we niet gewoon zelf wat rondhangen?'

'Of we kunnen volleyballen,' stelt Melanie droog voor, alsof ze op die manier een hoger rapportcijfer krijgt.

'Geweldig.' Kara schrijft iets op haar klembord. 'Dan zetten we iets voor jullie klaar om te sporten. En Jesse, we hebben al meer dan genoeg beelden waarin je met je neus in de boeken zit. Afgesproken?' Ze klemt haar pen achter haar oor en loopt naar de bar om met de daar verzamelde crewleden te praten.

'Ik zei toch dat we ook daar konden zitten. Adios!' Trisha drentelt achter Kara aan en schudt met haar tieten.

'Was Trisha altijd zo vriendelijk?' vraag ik aan Melanie, die naast me in het water ligt en haar benen spreidt en sluit. 'Ik bedoel, van een afstandje leek ze me altijd wel oké. Is dit een bijverschijnsel van haar nieuwe boezem?'

'Ze is gewoon Trisha. En nu is ze Trisha die zichzelf moet bewijzen. We weten allemaal dat ze eerst alleen Nico en mij wilden voor het programma. Ik trek me er niets meer van aan,' antwoordt ze.

Dat doet me denken aan al die foto's in Nico's kamer. Mel en Trish die al net zo lief tegen elkaar deden als Nico en Trish. Waren ze alleen maar vrienden omdat ze er zelf beter van werden? Of heeft XTV al hun zwakke plekken blootgelegd? Met mijn hulp, trouwens. Ik draai me om en staar voor me uit. Voor het eerst vraag ik me af of dit ook gebeurd zou zijn met Caitlyn en mij. Zou XTV een wig tussen ons hebben gedreven?

'Trek jij je überhaupt ergens iets van aan dan?' vraag ik aan Melanie, terwijl Trisha toch maar niet naar de bar gaat, maar zich op de rand van het zwembad voor Jase gaat bewijzen. Nico heeft het in de gaten. En Drew heeft in de gaten dat Nico het in de gaten heeft.

'Zeker wel, maar ik zorg er gewoon voor dat ik er geen last van heb.'

Ik knik. Zo te horen is Melanie wijzer dan wij allemaal bij elkaar.

De volgende dag heb ik in de avond al mijn vierde outfit aan, en sla ik mijn armen om me heen omdat het zo ijskoud is in de lift met airconditioning. 'Dit ding bedekt helemaal niets,' mompel ik terwijl ik op het knopje naar de lobby druk, en ik schuif de ijskoude gouden armbanden die bij mijn donkerbruine jurkje van dunne stof met zebraprint horen over mijn arm. Wie maakt er nou een strandwandeling met zoveel sieraden? Of met zoveel make-up? Ben ik soms een hoertje, wachtend op een langsvarend jacht?

Gistermiddag was stukken leuker. Ik heb heerlijk kunnen slapen in mijn eigen bikini, die gewoon over mijn kont past zonder dat er tape aan te pas komt. Bij het zwembad, in de strandtent, in onze kamer. Wat maakt het mij uit of de kijkers liever iets spannenders willen zien? Ik vond het heerlijk.

Een verdieping lager openen de deuren van de lift en kijk ik in de sportzaal met prachtig uitzicht. Drew stapt in en kijkt me even geschrokken aan. 'Hoi.' Hij dept zijn gezicht af met een handdoek en drukt op de bovenste knop.

Dus je weet nog wie ik ben? 'Ik ga naar beneden.'

'Geen probleem, dan kom ik nog eens ergens.' Hij laat de handdoek zakken en leunt tegen de muur. 'Barbie Jesse, klaar voor actie.'

'Inderdaad.' Ik wijs met mijn vinger met nepnagel naar mijn hairextensions. 'Ik heb haar niet bepaald gemist.'

Hij glimlacht. Dan gaan de deuren opnieuw open en staan we nog in nog met een hotelbediende die van achter een overvol waskarretje naar ons zwaait. Dan gaan we weer op weg naar beneden.

'Nou.' Drew schraapt zijn keel. 'Heb ik iets verkeerd gedaan?'

'Wat? Nee. Hoe bedoel je?'

'Het lijkt wel alsof je me probeert te mijden, behalve als we bij elkaar moeten zitten vanwege de camera's.'

Ik schud mijn hoofd en doe alsof ik echt geen flauw idee heb waar hij het over heeft.

'Jesse?'

'Ik geef Nico gewoon een kans,' zeg ik schouderophalend.

'O.' Hij gooit de handdoek in zijn nek en trekt aan de uiteinden. 'Ik dacht dat je misschien Jase een kans wilde geven.'

'Waar heb je het over?' Ik loop rood aan en ben stiekem toch wel blij dat we zoveel make-up moeten dragen.

'Je zei dat je hem knap vond.' Doordringend kijkt hij me aan.

'En jij hebt Nico's benen in je nek!' zeg ik meteen.

'Wat?'

'Niks.'

'Oké... Nou ja, Jase zegt echt allemaal vervelende dingen over je. Dat je het maar weet.'

O God, o God. 'Zegt hij ooit wel eens iets normaals, dan?'
Dan gaan de deuren weer open bij het kuuroord. Hij kijkt
me verwachtingsvol aan, maar wat moet ik zeggen? Dat ik
inderdaad met Jase heb gezoend? Dat ik mijn nepvriendin
heb bedrogen, die bij wijze van plaatsvervanger voor Jase zit
te azen op de jongen van wie ze weet dat ik hem leuk vind?
'Ik moet nu naar het strand om met Trisha te gaan wandelen,' zeg ik treurig. 'We kregen net te horen dat ze het gaat
hebben over haar gevoelens voor Rick.'
'Is goed. Ik ga nog even naar de sauna voordat ik weer
aan de slag moet.' Hij stapt de lift uit en de deuren glijden
langzaam dicht. Dan steekt hij zijn hand ertussen; de deuren
gaan weer open. 'Jesse.'
'Ja?'
'We moeten eens wat vaker samen iets doen,' zegt hij.
Ik duw op de knop die de deur opent.
'Kom vanavond met me wandelen. Volgens mij krijgen we
vuurwerk, en ik heb geen zin in nog een nacht met een dronken Trisha.'
'Hoe laat?' vraag ik, terwijl de deur hard begint te piepen.
Tot mijn verrassing kijkt hij me opgewekt aan. Misschien
straalt hij zelfs meer dan toen met Nico.
'Zonder de camera's. Ik kijk wel of ik weg kan glippen,
dan zie ik je bij de strandhutjes zo rond halftwaalf.'
'Halftwaalf bij de strandhutjes,' herhaal ik dolblij. Dan
gaan de deuren dicht en ben ik weg.

Die nacht, nadat ik Zacheria blij heb gemaakt met een in
kleding van Dior gehuld tripje naar het casino met Melanie,
zit ik bij volle maan in het zand bij de gestreepte strandhutjes. Ik druk mijn lippen op elkaar en maak me zorgen om de
kleine hoeveelheid lipgloss die ik op heb. Zo langzamerhand
ben ik alle kennis over make-up helemaal kwijt. Eerder keek
ik in de spiegel en maakte ik me druk om de sproetjes op

mijn neus en het feit dat ik ze niet op magische wijze kon laten verdwijnen.

Nou ja. Drew was niet echt onder de indruk van Barbie Jesse, dus hopelijk houdt hij meer van de normale Jesse. En zo zit ik hier te wachten, in een korte broek die ik van Melanie heb geleend en mijn eigen uitgelubberde witte trui. Ik luister naar de golven en kijk in de richting van het hotel, waar mijn afspraakje vandaan zou moeten komen.

Hoe laat is het? De maan staat een stuk hoger aan de hemel dan toen ik hier nog maar net was. Maar als ik bij de lobby ga kijken, loop ik hem misschien mis als hij over het strand komt.

Wacht eens. Bij de tv in het poolcafé hangt een klok.

Ik kom overeind op mijn leren teenslippertjes en sjok weg. Plotseling hoor ik Trisha's snerpende gegiechel. Als ik mijn ogen samenknijp, kan ik haar nog net bij de kustlijn zien rennen. Haar doorweekte topje slingert ze als een lasso boven haar hoofd. Dan vliegt het de lucht in. Zo te zien is ze bezig met een striptease voor iemand op het strand. Je zou toch zeggen dat mensen haar voor de verandering wel eens met kleren aan zouden willen zien.

Ik draai om en loop de trap op naar de blauwverlichte bar, die het zwembadwater turkoois doet lijken. Met een half oor luister ik naar het liedje dat uit de palmbomen komt. Ik loop langs het zwembad en buk me om op de klok te kunnen kijken. Vijf over twaalf. Komt hij soms niet meer? Kon hij niet ongezien wegkomen? Of is hij soms met Trisha op het strand?

'Hallo daar.' De barman legt zijn boek neer en komt naar me toe.

'Hoi. Heb je misschien die jongen met bruin haar zien langskomen?' Ik wijs naar de twee lege stoelen waar Nico en Drew de afgelopen twee dagen gezeten hebben. 'Liep hij naar het strand?'

'Niemand gezien. Sorry meisje. Kan ik iets voor je maken?'
Hij haalt een cocktailshaker tevoorschijn en gooit hem van
de ene naar de andere hand.

Waarom ook niet? 'Ja graag.'

'Iets zoets?' Snel pakt hij een cocktailglas en jongleert met
zijn spullen.

'Iets sterks, graag.'

Ik heb geen flauw idee hoelang ik al naar de smeltende ijs-
kristallen heb zitten staren, als ik plotseling iets hoor. 'Nico,
alsjeblieft.'

Ik verstar, van het geluid of van de alcohol die ik net binnen heb gegoten. Meteen zet ik mijn lege glas neer en ga op
zoek naar de bron van het geluid. Ik loop langs de heg, ga
de hoek om en zie Drew met zijn gespierde rug naar me toe
in de jacuzzi in de vorm van een ananas zitten. Snel verstop
ik me achter de heg.

'Ik zei toch dat ik het ook kon. Kijk maar!'

Voor hem staat Nico te wankelen op de trap. Haar witte
jurkje komt nauwelijks tot over haar achterste. Dan laat
ze haar hand, net als Trisha, in het water zakken. 'Kom
dan.'

'Nico, we moeten praten.' Hij klinkt verdrietig. Vast omdat ze nog steeds aangekleed is.

'Je praat maar en praat maar.' Ze trekt zich terug uit het
water, maar Drew komt naar haar toe. Nog net weet ze de
ijzeren reling vast te grijpen, en als een lappenpop valt ze in
het bubbelende water. Haar natte witte jurkje laat duidelijk
het zwarte kant zien dat eronder zit. 'Oeps!' roept ze.

Hij bukt zich en zegt iets tegen haar, zo zacht dat ik het
niet kan verstaan.

'Of dit.' Ze trekt hem naar zich toe en kust hem. Ademloos kijk ik toe.

Voorzichtig zet ik mijn twee lege cocktailglazen op tafel in het donkere penthouse. De warme, zilte zeelucht komt me tegemoet door de open balkondeuren, en de gordijnen wapperen tot voorbij de banken. Ik zwier naar de slaapkamer en zie Melanie op bed liggen. Ik zou haar eigenlijk wakker moeten maken om te vertellen wat ik net heb gezien. Nee, eigenlijk moet ik... Laat ook maar zitten. Ik ga het aan Jase vertellen. Wat dacht je daarvan? Ik ga... Dan pas heb ik door dat ik op de deur van de jongensslaapkamer sta te kloppen. Goed zo. Dan komt Jase en kan ik...

Hij doet de houten deur open en houdt zijn hand in zijn zij. Zo te zien heeft hij geen shirt aan, en hij bloost hevig. Op de achtergrond hoor ik Rick snurken.

'Jase,' zeg ik dronken. De tequila en die kus blijven mijn gedachten in de weg zitten. 'Ik... ik wilde even...'

'Ik ook.' Hij legt zijn hand in mijn rug en trekt me tegen hem aan. Voor ik het weet, zijn we aan het zoenen.

Op een helder moment trek ik me terug. 'Dat is niet... Ik wilde niet...'

'Ook goed.' Voor ik het weet, heeft hij me losgelaten en slaat hij de deur in mijn gezicht dicht.

Geschokt blijf ik staan, happend naar adem. Op dat moment klinkt er een oorverdovend lawaai en licht de kamer op door het vuurwerk dat op het strand wordt afgestoken. Ik wil opnieuw kloppen, maar voordat ik dat kan doen is de deur alweer open.

'Nico en Drew in de jacuzzi,' zeg ik met betraande ogen. 'Het is mijn schuld. Ik heb Kara over jou en Trisha verteld. Toen we nog maar net waren begonnen. En nu loopt alles helemaal verkeerd, en het spijt me verschrikkelijk. Maar ik heb niets gezegd over je vader.' Woedend kijkt hij me aan, en als ik achteruitdeins naar de badkamer, komt hij me achterna. Achter mijn rug probeer ik de deur open te maken. Het lukt, en ik tuimel naar binnen. Nog net weet ik me vast te

grijpen aan zijn broekriem, waardoor we samen de duister-
nis in vallen. We komen alleen nog overeind om de deur op
slot te doen.

Opname 12

'Wat zijn jullie vrolijk,' zegt Kara terwijl ze voorzichtig over de benen van Nico en mij heen stapt. Ze neemt plaats voor in de speedboot, waar we nu al bijna een halfuur in zitten.

Na de drankjes van gisteren heb ik genoeg koppijn voor de rest van mijn leven. Ik kijk haar aan door de glazen van de Chloé-zonnebril van de sponsor, en hou me goed vast aan mijn bankje terwijl we over de golven scheren en steeds met een klap op het water terechtkomen. Alsof dat het gebons in mijn hoofd kan doen stoppen.

'Volgens mij willen jullie wel koffie.'

'Volgens mij willen we gewoon niet zo belachelijk snel gaan,' zegt Nico in de richting van de man achter het stuur. Die neemt een trekje van zijn enorme, stinkende sigaar. 'Kunt u alstublieft langzamer varen? *Por favor?*'

'Alsjeblieft niet.' Drew gebaart dat ze stil moet zijn en draait zich dan weer om om over het water uit te kijken. Jase snurkt zo hard dat het lijkt alsof hij wordt gewurgd, en omdat hij naast me ligt, kan ik zijn iPod horen. Hoe ben ik in een boot terechtgekomen met de drie mensen die ik liever helemaal nooit meer zou willen zien? Ik wil mijn ogen sluiten, maar dat vindt mijn maag geen goed idee.

'O, Jess, dat was ik vergeten. Ik kreeg een fax van je moeder. Georgetown heeft je aangenomen.'

'Wat zeg je?' De informatie dringt maar langzaam tot me door. 'Echt waar? Mag ik eens kijken?'

'Wat kijken? O, wacht.' Ze klopt op haar zakken. 'Volgens mij heb ik het weggegooid. Maar er stond echt Georgetown. Gefeliciteerd!'

'Dankjewel! Dat is echt geweldig! Kan ik mijn ouders even bellen?'

'Sorry. Geen communicatie tot we weer geland zijn op JFK.' Ze haalt de tube sunblock uit haar zak en maakt een roze streep op haar neus. 'Dat heeft Fletch nadrukkelijk gezegd.'

'Maar niemand in mijn familie heeft ooit... Ik moet... Kan ik ze dan wel een fax sturen?'

'Regels zijn regels. Fletch wil geen contact met de buiten-wereld. Sorry.'

Ons laten doen alsof we vrienden zijn is één ding, maar moeten we nu ook nog doen alsof we geen ouders hebben?

'Bovendien wil Fletch vast dat je het ergens deftig gaat vieren. Op onze kosten, natuurlijk.'

Ik zie mijn ouders al voor me met de brief van de universiteit in hun handen, en geen enkele manier om het me te vertellen. Nu voel ik me nog rotter.

'Daar,' zegt Kara tegen de bestuurder. Ze wijst naar een catamaran die voor ons ligt.

'Volgens mij is daar geen wc,' zeg ik bezorgd. Op dit moment heb ik alleen een fles water nodig en een wc die door-getrokken kan worden. En dus geen hobbelig zeil en een ver-dacht bewolkte lucht.

'Wij blijven in de speedboot net buiten beeld terwijl we jullie filmen. Dus geniet maar van de heerlijke brunch die voor jullie klaarstaat,' zegt Kara. We kijken elkaar fronsend aan, en Kara pakt haar megafoon. 'Ik zei genieten,' roept ze.

Jase schrikt wakker.

'Kwijl.' Vol walging wijs ik naar een druppel op zijn kin.

Hij veegt het af met zijn T-shirt en staat op om met de rest van ons de ladder te beklimmen. Om te gaan genieten.

Het ziet er vast heel spannend uit. Nee echt, Kara is vast dolblij dat ze een filmopleiding heeft gevolgd. Wie zou er nou niet willen kijken naar vier groen aangelopen tieners die ver van elkaar vandaan op een catamaran zitten? Zeker als ze ook nog om de beurt kreunen en kotsen.

Ik wil niet meer. Ik wil terug naar mijn bed. Een betonnen bankje in een cel is ook goed, zolang het maar niet schommelt.

'Ik moet met je praten, geloof ik.' Ik open mijn ogen en merk dat Drew naast me is komen zitten. Hij leunt tegen het metalen hek en trekt een pijnlijk gezicht.

'Wat een geluk,' zeg ik, terwijl ik me weer opkrul.

'Kara kwam net dichtbij varen en schreeuwde dat ik naar je toe moest.'

'Zoiets hoorde ik, ja,' zeg ik met mijn ogen dicht.

'Dan niet,' zegt hij kwaad. Waar slaat dat nou op?

'Wat is er eigenlijk aan de hand, Drew? Ik heb op het strand uren op je gewacht.'

'Weet je dat zeker?'

Ik open mijn ogen. 'Dus omdat jij het aanlegt met Nico, ben je kwaad op míj?'

'Ze was dronken, en ik moest op haar letten. Ze had gedronken omdat Jase niets van haar wil weten.'

'Dat is niet mijn schuld,' zeg ik snel. 'Bovendien heb je duidelijk geen Kara's met megafoons nodig om met haar te gaan babbelen.'

'Ze was dronken.' Hij neemt een slok water uit zijn flesje en zet het tussen zijn benen. Vol walging kijkt hij me aan. 'Bovendien heb jij een zuigplek, Jesse.' Dan staat hij op en wankelt naar Nico, zich vasthoudend aan de touwen. Ik kijk naar beneden. Hij had op mijn heup gewezen. En inderdaad, onder de zwarte knoop die mijn bikinibroekje bij elkaar houdt, zit een rode plek. Jezus. Ik hang boven de onstuimige golven en de laatste voedselresten uit mijn maag komen naar boven.

Een uur later staan Jase en ik in wetsuits te kijken naar de speedboot met Fletch, Zacheria, Drew en Nico die in volle vaart op weg is naar een eiland waar vanavond een romantische strandwandeling zal worden gemaakt. De lucht, die er toch al dreigend uitzag, wordt nu echt heel donker.

'Zo, en waar gaan wij snorkelen?' vraagt Jase, die weer nieuwe energie heeft gekregen van zijn dutje. 'Bij zo'n koraalrif of bij de kust?'

'Hier,' antwoordt Kara terwijl ze haar gps en haar klembord in de gaten houdt.

'Hier?' vragen we in koor.

'Bedoel je hier, op deze plek?' vraagt Jase nogmaals. 'Maar er is hier helemaal niemand. Volgens mij is het zelfs te diep voor diepzeeduikers. Ik bedoel, zitten hier dan geen haaien en zo?' Hij houdt de mast stevig vast.

'Ik weet zeker dat hier geen haaien zitten,' zegt Kara met een geforceerde glimlach. 'Of wel soms?' vraagt ze zacht aan de gids die naast haar staat.

'Ik bedoel…' Jase krabt in zijn donkerbruine nek. 'Ik denk gewoon dat het leuker zou zijn op de vaste wal, maar…'

'Het zijn maar wat losse beelden.' Ze stopt haar gps terug in haar rugzak en ritst haar fleecetrui dicht. 'We hebben geen tijd om alles klaar te zetten op het eiland voordat het noodweer losbarst.'

'Noodweer?' Ik huiver.

'Mijn God, ontspan eens! Hup, hoe sneller je erin ligt, des te eerder je er weer uit mag. Jesse?'

'Gaan we daarna terug naar het hotel?' vraag ik. Wat ik wel niet zou willen doen voor een heerlijk warme douche… Bijvoorbeeld een moord plegen.

'Ja.' Kara grijpt mijn arm en duwt me naar de rand van de boot. Met haar andere hand houdt ze het zeil stevig vast terwijl de wind onze haren alle kanten op blaast.

'Is goed,' zeg ik met een zucht. Ik zet mijn ondergekwijlde maskertje op en het zuigt zich vast aan mijn hoofd. 'Ik wil hier zo snel mogelijk klaar zijn.' Even kijk ik naar de drie camera's die allemaal op het water zijn gericht, en dan duik ik in het water. Water? IJswater! 'IJskoud!' roep ik als ik weer boven ben. 'Mijn benen zijn veranderd in ijspegels!'

'Schop er dan mee!'

'Geniet ervan!'

'Je hebt het leuk!' Iedereen schreeuwt naar me.

Klappertandend beweeg ik mijn voeten met zwemvliezen heen en weer, en al bibber ik van de kou, het lukt me toch om mijn snorkel in mijn mond te proppen. Dan duik ik onder water en kijk om me heen. Dat was een vergissing. Het is pikkedonker en zo te zien vreselijk diep. Wat nou haaien. Zelfs een Transformer-figuur die op zijn tenen staat zou me nog niet kunnen opeten.

Als ik weer bovenkom, hoor ik Jase gillen. Hij spartelt hysterisch in het water, een paar meter verderop. 'Aah! Aah!' Het water vliegt alle kanten op, bijvoorbeeld naar mijn snorkel. Ik spuug en haal diep adem. De spastische zwemmer komt steeds dichterbij.

'Geniet, Jase. Geniet!'

Wat een ellende! Ik zwem zo snel als maar kan met die enorme zwemvliezen naar de ladder en wil naar boven klimmen voordat mijn armen ook nog afsterven van de kou. Plotseling zit Jase op mijn hoofd. 'Hou op!' gil ik, terwijl ik mijn best doe hem van me af te krijgen.

'Haaien! Haaien!' krijst hij.

'Haaien?' breng ik uit, voordat ik weer kopje-onder ga. Het zoute water stroomt mijn neus binnen en ik kan nauwelijks blijven drijven met het volle gewicht van Jase boven op me. Dan trekken twee handen me naar boven, de boot in. Jase wordt naast me neergezet. We hoesten en proesten en beven als rietjes.

Kara kijkt ons vernietigend aan. 'Jullie zouden het nog geen twee minuten uithouden in de filmwereld.' Dan gooit ze twee handdoeken voor onze voeten.

'Waren er echt haaien?' vraag ik klappertandend aan Jase.

'Alleen in zijn hoofd,' zegt de gids terwijl hij ons van de duikbrillen bevrijdt. 'Maar nu weet je tenminste hoelang je je vriendje op je hoofd kunt houden.'

Ik word hardhandig wakker gemaakt uit een diepe, droomloze slaap door het luide gelach van Trisha. Kreunend haal ik mijn kussen onder mijn hoofd vandaan en leg het op mijn hoofd. Ik wil slapen, terug naar de wereld waarin Kara en de filmploeg niet bestaan. Dan voel ik mijn matras op en neer schudden door de keiharde muziek die in de kamer hiernaast wordt gedraaid.

'Wakker worden, meiden!' De deur van de slaapkamer vliegt open. 'Laatste nacht, laatste kans!' Het licht floept aan en met één oog zie ik Trisha richting het raam rennen om Nico wakker te schudden. Met haar slaapmaskertje scheef op haar hoofd, wendt Nico zich tot mij. Zo te zien is zij ook net wakker en hebben we allebei geen flauw idee wat er aan de hand is, en waarom er allemaal lawaaiige mensen in het penthouse zijn.

'Trisha, wat is er in vredesnaam aan de hand?' Drew dringt zich door de mensenmassa die in onze deuropening is gaan staan, en Rick en Jase komen slaperig achter hem aan. 'Het is vier uur 's nachts.'

'Jongens, we moeten al over een paar uur naar het vliegveld,' zegt Jase met schorre stem. Een stuk of wat mij geheel onbekende jongens duwt de drie bij ons naar binnen terwijl een stel anderen een enorm fust Corona-bier naar binnen rolt en neerzet bij mijn voeteneinde. Het metaal schraapt over de tegels.

'Niets daarvan.' Melanie springt uit bed en marcheert naar de jongens. 'Niet hier. Trisha, zorg dan tenminste dat ze uit onze kamer blijven.'

Trisha laat Nico's hand los en wendt zich tot Jase. 'Jij bent ook niet meer gezellig. Jullie zijn allemaal ongezellig.' Ze loopt naar de jongen die zich met het fust bezighoudt en zoent hem vol op de mond. De jongen is al net zo verrast als wij. Dan slaat ze haar armen om hem heen en onder luid gejuich van zijn vrienden belanden ze op mijn bed. Meteen rol ik eruit en kom terecht op de vloer. Zo snel mogelijk probeer ik weg te kruipen, terwijl er steeds meer mensen vanuit de woonkamer naar binnen lopen. Ik sta op en probeer bij Melanie en de jongens te komen, die op een kluitje bij de deur staan. Een of andere onbekende man probeert een arm om Nico heen te slaan, maar ze trekt zich los. Wanneer ze zich achter een geschrokken Jase wil verstoppen, valt haar eenhoornknuffel op de vloer.

Even kijken we naar de hossende menigte, tot we ineens Trisha's benen door de lucht zien zwaaien. Drew duwt Melanie, Nico en mij de badkamer in en voegt zich dan bij Rick en Jase, die Trisha proberen te redden. Ergens klinkt gegil, en dan komt Trisha binnen. Haar arm heeft ze om Drew heen geslagen. Jase gooit de deur dicht en Rick draait hem op slot. Samen gaan ze met hun rug ertegenaan zitten. Een stuk of wat woedende feestgangers bonst hard op de deur. Dan doet Drew het licht aan en begint Melanie te huilen. Nico houdt haar hand stevig vast en kijkt met grote ogen naar de trillende deur.

Trisha gaat op de grond liggen en maakt het zich gemakkelijk op de badmat die Drew onder haar hoofd heeft geschoven. 'Jase was er niet en Fletch ging weg en niemand… niemand…' Dan valt ze flauw.

'We moeten haar hier weg zien te krijgen.' Ik voel aan haar pols, net zoals ze op tv altijd doen. 'Ze heeft hulp nodig.'

'Ze is gewoon flauwgevallen,' zegt Jase. Hij hijgt nog steeds, en de deur achter hem schudt vervaarlijk. Ik haal een handdoek tevoorschijn en geef hem aan Nico. Ze legt de dikke doek over Trisha's benen en gaat dan naast Melanie op de rand van het bad zitten. Ondertussen heeft Jase zijn knieën opgetrokken om beter tegen de deur te kunnen duwen. Zo te horen heeft iemand de muziek nog harder gezet, en er klinkt het geluid van brekend glas.

'Doen alsof ze thuis zijn,' zegt Drew vol ergernis. Hij leunt boven de hoofden van Jase en Rick tegen de bewegende deur aan.

'Mijn sieraden liggen daar,' zegt Nico zacht.

'En onze paspoorten en portemonnees,' zegt Drew. 'Is hier telefoon?' Hij kijkt om zich heen.

'Nee. Geen telefoon, geen föhn.' Melanie haalt haar hoofd van Nico's schouder af en trekt wat wc-papier van de rol om haar tranen te drogen.

'Daar hebben we dus ook niets aan,' zegt Nico. Ze glimlacht zwakjes.

'Ik zeg het maar, want de jongens hebben er dus wel een,' zegt Melanie.

'En Kara dan? Moet zij niet komen kijken hoe het met ons gaat?' bedenkt Nico onzeker.

'Pas tegen de ochtend. Dus we hebben nog drie uur.' Rick leunt met zijn hoofd tegen de deur, die eindelijk met rust wordt gelaten.

Er breekt weer iets, gevolgd door gejuich. Deze keer horen we ook vrouwelijke stemmen. 'Geweldig, hoor,' zegt Rick. 'Heel Cancún komt even aanwippen.'

'Dit is klote.' Nico wrijft over haar blote ringvinger. Allemaal knikken we instemmend.

'Inderdaad,' zegt Drew.

'Ik dacht dat het heel anders zou zijn,' mompelt Nico. 'Maar het is gewoon...' Haar stem sterft weg.

'Waarom doen we dit eigenlijk?' vraagt Jase, terwijl ik pogingen onderneem om Trisha's hoofd weer op de badmat te leggen. 'Zodat we onze jeugd kunnen verspillen aan zinloze ruzies waar we alleen maar een beetje geld aan overhouden?'

Dan opent Trisha haar ogen. 'Ik wil mijn laatste schooljaar terug,' mompelt ze. Nico knippert met haar ogen om de tranen tegen te houden.

Ik kijk de badkamer rond. Daar zijn we dan met ons zevenen, allemaal bang, uitgeput en ongelukkig. 'Dus we willen allemaal kappen? Als we hier levend uit kunnen ontsnappen, houden we er dan mee op?'

Iedereen steekt zijn of haar hand op. Zelfs Trisha.

Opname 13

Mijn rug doet pijn van een nacht slapen op de oncomfortabele terracotta tegeltjes. Met moeite weet ik mezelf op de ronde stoel in een positie te wurmen die geen pijn doet. Die ochtend in alle vroegte konden we eindelijk de badkamer uit, en stonden we midden in een vernielde hotelkamer. Maar hij was tenminste leeg. Tussen alle flessen en veertjes hebben we het geen moment over onze belofte gehad. Nee, we zeiden helemaal niets terwijl we zochten naar onze achtergebleven bezittingen – Trisha's make-up die ze over haar blauwe plekken smeert, en mijn natuurkunde-aantekeningen.

Zwijgend zijn we in pyjama maar naar de lobby gegaan.

Vermoeid kijk ik naar Kara, die aan komt lopen, maar zich dan op haar hielen omdraait en met haar mobiele telefoon stevig tegen haar oor geklemd weer terugloopt. Over twaalf stappen komt ze bij de tafel met guavesap en zal ze zich weer omdraaien. Nico ijsbeert van het rotan salontafeltje naar de werkplek van de piccolo's. Rick ijsbeert door haar pad heen, en Mel en Trisha lopen even verderop heen en weer voor de receptiebalie. Alleen Fletch ligt languit met zijn voeten op het salontafeltje, en ik zit op deze ongemakkelijke stoel omdat er geen plek meer is om te ijsberen.

O ja, en Drew zit ook stil.

Nu de crisis achter de rug is, zit Drew weer zo ver mogelijk bij me vandaan, helemaal aan de andere kant van het atrium. Als hij zijn schoenen nog had, was hij vast in de lobby van een heel ander hotel gaan zitten.

'Nee, we moeten echt vandaag het land uit!' roept Kara in de telefoon. Ze blijft staan om voor de dertigste keer uit te leggen wat er precies aan de hand is. 'Het is niet hun schuld dat ze bestolen zijn.' Ze kijkt de vriendelijk glimlachende hotelmedewerkers achter de balie vernietigend aan. 'U moet ons helpen... Nou, laat de ambassadeur dan terugbellen... Dat zei u een halfuur geleden ook al!' Ze klapt haar telefoon dicht en loopt naar Fletch. Die schrikt wakker als ze tegen de opengeslagen *Playboy* tikt, die hij als slaapmaskertje gebruikt. Snel zet hij de Bose-koptelefoon ter grootte van oorwarmers af en gaapt.

Om de een of andere reden schiet Kara nog steeds niet uit haar slof. Ze knielt naast hem en fluistert iets in zijn oor. Even hebben ze een onverstaanbaar gesprek, maar dan kijkt Kara hem verongelijkt aan. 'Maar ik liet ze alleen maar drinken omdat ik dacht dat ze in de gaten werden gehouden!'

'Ze werden ook in de gaten gehouden.' Fletch gaat rechtop zitten en rekt zijn nek. 'En let op die toon van je.'

Geschrokken fluisteren ze verder. 'Ik bedoel bescherming. Veiligheid.'

'Word toch eens volwassen, Kara. Het gaat prima met ze.' Hij springt op en kijkt ons aan. 'Gaat het dan niet goed met je? Melanie?'

'Ja?' Ze blijft staan bij de palmboom in de kuip.

'Alles is toch in orde? Ik bedoel, het was even een beetje ruig en je bent wat spulletjes kwijtgeraakt, maar jullie zijn toch verzekerd? En jullie leven nog.'

Melanie kijkt naar Trisha, die een asbak heen en weer draait alsof een van de peuken zo in een nieuwe sigaret zou kunnen veranderen, die ze tussen haar gezwollen lippen kan steken. Dan dwaalt haar blik naar Nico, die nog steeds over haar lege vingers en polsen wrijft. 'Misschien,' zegt ze zacht.

Zo te zien is het Jase ook al opgevallen dat het niet erg goed gaat met Nico. Hij pakt haar polsen vast waar normaal gesproken haar dure Rolex en Tiffany-sieraden zaten. Even kijkt ze hem verdwaasd aan, maar dan trekt hij haar tegen zich aan.

Ik kijk eventjes naar Drew, maar hij kijkt nog altijd stoïcijns voor zich uit.

'Nou, eigenlijk...,' begint Rick. Zwijgend strijkt hij over zijn haar, waar zijn Yankees-pet hoort te zitten.

'Ja?' Kara knikt. 'Wat wilde je zeggen?'

'We zijn klaar.' Goed zo, Rick!

'Precies,' zegt Fletch knikkend. 'Dankjewel! Dus zeur niet zo, Kara, en laten we...'

'Nee.' Rick schraapt zijn keel en legt zijn hand op het stuk verbrande huid vlak boven zijn broekriem. 'Ik bedoel dat we...'

'Er klaar mee zijn.' Nico slaat haar armen over elkaar. Ze heeft nog het topje aan waarin ze heeft geslapen.

Fletch kijkt haar in verwarring aan en knijpt zijn ogen tot spleetjes.

Dan sta ik op. 'Ik denk dat Rick wil zeggen dat we ermee ophouden.'

Maar Fletch grijnst net als Tom Cruise. Licht hysterisch, een beetje kwaad en ook heel blij. 'Wat zeg je nu?'

'We houden ermee op.' Nico staat kaarsrecht op de slippertjes die we van het hotel hebben gekregen. 'Geen opnames meer. We houden ermee op.'

'Jullie houden op met filmen?' vraagt hij.

'Ja,' zegt Jase bevestigend, met zijn arm om Nico heen geslagen. Allemaal knikken we instemmend.

Kara kijkt Fletch verrast aan, en waarschijnlijk houden we allemaal onze adem in. Fletch kijkt ons een voor een aan, met nog steeds die ongelovige grijns op zijn gezicht. En dan barst hij in lachen uit. Hij lácht! 'Jullie zijn klaar! Jullie zíjn al klaar!'

Verbaasd kijken we elkaar aan. Zijn we net in opstand gekomen tegen een of andere idioot?

Kara loopt met haar handen omhoog de deur uit naar de oprit.

'Moeten we het misschien nog een keer zeggen? Iets langzamer?' Aarzelend staat Drew op.

'Nee hoor.' Fletch veegt de tranen uit zijn ogen. 'Jullie zijn net opgehouden met iets wat al klaar was. We hebben alle opnames gemaakt. De laatste aflevering ging over de vakantie. Jullie zijn klaar.'

We zijn klaar. Het dringt nauwelijks tot me door. Ik moet mijn slippers tegen de grond drukken om niet wild rond te gaan dansen. En dan nog het liefst met Drew. We zijn klaar!

'Goed dan.' Kara staat in de deuropening, met de zon in haar rug. Een van haar handen heeft ze op haar telefoon gelegd. 'Meneer Hollingstone heeft net gebeld. Er komt iemand van de ambassade naar het vliegveld die jullie aan boord zal helpen. En als we weer geland zijn, komt er iemand van XTV langs met de kopieën van jullie paspoorten die ik in New York heb.'

'Dus we kunnen gaan?' vraagt Nico, die nog steeds veilig in de armen van Jase ligt, het plekje dat ze heeft terugveroverd.

'We kunnen gaan.'

DEEL 3

Het echte leven weer in

Het echte leven weer in
1

'Mag ik even uw aandacht? Vergeet niet om bij het afre-
kenen de medewerkers te vragen u alles te vertellen over
de voordelen van onze klantenkaart. Veel plezier met win-
kelen!'

Twee weken later hang ik vermoeid over een rood winkelwagentje terwijl mijn moeder tussen de handdoeken een
huwelijkscadeautje voor de neef van mijn vader probeert te
vinden. Dan klinkt Norah Jones door de luidsprekers en
voel ik me weer net een hoopje muffindeeg. Alsof er niets is
gebeurd. En ergens is dat ook zo. Nico en Jase zijn weer met
elkaar vergroeid, tussen Trisha en de rest is het allemaal vergeven en vergeten, en Rick... Nou ja, Rick is gewoon nog
steeds Rick. Het maakt mij allemaal niets uit. Eigenlijk
voelt het gewoon alsof we een tijdje bij elkaar in de klas
hebben gezeten, en nu zitten we weer in verschillende loka-
len. Misschien een beetje vreemd, maar meer niet. Nauwelijks een kwestie van leven of dood. Drew daarentegen doet
nu alsof hij me niet ziet als we elkaar op de gang tegenkomen. En zelfs Caitlyn trekt zich niets van mijn eenzaamheid
aan en groet me niet meer terug.

'Wit of roomkleurig met bloemetjes?' vraagt mijn moeder, die voor twee enorme handdoekrekken staat.

'Mám,' kreun ik met mijn hoofd op mijn armen. 'Ik weet

het ook niet. Ik ben nog nooit in hun badkamer geweest, en we zijn nu al een uur bezig. Kies nou gewoon.'

'Volgens mij hadden ze het een keertje over schelpmotiefjes.'

Ik veeg mijn haren uit mijn gezicht. 'Neem dan die roomkleurige.'

'Met bloemetjes? Past dat wel bij schelpjes?'

Ik haal mijn schouders op.

'Nou zeg, je wilde zelf mee.' Ze wijst naar mij met de opgerolde badstof. 'Dan moet je ook helpen.'

Mijn nieuwe leventje heeft zo zijn voor- en zijn nadelen. Een van de voordelen is dat ik nu geen hordes cameramannen meer achter me aan hoef te sleuren. Ik kan doen wat ik wil, wanneer ik wil, en er zit niets op me geplakt. Geen haar, geen nagels, geen zendertjes. Een van de nadelen van het gebrek aan cameramannen is dat ze me niet meer afleiden van het feit dat de twee mensen met wie ik wil doen wat ik wil, wanneer ik wil, me niet meer zien staan. Ik heb zoveel energie in al die opnames gestoken, dat ik nu geen idee meer heb wat ik moet doen zonder enige vorm van regie.

Op school heb ik tenminste nog de bel die in plaats van Kara zegt wat ik moet doen. Jesse, naar Engels! Jesse, naar Spaans! Jesse, naar natuurkunde! Maar na de laatste bel heb ik zeeën van tijd, zonder de Prickly Pear om me te redden van de ondergang. En op Caitlyn hoef ik al helemaal niet te rekenen. Dus heb ik extra veel tijd om alle gebeurtenissen uit Cancún te overdenken en te analyseren. Steeds weer en weer en weer...

'Wat dacht je van lichtgroen, of blauw? Net als de zee.'

Ik rol het wagentje met mijn onderarmen een stukje naar voren.

'Carol? Ben jij dat?'

We kijken op en zien mevrouw Cortland, gehuld in nertsbont, naar ons toe komen. Ze wordt op de voet gevolgd door haar huishoudster in uniform, die een winkelwagentje vol rinkelende glazen met zich meesleept.

'Hé, hallo!' Mijn moeder strijkt snel haar haren in model. 'Met Pasen geef ik een etentje voor de McMillans. Ze nemen hun kinderen mee, dus koop ik wat nieuwe glazen, want ik wil mijn kristallen niet gebruiken.'

'Heel slim van u, mevrouw Cortland. Kent u mijn dochter al?'

'Jesse, maar natuurlijk! Iedereen heeft het over het programma dat in ons stadje is opgenomen. Ik heb gehoord dat Jesse een van de hoofdrolspeelsters is. Wat geweldig voor je, Carol. Ik hoef toch niet op zoek te gaan naar een nieuwe schoonmaakster, hoop ik?'

'We zijn heel trots,' zegt mijn moeder met een lach. De huishoudster slaat haar ogen ten hemel.

'Eigenlijk wil ik je al een tijdje bellen. Van de zomer willen we een benefietmiddagje geven op de Maidstone club, en het leek me zo leuk als Jesse daar een toespraakje zou willen houden.'

'Op de club?' vraag ik verbaasd. Dit is de vrouw die me vroeger in de auto liet zitten met een kleurboek, zodat ik haar kat niet van streek kon maken. Mijn moeder kijkt me even aan. 'Klinkt goed.'

'Geweldig! Ik laat wel van me horen als het zover is. Het wordt vast fantastisch!' Ze klapt in haar gehandschoende handjes, waardoor haar struisvogeltas heen en weer zwiept aan haar elleboog.

'Ja, fantastisch,' zeg ik.

'Nou, ik moet ervandoor! Tot ziens, dames!' Ze loopt langs ons heen, gevolgd door haar huishoudster die mijn moeder met een onaangename blik aankijkt.

'Wat was dat nou weer?' vraag ik verbaasd.

'Nooit gedacht dat ik zoiets nog zou meemaken,' mompelt mijn moeder.

'Bedoel je dat je mevrouw Cortland tegenkomt in een goedkope winkel? Of dat je mevrouw Cortland tegenkomt in een goedkope winkel en ze nog weet hoe ik heet?'

'Allebei. Wauw, Jesse.' Ze draait zich om en kijkt me aan alsof ik in iemand anders ben veranderd.

'Wat wil ze dat ik zeg tijdens haar feestje?'

Ze spert haar ogen wijd open en wrijft met haar hand over haar gezicht. 'Daar kun je over nadenken terwijl je een kaartje voor de bruiloft van je neef uitzoekt.'

'Ik?'

'Ja. En daarna kun je bedenken wat je gaat zeggen als ze je uitnodigt lid te worden van de club. Laat dat wagentje maar staan, dan zie ik je wel bij de kassa zodra ik handdoeken heb uitgekozen.'

Ik zwaai even en loop dan met mijn handen in mijn zakken gepropt door de vertrouwde paadjes van de winkel. Wanneer kunnen we weer gewoon doen tegen elkaar? Wanneer wordt de wereld weer normaal? Uit gewoonte loop ik rechtstreeks naar de make-upafdeling, waar Caitlyn en ik ooit urenlang de gratis testers hebben uitgeprobeerd, in de hoop er als sterren uit te zien. Maar als ik mijn gezicht zie in de spiegel boven de Maybelline-spullen, schrik ik me dood. Ik herken mezelf niet meer zonder dikke laag make-up. Snel laat ik mijn pony voor mijn gezicht hangen en loop verder naar de kaarten, zoals me is opgedragen.

'Gewoon afgezaagd of sarcastisch?' vraag ik terwijl ik twee kaarten omhooghoud. Mijn moeder is bezig om alle roomkleurige handdoeken op de lopende band te leggen.

'Jesse O'Rourke? Jeemineetje, waar zijn de camera's? Zijn ze je aan het filmen?' Sara Brady leunt voorover van achter haar kassa, op zoek naar de cameramannen. 'Nathan!' roept ze naar de jongen die drie kassa's verderop zit. 'XTV is er!'

'Nee hoor.' Ik zwaai met de kaarten. 'Nee, ik ben het maar.'

'O.' Ze leunt weer naar achteren. 'Laat maar!' roept ze naar Nathan, die heen en weer wipt op zijn stoel.

'Sorry,' mompel ik, terwijl ik de kaarten op de handdoeken leg.

'Maakt niet uit!' zegt Sara snel. 'Leuk om je eens te zien! In het echt, bedoel ik. De reclame voor je programma komt aldoor op tv. Deze zondag is de eerste uitzending, hè? Ik kijk er nu al naar uit! Hé, laat haar er eens door,' beveelt ze het oude vrouwtje dat voor ons staat met een paar blikjes kattenvoer.

'Nee, dat hoeft écht niet, hoor. We kunnen best even wachten,' zegt mijn moeder tegen het vrouwtje.

'Nee echt, kom maar! Schiet op, Jesse,' zegt Sara, terwijl ze de blikjes van het arme vrouwtje wegschuift. Dus komen we maar tegen onze zin naar voren, anders komt het oude vrouwtje toch nooit aan de beurt.

'Ik snap er niets van,' zegt de bejaarde vrouw terwijl ze haar portemonneetje dichtklapt. 'Is deze kassa gesloten? Want er hangt geen bordje. Is er soms een bordje?'

'Wacht gewoon even, mevrouw,' zegt Sara geërgerd. Maar als ze ons laat afrekenen, grijnst ze weer uitgebreid. 'Jij mag altijd voordringen, Jesse, echt waar. En zeg maar tegen Nico en de anderen dat ze dat ook mogen.'

'Dank je.' Ik verstop mijn kin achter de kraag van mijn jas en vraag me af waar ik haar van ken. Hebben we samen op school gezeten? Misschien zaten we samen op gym? Of in de brugklas? Op de kleuterschool?

'Kom je weer terug?' vraagt ze, als ze mijn moeder haar creditcard overhandigd.

'Hier? Heel waarschijnlijk wel, ja.' Ik wil de tassen pakken, maar ze houdt me tegen.

'Te gek. Ik kan deze wel voor je dragen, oké?'

Mijn moeder en ik kijken even naar het verwarde vrouwtje met haar kattenvoer. 'Hoeft niet, hoor. Het is niet zo
zwaar.' Met moeite ruk ik de plastic tas uit haar handen.

'Zijn ze buiten op de parkeerplaats aan het filmen?'

'Nee,' zegt mijn moeder, die de tweede tas weet los te
wurmen.

'O,' zegt ze teleurgesteld. 'Nou ja, neem ze de volgende
keer maar wel mee. Goed, Jeune? Dan laat ik je mijn perso-
neelskorting gebruiken als je ze meeneemt naar mijn kappa.'

'Is goed!' Zwaaiend loop ik weg door de schuifdeuren. 'Ik
had haar moeten zeggen dat we al lang klaar zijn met de opnames, maar ze zag er zo hoopvol uit.' Dan kijk ik naar mijn
moeder, die er zo te zien schoon genoeg van heeft.

Ze duwt haar tas in mijn armen en haalt de autosleuteltjes
tevoorschijn. 'Ik haal je limo wel.'

Het echte leven weer in

2

Vroeg op de zondagmorgen gooi ik het portier van de auto dicht en buk om nog een laatste maal naar mijn vader te zwaaien.

'We zullen zeker kijken in het restaurant!' roept hij met een enorme glimlach op zijn gezicht. Dan rijdt hij verder door de metalen poort, weg van het privéterrein van East Hampton Airport. Ik had nooit verwacht dat ik hier nog eens zou mogen komen. Snel stop ik mijn handen in de zakken van mijn wollen vest en loop naar een caravan die me wel heel bekend voorkomt. Deze keer staat hij naast een klein vliegtuigje met een enorm XTV-logo in neonkleuren erop.

Ik stap in en zie Kara met een kop koffie bij Diane op het bankje zitten. 'Hé, hoe is het met jou?' groet Kara. Voor de verandering heeft ze een zomers jurkje aangetrokken.

'Kara! Wat zie jij er anders uit.'

'Hoe bedoel je? O.' Ze kijkt naar het strakke zwarte wikkeljurkje. 'Van Diane gekregen.'

'Je ziet er geweldig uit.'

Ze bloost. 'Dankzij al die stress van het programma heb ik nu een taille. Grijze haren en een taille. Ben je al zenuwachtig?'

'Een beetje.'

'Je bent de eerste.' Net als op de allereerste dag. 'Laten we je optutten.'

Maar net als Diane opstaat, gaat de deur opnieuw open en komt Melanie binnenwandelen. Ze heeft nat haar en een prachtig schoon gezicht. Ze is er klaar voor. 'Mijn grote held!'

Ik wil even naar haar glimlachen en zo'n klein zwaaitje geven, zoals de laatste tijd een gewoonte is geworden, maar blijkbaar neemt Melanie daar geen genoegen mee. Ze slaat haar armen enthousiast om me heen. 'Jesse! Is dit niet fantastisch?'

Een halfuurtje later is de caravan weer gevuld met de zeven hoofdrolspelers. De meisjes begroeten elkaar uitgebreid en de jongens geven elkaar er vriendschappelijk van langs. We maken foto's met onze telefoons en moedigen elkaar aan om nog een laag MAC-foundation op te doen. Zelfs al zijn we de afgelopen weken erg uit elkaar gegroeid, toch dompel ik me onder in de kameraadschappelijke sfeer.

'Dit ga ik nog missen,' zeg ik cynisch tegen Melanie.

'Wat ga je missen?' antwoordt ze een beetje onduidelijk omdat ze net lippenstift op krijgt.

'Het stinken naar haarlak. De heerlijke sensatie van een koud metalen zendertje op mijn blote huid. Om vier uur al klaarwakker zijn, en om vier uur weer naar bed. Heerlijk.'

'Ik word al verdrietig als ik denk aan het moment dat mijn wimpers weer aangroeien,' zegt Nico vanaf de leren bank, waar ze met Jase op is gaan zitten. 'Ik ben zo gewend geraakt aan die heerlijke ontharing elke avond als ik de valse wimpers eraf trok.'

'Ik vind het zo jammer dat ik straks niet meer in andermans kleren kan rondlopen. Die dingen roken zo heerlijk naar andere mensen en de vreselijke situaties waarin zij verkeerden,' zegt Drew, terwijl Diane voor de laatste keer een broek voor hem op de juiste lengte niet.

Rick komt de keuken uit lopen met een hand vol Doritos. 'Volgens mij ga ik Zacheria nog het meest missen. Met zijn kleine vingertjes en zijn kleine teentjes.'

Glimlachend haalt Kara een beker koffie uit de magnetron. 'Genoeg herinneringen opgehaald.' We wachten allemaal gespannen af op onze laatste instructies. Zeven gestylde hoofden kijken haar kant uit. Snel zet Kara haar beker op het aanrecht, haalt een mapje tevoorschijn en tikt met haar gemanicuurde nagels tegen de onderkant. 'Over een paar uur, zodra we allemaal klaar zijn voor het oog van de camera, vliegen we naar South Beach. Daar hebben we voor een tweede XTV-locatie gezorgd, een huis aan het strand, vlak naast het privévliegveld. Vanaf het moment dat we zijn geland, worden we gefilmd, en zodra we zijn uitgestapt, gaan jullie op het toneel zitten om de première te kijken, samen met de rest van het land. Tijdens de uitzending laten we jullie reacties zien. Is dat niet te gek?' Ze strijkt met haar hand door haar warrige bos haar.

'Kara, ga je ons nog vertellen hoe het is geworden?' smeekt Trisha, wier lokken zijn verpakt in aluminiumfolie. 'Wat hebben jullie ervan gemaakt? Hoe zien we eruit? Er is toch wel een feest in New York, toch? Want mijn moeder kent heel veel beroemdheden die ze zou kunnen uitnodigen.'

'Dat ze nou eigenaar is van de winkel waar ze wel eens komen, betekent nog niet dat ze ze ook echt kent,' moppert Nico. Blijkbaar is de wapenstilstand alweer verleden tijd.

'Altijd nog beter dan ze op van die stomme kuipstoeltjes te laten zitten,' snauwt ze terug.

'Nou,' zegt Kara, 'laten we eerst maar kijken hoe de première verloopt. Je kunt trouwens rustig ademhalen, Trisha, het is een en al...'

'Glamour?' zegt Jase met een grijns op zijn gezicht. We kreunen.

'Ja, eigenlijk wel. We hebben een spannend, sexy programma gemaakt en ik denk dat jullie tevreden zullen zijn met de reacties van het publiek.'

'Dus mensen komen naar het vliegveld om naar ons te kijken terwijl wij naar onszelf kijken?' vraag ik.

'En ze komen natuurlijk ook voor de gratis hierhondertjun die we uitdelen.'

'Maar natuurlijk,' zegt Drew, die zijn hoofd door de hals van zijn nieuwe geleende trui steekt. Als hij zijn donkerbruine haren in model schudt, wil ik niets liever dan er even over aaien.

Maar ik hou mezelf in bedwang, tot we hoog in de lucht zijn en iedereen veel te druk bezig is met tijdschriften, iPods en zijn eigen zenuwen. Na zijn zesde blikje cola gaat Rick eindelijk naar de wc en kan ik de hand van de doodsbange Melanie van me af peuteren en op de armleuning leggen, zodat ik op Ricks lege plek kan gaan zitten. Nerveus loop ik ernaartoe.

'Wow,' zegt Drew als ik me langs hem heen wurm.

'Goed zo. Beter dat dan dat je helemaal niets tegen me zegt.'

'Ik negeer je helemaal niet.' Dan haalt hij een folder over noodgevallen in een vliegtuig tevoorschijn en begint te lezen.

'Nou, sinds Cancún heb je geen enkel woord meer tegen me gezegd, dus...'

'Kijk, Jess,' zegt hij zacht. Hij leunt naar me toe. 'Jij doet wat je wilt met Jase.'

'Dat was maar één keertje,' zeg ik, al weet ik zelf ook wel dat dat niet waar is. In mijn hand heb ik de muffin van de Prickly Pear die ik als vredesoffer voor hem heb meegenomen. 'Ik dacht dat jij achter Nico aan zat,' fluister ik. 'Toen ik jullie in de jacuzzi zag zitten, dacht ik dat je haar versierde...'

'Jesse, laat nou maar zitten, goed?' onderbreekt hij me. Hij propt het foldertje terug in het zakje. 'Het is voorbij. Straks gaan we van school, laten we het niet nog lastiger maken.'

Turbulentie in mijn buik. Ik had mijn strategie eindeloos gerepeteerd. Eerst een muffin, dan een glimlach, dan een hevige zoensessie in het toilet. Helemaal niet lastig. 'Lastiger maken,' herhaal ik, terwijl hij zijn armen over elkaar slaat en zijn ogen dichtdoet. Alsof hij nu al klaar is met deze lastige wereld. 'Precies ja. Goed.'

Dan dooft het lichtje van de wc en gaat de deur open. Snel sta ik op, en even heb ik oogcontact met Nico die een paar rijen achter Drew zit. Ze kijkt me meelevend aan. Met een rood hoofd pers ik me langs Drews knieën.

Plotseling staat Kara achter me. Het vliegtuig duikt naar beneden, waardoor ze zich vast moet houden aan een van de hoofdsteunen. Ze bewerkt ons een voor een met een makeupborsteltje waardoor het poeder in het rond vliegt. Je kunt de stukjes zien vliegen in het licht van de zonsondergang. Ik ben allang blij met een excuus om mijn ogen te sluiten voordat iedereen mijn tranen ziet. 'Goed dan, mijn aankomende sterren!' roept ze als we eindelijk op de landingsbaan tot stilstand zijn gekomen. Het kost me moeite om mijn hoofd bij haar preek te houden. 'Niet aan je haar zitten! Zonnebrillen af! Geen sweaters! Oortelefoontjes in! En geen zenuwen. Gewoon jezelf zijn!' We stoppen de kleine plastic dopjes in onze oren en trekken onze truien uit. Dan gooit Kara de deur open en worden we begroet door warme, zwoele lucht en gekrijs. Gekrijs?

Met enorme, door kohl omlijnde ogen komt Trisha als eerste overeind, dringt zich langs iedereen heen en stapt als eerste het vliegtuig uit.

'Kom op!' Kara gebaart dat we moeten opstaan, dus schuifelen we nerveus naar voren. Ineens voel ik Nico aan een van mijn krullen trekken. 'Zo, die zit weer goed,' zegt ze. Glimlachend knijpt ze eventjes in mijn arm, en ik glimlach terug. 'Succes.'

'Jij ook.' Ik duik de deur door en sta boven aan het trapje. Even moeten mijn ogen aan het felle licht wennen, maar als ik zie wat er voor me staat, wil ik het liefst het vliegtuig weer in vluchten. Er staan honderden fans op het met palmbomen omzoomde grasveld dat door XTV is afgezet. Echte, levende mensen die zo meteen naar dat programma gaan kijken waar we zo lang aan hebben gewerkt. Nu pas realiseer ik me dat we die opnames niet alleen hebben gemaakt om Zacheria een plezier te doen.

'Hamp-ton Beach! Hamp-ton Beach!' roepen ze tegelijkertijd. Zo veel enthousiasme voor een bierhoudertje.

'En lopen maar!' roept Kara vanuit het vliegtuig. Trillend zet ik mijn ene voet voor de andere en kom zo de trap af. Nu sta ik bibberig op een echte rode loper.

'Daar zijn ze dan!' klinkt het uit de drie meter hoge speakers op het toneel. 'De nieuwe hoofdrolspelers uit *Het echte Hampton Beach*!'

Met mijn ogen strak op Drews achterhoofd gericht loop ik over de loper naar het toneel. Dan ga ik de trap op en neem plaats op mijn stoel aan de zijkant van het toneel, zodat we over het publiek uitkijken en ook het scherm kunnen zien.

'En nu live, de première van *Het echte Hampton Beach*!'

Ik draai me naar het scherm, maar hou wel mijn nepbruine knieën stevig tegen elkaar gedrukt. De spotlights zijn te fel, en we zitten veel te dicht op het scherm. Maar toch kan ik het wel volgen.

Ik zie de zon opgaan boven de zee, begeleid door een nummer van Wilco.

Ik zie onze school.

Ik zie Jase op het basketbalveld.

Ik zie de winkels van Main Street. Gucci en Tiffany, en Tory Burch.

Ik zie Nico uit haar villa komen en in haar Maserati stappen.

Ik zie mezelf uit de roodgelakte voordeur van de Richardsons komen. Alsof het mijn huis is. Alsof ik nog rijker ben dan Nico.

'Glimlachen,' fluistert Kara in mijn oor.

Ik zie ons winkelen, een pedicure ondergaan, sashimi eten.

En dan draait het een hele tijd om Nico en Jase. Het gelukkige, knappe, sexy stelletje dat zo uit een reclamefolder zou kunnen komen wandelen. Perfect belicht door Zacheria, en dolgelukkig.

Dan Trisha, eenzaam in het besneeuwde zand.

Ik zie Jase met honden dollen. Honden? Van wie? Wanneer hebben ze dat gedaan?

Het beeld van de maan vloeit over in een shot van een stoplicht dat op rood staat, die weer overvloeit in de kers op Nico's taart.

Ik zie Jase en Nico zwijgend in Cooper's een stuk taart eten.

Ik zie Jase eenzaam in het besneeuwde zand.

Dan een donkere shot – alsof die was opgenomen met een beveiligingscamera – van Jase en Trisha in het gastenverblijf waar ik hen in januari had betrapt. Maar dat was voordat dit gedoe was begonnen. Deze keer is er geen sneeuw te zien, en het huis is al veel verder afgebouwd. Bovendien heeft ze haar nieuwe tieten al. En daar komen ze aanwandelen, met hun handen op elkaars kont.

Dan kom ik het platform van de strandwacht af geklommen met die ongelooflijk stomme laarzen aan. Ik had Jase net beloofd dat ik Nico niets over Trisha zou vertellen... Maar toen hadden we helemaal geen zendertje gehad! Hoe wisten ze dat? En daar ben ik weer, samen met Nico. Ik zeg niets terwijl zij maar doorzeurt over Jase.

Dan komt Jessica Simpson vertellen over haar puistjes. Het duurt even voordat ik doorheb dat zij er helemaal niet bij hoort. Reclame.

'Glimlachen. Glimlachen,' zegt Kara streng. 'Iedereen kijkt naar je. Overleg met de anderen en doe alsof je het prachtig vindt.' Ik kijk even naar het publiek. Ze gaan inderdaad allemaal op in het programma.

Nico buurt voor zich uit met zo'n enorme glimlach op haar gezicht dat het een wonder is dat haar hoofd niet door midden splijt. 'Nou,' zegt ze zoetjes terwijl ze naar het publiek zwaait. 'Zo te zien heeft iemand ineens heel veel geld.'

'Ik heb nooit gedaan alsof ik daar woon,' zeg ik snel. 'Of dat ik...'

'Dat je mijn vriendin was?' Nico lacht. 'Want dat ben je dus niet. Als dat maar duidelijk is.'

'En het is allemaal nep, natuurlijk,' zegt Jase snel. Kreeg hij even fijn de kans om zichzelf te vergeven.

Melanie kijkt hem even aan. 'Tuurlijk. Jij houdt helemaal niet van honden.'

'We zijn er weer over drie, twee, een...'

Het echte leven weer in

3

'Jesse!'

Met een door een elastiekje bij elkaar gehouden stapeltje brieven in mijn hand loop ik over de veranda, op zoek naar degene die me heeft geroepen. Het blijkt iemand in een Honda te zijn, die heel langzaam voorbijrijdt.

'Is je andere huis soms kapot?' roept een of andere jongen uit het raampje van de bestuurder.

'Hoe is het met Drew?' schreeuwt een meisje op de achterbank. 'Nog gepijpt?' Dan rijdt de auto verder en sterft het honende gelach weg, net als het gerommel van de motor en de vieze walm.

Ik moet echt leren om niet steeds op te kijken als iemand me roept.

Aan de overkant van de straat staat mevrouw Kropel in de deuropening naar me te kijken. Ze heeft de krullers zo strak in haar grijze haar gedraaid dat er stukjes hoofdhuid zichtbaar zijn. Even zwaai ik met mijn stapel brieven. 'Hoi mevrouw Kropel! Hoe gaat het?'

Snel gaat ze weer naar binnen.

'Blijkbaar ben ik nu heel erg eng,' mompel ik terwijl ik de sleutel in het slot steek en de deur opendoe. Mijn tas laat ik met een plof op de grond vallen. Nog acht dagen en dan beginnen de examens. Ik wilde dat ik ze in mijn kamer mocht maken. Eigenlijk wil ik nooit meer mijn kamer uit komen.

Ik schop mijn schoenen uit. De ene vliegt door de woonkamer, raakt de leunstoel en valt dan op het tapijt. Het liefst wil ik naast mijn gymp neerploffen, maar eerst ga ik naar de keuken. Snel grijp ik naar de koektrommel en snuif de heerlijke vanillegeur op.

Op het aanrecht ligt een briefje. *Jess, kip moet uit de diepvries om te ontdooien. Ben om acht uur thuis. Liefs, mam.*

Met een hap van mijn boterham met koekjes in mijn mond haal ik de met aluminiumfolie bedekte bak uit de diepvries en zet hem op een bord bij het fornuis. Buiten rijdt een auto langzaam langs. Misschien werkt mijn als-ik-nou-gewoon-niet-naar-het-programma-kijk-dan-bestaat-het-ook-niet-meer-methode toch niet zo goed. Nu weet de rest van de wereld nog meer van mijn leven dan ik. Meteen zet ik de kleine tv die in de hoek van het aanrecht staat op het goede kanaal, en ik word begroet door Jessica Simpson, die me oneindig dankbaar vertelt hoe geweldig ProActiv tegen puistjes werkt. Dan haal ik een pak melk uit de koelkast. Maar als ik een glas uit het kastje wil pakken, moet ik weer denken aan Drew, die me bij de Prickly Pear om een warme chocolademelk vroeg. Ik voel me verschrikkelijk. Even blijf ik zo staan, met mijn hand op een glas. De deur van het kastje staat open, waardoor ik de derde aflevering op tv niet kan zien. Die wordt de hele dag al herhaald sinds de eerste uitzending van gisteren. Ik heb die alleen maar gemist door mezelf elke vijf minuten opnieuw te verbieden de tv aan te zetten.

Ik hoor mijn eigen gelach uit de luidsprekertjes van de tv komen. Drew heeft een grapje gemaakt. Hij is echt grappig.

Ik geef het op, sla de deur van het kastje dicht, en sta oog in oog met mezelf. De komende achttien minuten kijk ik naar het begin van een zorgvuldig gemonteerde en flirterige relatie die veel te gecompliceerd lijkt voor het echte leven.

Het echte leven weer in
4

Ik ben net een uur met mijn examen bezig als er ineens iemand op het raam klopt. Mevrouw Cutler springt snel op om de jaloezieën open te trekken. Daar staat Kara op het groene gazon vrolijk te zwaaien met een stukje papier. Tenzij erop staat geschreven hoe snel deze kogel uit dit pistool schiet in een hoek van achtendertig graden, wil ik niet eens weten wat ze te zeggen heeft. Ik kijk naar mijn opgaven en doe net alsof ik geen idee heb wie deze gestoorde dame is. Hoewel iedereen natuurlijk weet dat ik haar ken. Net zoals iedereen weet dat ik van chinchillaslippertjes hou. En van Dom Pérignon. Met Doritos, welteverstaan.

'Jesse!' zegt Kara van achter het raam. Ze wijst op het papiertje. Mevrouw Cutler tikt vlak voor Kara's gezicht tegen het raam en doet de jaloezieën weer dicht. Nu iedereen me aangaapt en mevrouw Cutler is afgeleid, grijpt Bobby Latman zijn kans om tussen zijn twee vingers flink met zijn tong heen en weer te zwaaien. Ik kan nog net mijn middelvinger opsteken voordat mevrouw Cutler zich weer heeft omgedraaid. Als dit tot het eind van het jaar zo doorgaat, kan ik net zo goed blijven rondlopen met mijn middelvinger in de lucht.

Twee vreselijke uren later ben ik vrij. Ik strek mijn polsen, mijn nek en alle andere verkrampte lichaamsdelen, en word plotseling besprongen door Kara, die haar BlackBerry nog in haar hand heeft. Blijkbaar heeft ze al die tijd langs de kluisjes heen en weer gelopen.

'Jezus, wat nu weer?' schreeuw ik. Vier uur en dertien jaar van academische frustratie komen eruit. Het lokaal is al bijna leeg, en voor het eerst lijken de andere leerlingen te vermoeid om zich met mij en mijn XTV-producer te bemoeien.

Zonder zich iets aan te trekken van mijn uitbarsting, duwt Kara het velletje papier in mijn gezicht. Ik knijp mijn ogen tot spleetjes en doe mijn best op iets te focussen wat geen examenvraag is. Zo te zien is het een geprinte webpagina. Met foto's van mij. Foto's die direct uit het programma komen.

'Je eigen fansite!' Ze springt enthousiast op en neer.

'Mijn wat?'

'En wij hebben er niets mee te maken. Gemaakt door fans. En er komen zoveel mensen op af. Jesse, ik ben zó blij voor je! We kunnen het goed gebruiken om de komende afleveringen vorm te geven. Blijkbaar willen ze graag een toegankelijkere versie van je.'

'Toegankelijker dan wat? De tweede Nico op wie ik nu lijk?'

'Ja, vreemd genoeg vinden mensen haar niet zo leuk als ik had verwacht. Blijkbaar is ze te afstandelijk. Maar ze vinden dat jij geweldig bij Drew past!'

Dat doet pijn.

'Ik wilde het je meteen vertellen. Tot nu toe hebben we nog maar vier afleveringen uitgezonden en we hebben nu al de hoogste kijkcijfers! De hoogste! En bovendien...' Ze zwijgt theatraal. 'De mensen van *The Oprah Winfrey Show* hebben gebeld! Ze willen jullie donderdagochtend hebben!'

Mijn ogen puilen uit mijn hoofd. 'Waarom?'

'Om te praten over hoe het is om een échte Amerikaanse tiener te zijn. Is dat niet fantastisch?' Ze klapt zo hard in haar handen dat ik haar zilveren ringen tegen elkaar hoor tikken. 'Jullie zijn het gezicht van alle tieners en hun dromen en problemen.'

Het is een grote chaos in de artiestenfoyer van de studio. Vanaf de harde bank, een eind van de grootste drukte vandaan, kan ik goed zien dat iedereen steeds zenuwachtiger wordt.

'Melanie, waar is de krultang?' vraagt mevrouw Dubviek. Ze haalt haar tas van slangenleer compleet overhoop op zoek naar het ding. Zo blij is ze met haar zelf opgelegde taak om ons haar te doen. Bij aankomst kwamen we erachter dat het verboden is om vinngintes te gebruiken die niet zijn aangesloten bij de vakbond. Dus nu zitten we achter de schermen met mevrouw Dubviek. Snel trekt ze weer aan mijn pony en valt bijna op schoot bij mijn arme ouders, die aan weerskanten van me op de bank zitten en nu bezig zijn een boterham met smeerkaas uit een klein kuipje te besmeren. Het salontafeltje voor ons is overladen met heerlijke taartjes en overrijp fruit. Ik heb een donut in mijn hand, maar weet niet goed wat ik ermee zal doen. Volgens mij kun je op een moment als dit geen honger hebben. Nog even en ik ga zelfs over mijn nek.

'Dit is gestoord,' zegt mijn moeder met volle mond. Haar telefoon gaat en ze moet gauw slikken. Dan pakt ze de telefoon van het salontafeltje af en kijkt op de display. 'O, dat is tante Pat. Ze wil even zeggen dat heel Providence voor de tv zit en je steunt.'

Ik glimlach zwakjes.

De blondine met de hoofdtelefoon die ons heeft opgevangen bij de ingang en ons naar de foyer heeft gebracht, komt even om het hoekje kijken. Meteen springt meneer Sargossi op, met de krant die hij luidruchtig zat te lezen nog in zijn hand. 'Ik wil zeker weten dat Nico naast Oprah komt te zitten.'

'Genoteerd, meneer,' zegt ze met schelle stem. Het klinkt

een beetje geërgerd. 'En ik zal het laten weten als de producer van de set komt. Dan kunnen jullie het verder bespreken.'

Met een ongemeende glimlach gaat hij weer in de stoel naast die van Nico zitten. 'Ik zorg er wel voor dat jij niet wordt afgescheept met een rotplek,' zegt hij, terwijl hij zacht op haar been klopt.

Ze knikt en schuift verder van hem vandaan. Dromerig staart ze naar de zonsondergang die vanuit het raam is te zien.

'En jullie gaan het over mijn bedrijf hebben, toch?' roept hij naar de blondine, die op het punt staat te vertrekken.

Ze draait zich om in de deuropening, nog steeds een en al energie. 'Oprah heeft het genoteerd!'

'Ik snap het gewoon niet,' zegt hij tegen Nico, terwijl hij de krant omhooghoudt. 'Waarom heeft Jesse haar eigen fansite en jij niet?'

'Vraag dat maar aan de fans,' antwoordt ze toonloos.

Mevrouw McCaffrey zit tegenover me op de bank, naast Jase. 'Mam!' roept Jase kwaad als ze probeert zijn haar met spuug te bewerken. Hij draait zich om, waardoor het touwtje van zijn kasjmier hoodie uit zijn mond valt.

Zijn vader pakt een koffiebroodje en neemt een hap. 'Hoelang gaat dit nog duren? In tegenstelling tot sommigen onder ons, heb ik een echte baan. Eentje waarvoor ik geen make-up op hoef en mijn haar ook al niet hoef te laten doen.' Hij kijkt Jase aan en haalt zijn neus op.

'Shit!' We kijken allemaal om naar Rick, die een blik cacaopoeder over de grond en over zichzelf heeft gemorst. Nico maakt van alle ophef gebruik om weg te glippen van haar vader, maar weet duidelijk niet waar ze nu moet gaan zitten. Het plekje naast Jase is nu officieel verpest door zijn ouders. Dus besluit ze maar om haar lippenstift bij te werken in de spiegel, terwijl de moeder van Rick probeert het poeder van zijn shirt te slaan.

Dan komt Kara aanzetten vanuit de gang. Ze slaat het klepje van de telefoon dicht en ziet er vrolijk uit, zelfs al kun je aan haar oosterse blouse zien dat ze erin heeft geslapen. 'Dat was de enige echte meneer Hollingstone, jongens. Hij kijkt ook.' Ze kijkt de kamer door en loopt dan naar Drew, die alleen bij de ficus in de hoek zit. Hij is de enige die geen ouders heeft meegenomen. Zachtjes duwt ze met haar been tegen hem aan. 'Hé, alles goed?' vraagt ze.

Hij kijkt op en glimlacht nerveus.

'Je ouders konden niet komen?'

Hij schudt zijn hoofd. 'Ze zitten thuis voor de tv. Mijn moeder was bang dat mijn broertje voor opschudding zou zorgen.'

'De volgende keer kan ik wel een oppas regelen. Zeg dat maar.'

'Nee. Ik bedoel, dat hoeft niet, hoor,' mompelt hij. 'Het gaat allemaal prima. Maar ik zal het haar laten weten.'

Opnieuw verschijnt het hoofd van de blondine met de koptelefoon in de deuropening. 'Goed, het is bijna zeven uur. Eerst hebben we iets over Irak, dan reclame, een stukje over cholesterolverlagers, reclame, en dan zijn jullie aan de beurt. Zes miljoen kijkers. Over tien minuten kom ik jullie voorzien van microfoons.'

Het lijkt wel alsof er brand is uitgebroken. In mijn buik, welteverstaan. Het voelt alsof al mijn ingewanden over elkaar heen kruipen om het eerst bij de dichtstbijzijnde uitgang te komen.

Oprah glimlacht warm naar ons terwijl we microfoontjes opgeplakt krijgen rond de salontafel, waar een vrolijk boeketje zijden tulpen op staat. 'Goedemorgen,' zegt ze. Hoe kan iemand zo opgewekt en uitgerust zijn op zo'n vroeg tijdstip? En zeker in een donkerroze pak.

De blondine wijst ons onze plaatsen aan. 'Melanie aan het

uiteinde, dan Trisha, dan Jase, dan Nico en Drew, en Jesse zit naast Oprah.'

Ik knik en loop naar de gele stoel, zonder op alle kwade blikken van de anderen te letten.

Ik kijk vanuit het kleurrijke halve kamertje de rest van de studio in, waar het oogt als een duistere fabriek. Kara staat naast de camera's en duwt met haar wijsvingers haar mondhoeken omhoog. Glimlachen!

'We zijn terug over vier, drie...' De cameraman steekt eerst twee en dan een vinger omhoog.

'Welkom terug.' Oprah lacht naar de camera. 'We zijn dolblij dat we vandaag een paar zeer bekende tieners te gast hebben. Waarschijnlijk kennen jullie hen al wel. Zo niet, dan zul je ze snel genoeg leren kennen. Ze waren gekozen om mee te werken aan een XTV-documentaire en hebben hun leven laten filmen.'

We blijven doodstil zitten terwijl op het scherm het filmpje wordt uitgezonden. Ons nachtelijke bezoekje aan het kuuroord komt voorbij, alleen voer ik deze keer een gesprek over Drew dat ik me helemaal niet kan herinneren, over dat ik hoop dat hij me leuk vindt in mijn nieuwe outfit.

'Het is nog maar vier weken geleden dat de eerste aflevering is uitgezonden, en deze tieners zijn nu al een waar fenomeen. Deze ochtend krijgen we meer te horen en worden al onze vragen misschien wel beantwoord. Jesse.' Oprah buigt zich naar me toe en drukt haar wijsvinger tegen haar kin.

Ik ruk mijn blik los van mezelf op de monitor, waar alles twee seconden later beweegt dan in het echt, en glimlach naar Oprah.

'Laten we bij jou beginnen,' zegt Oprah. 'Wanneer drong het tot je door dat je warme gevoelens voor Drew koesterde?'

Brand!

'Dit is onzin!' horen we meneer Sargossi roepen, zodra we uit de studio komen en weer in de gang staan. 'Waar is die Kara? Waar is Fletch?' schreeuwt hij vanuit de artiesten- foyer. Ik hou mijn armen strak tegen mijn lichaam omdat ik erg heb gezweet. Drew wil ik niet meer aankijken. Eigenlijk kan ik niemand meer onder ogen komen. Wat heb ik ge- zegd? Ik stotterde maar wat, en herhaalde alles minstens vijf keer en, allemachtig, volgens mij heb ik het over Doritos Delights gehad. Waarschijnlijk sta ik nu algemeen bekend als een idioot zonder smaak. Ik wil naar huis.

Kara duwt ons opzij en loopt voor ons uit over het dikke tapijt in de gang, zodat ze als eerste de artiestenfoyer in moet. Soms is ze toch wel dapper. 'Ik ben hier. Wat is er aan de hand?' vraagt ze vanuit de deuropening.

'Aan de hand, aan de hand!' Meneer Sargossi spuugt klod- ders speeksel uit bij het praten. De andere ouders kijken snel weg zodra zijn mondhoeken helemaal wit worden. 'Het pro- bleem is dat ík Fletch op het idee van dit programma bracht toen ik hem vorige zomer een Porsche verkocht. Een pro- gramma over Nico. Nico is de nieuwe superster. En hij was het met me eens. Ze heeft mijn zaak niet één keer kunnen noemen.' We draaien ons om en kijken naar Nico, die een kop als een boei heeft en strak naar de grond kijkt.

'Er was geen tijd meer,' zegt Kara snel. 'Bovendien, jullie mogen het dan eens zijn over Nico's talenten, maar *The Hills* heeft ons de inspiratie voor de show gegeven.'

'Haal Fletch!' schreeuwt hij tegen Kara. 'Ik heb hem een enorme korting gegeven. Hij is me heel wat schuldig!'

Dan komt Nico naar voren en legt haar hand op de arm van haar vader. Hij schudt die af. 'Raak me niet aan! Je deed je best niet eens!' Dan stormt hij de kamer uit en duwt ons hardhandig opzij. Nu pas staan we niet meer op een kluitje.

Mevrouw McCaffrey staat op. 'Heel goed gedaan, Jason.

En Nico, je zag er prachtig uit.' Ze knijpt in de bovenarm van de verbijsterde Nico en geeft haar zoon dan onhandig een schouderklopje. 'Je vader moest snel weer weg,' legt ze uit.

Drew pakt zijn jas en kijkt me verder niet meer aan. Samen met Rick en diens moeder, die nog steeds doorratelt over Hershey's, waar ze snoep wil inslaan, loopt hij weg. Melanie neemt Nico bij de hand en sleurt haar mee naar de tafel om mevrouw Dubviek te helpen alle krultangen weer in haar tas van slangenleer te proppen.

Mijn vader komt overeind en omhelst me. 'Goed gedaan,' zegt hij stijfjes. 'Maar ik snap het niet helemaal. Is hij je vriendje? Hou je nu ineens dingen voor ons achter, Jess?'

Ik kijk op. Waar moet ik beginnen?

Hij duwt zijn bril hoger op zijn neus. 'Ik haal de auto wel.'

Zodra hij weg is, ga ik naast mijn moeder zitten. Ze kijkt vol afkeer naar Kara's laptop, waarop afbeeldingen uit het programma te zien zijn. Stilletjes kijk ik toe terwijl ze de hele website leest. Van al het commentaar over mijn lichaam tot de perfecte analyses van alles wat ik heb gezegd. Iedere uit verband gerukte gedachte die ik voor de camera's heb uitgesproken. Tussen alle smileys en commentaar op mijn vriendelijke glimlach, mijn glanzende haren en mijn grapjes staan ook de meest vreselijke dingen, wreed en genadeloos. Het is wel duidelijk dat de meisjes, vrouwen, mannen, jongens of wie dit dan ook schrijven, de grootste lol hebben.

Ze krijgen zelfmoordneigingen van mijn stem, er zitten deukjes in mijn kont als ik een strak rokje aanheb, met olijfkleurige kleren zie ik eruit als de kots van een zwerver, en ik kan maar beter ophouden te doen alsof ik een mens ben. De tranen schieten in mijn ogen. Wie zijn al deze mensen? Zitten ze bij me op school? Of zelfs in deze kamer? Vonden mensen mijn stem vroeger ook al zo afschuwelijk? De met hoofdletters geschreven zinnen met enorme hoeveelheden uitroeptekens snijden recht door mijn ziel.

'Kunnen we alsjeblieft gaan?' vraag ik mijn gechoqueerde moeder.

'Hier staat dat je een Paris Hilton in wording bent, die zich alleen ophoudt met de elite.' Ze klikt op het volgende tabblad. 'En hier zeggen ze dat je boekentas tienduizend dollar heeft gekost. En hier suggereren ze dat je zo dun bent vanwege de coke. Wie ben jij eigenlijk?' vraagt ze koeltjes, wijzend op een foto waarin ik voor Diane in een Chanel-jasje poseer tegen de achtergrond van een papieren kamerscherm in de caravan.

'Ik speel de hoofdrol in het programma waar ik van jullie zo nodig mee door moest gaan.'

Het echte leven weer in
5

Lieve Deftige Dame, ik wil niet te veel van uw kostbare tijd stelen, maar zou u misschien kunnen zeggen hoeveel kaartjes je vader en ik hebben voor de diploma-uitreiking? Als u zelf al van plan bent te komen met die drukke agenda van u. Liefs, mam.

'Kan ik u helpen?' vraagt de verkoopster terwijl ik het briefje dat ik bij het weggaan in mijn zak had gepropt, in de prullenbak smijt. Ze heeft haar handen op de spikkelige balie gelegd, waardoor de blonde haartjes op haar dikke armen in het zonlicht een goudkleurige glans krijgen.

'Twee bolletjes mokka-ijs met nootjes, graag.' IJs, mijn favoriete ontbijt voor als ik op de set moet zijn. Omdat magnetron-eieren gewoon niet meer volstaan, als ik al lang genoeg thuis ben om ze te maken. *The Oprah Winfrey Show* was twee weken geleden, en sindsdien heeft Fletch ons zo ongeveer permanent van school gesleurd om in andere tv-programma's te verschijnen, om zogenaamd 'olie op het vuur te gooien'. Het zal wel. Geef mij maar een flinke dosis suiker en vertel me wanneer ik moet glimlachen.

'Wil je daar een bagel bij?' vraagt ze met een blik op de klok.

'IJs is genoeg.' Ik kijk toe als ze de bolletjes ontbijt – of brunch? – uit de bakken oud, vastgevroren ijs schept. Dan vliegt de deur met veel herrie open en komt een groepje kinderen binnen, met achteraan een moeder.

Meteen worden hun ogen als schoteltjes zo groot. 'Jesse!' gilt er eentje. De strikjes in hun vlechtjes springen vrolijk op en neer. Ze halen hun lolly's uit hun mond en gaan in een kring om me heen staan. Hun schoenen piepen over het linoleum. 'Mogen we je handtekening? Toe? Alsjeblieft?'

'Eh, ja hoor.' Ik bloos.

De vrouw achter de balie slaat haar ogen ten hemel. Waarschijnlijk denkt ze dat ik een of andere beroemdheid uit Hollywood ben die even langswipt voor een beetje welverdiende rust, in plaats van iemand die vroeger in het winkeltje hiertegenover haar zaterdagen verspilde aan het vullen van potjes jam.

'Jesse, je bent geweldig! Je haar is zo mooi! We vinden je kleren te gek!'

De vrouw kijkt nog één maal naar dit tafereel en dumpt mijn ijsje dan in de vuilnisbak. 'Bedorven,' mompelt ze nog even, voordat ze verdergaat met het helpen van de koffiedrinkende buurtbewoners.

De moeder kijkt me vragend aan van boven haar zonnebril.

'Mam, mogen we pen en papier?' vraagt een van de kinderen die aan haar arm hangt.

Zonder haar ogen van me af te houden, haalt ze een pen en een kassabon uit haar tasje. Ze scheurt de bon in kleine stukjes, voor ieder kind een. 'Weet je,' zegt ze als ze me de stukjes overhandigt. 'Het zou fijn zijn als de kinderen een idool hadden dat zich niet gedroeg als de zomergasten.'

'Ma-am,' kreunt haar dochter. Ze loopt al net zo rood aan als haar capuchon.

'O, maar ik ben... Ik bedoel... De beelden zijn allemaal aan elkaar geplakt,' zeg ik terwijl ik met trillende handen mijn naam op alle snippertjes zet.

'O ja.' Ze gelooft er helemaal niets van.

Dan richt ik me op de kinderen, die nog steeds naar me opkijken alsof ik een soort godin ben. 'Hier jongens, dank jullie wel! Waarom zitten jullie trouwens niet op school?'

'Vergadering! Waarom ben jij niet op school?' zeggen ze allemaal terwijl ze hun armen om mijn heupen slaan.

'Ze is te beroemd om naar school te gaan,' zegt iemand achter ons.

Mijn kleine fans en ik draaien ons om naar Drew, die in de deuropening staat.

'Drew! Kijk, het is Drew! De echte Drew!' Als loslopende gekken stormen de meisjes op hem af en trekken hem naar binnen.

'Wat hebben we hier, de Jesse-fanclub van Bridgehampton?' Hij grinnikt.

'Ik probeer altijd in mijn beste slobberkleren te verschijnen,' zeg ik met een schaapachtige glimlach op mijn gezicht.

'Ik ook.' Hij wijst op zijn joggingbroek.

'Eigenlijk was ik van plan om ongezien een ijsje te halen,' zeg ik, maar ik kan beter handtekeningen uitdelen dan helemaal alleen thuis zitten, waar de nieuwste aflevering, waarin Drew en ik eindelijk iets met elkaar krijgen, ongetwijfeld voortdurend wordt herhaald. Toch vind ik het best knap van ze dat ze alle beelden zo hebben weten te plakken dat het net lijkt alsof we langer dan vijf seconden tegelijkertijd naast elkaar stonden.

'Hebben jullie een afspraakje?' 'Zijn jullie verliefd?' 'Is hij je vriendje?' Luid giechelend springen de meisjes op en neer. Dan duwen ze mijn hand in de zijne, en we houden even ongemakkelijk elkaars klamme hand vast. Iedereen kijkt ons aan. De volwassenen die geen flauw idee hebben wat er aan de hand is, en de gefascineerde kinderen.

'Nou... eh...' stamelt Drew.

'Het is allemaal wat ingewikkeld,' zeg ik, terwijl ik zijn hand loslaat.

Nu bloost Drew.

'Als jullie toch niets willen bestellen…' De vrouw achter de balie probeert de enorme file voor de kassa weg te jagen.

'Goed, jullie hebben je handtekeningen. Zullen we gaan zitten?' De moeder duwt haar giechelende kroost naar een tafeltje.

'Eigenlijk wil ik wel een aardbeienijsje,' zegt Drew, die tegen het glas van de balie leunt.

'Wil je er ook eentje voor mij halen?' fluister ik. 'Volgens mij ben ik hier niet meer welkom.'

Hij knikt, en ik wacht buiten op hem, in de zonnige Main Street, waar de vogels fluiten. Even later komt Drew de deur door en geeft me mijn roze ijsje. Ik haal drie dollar tevoorschijn.

'Laat maar zitten.'

'Meen je dat? Bedankt,' zeg ik terwijl ik het geld weer in mijn zak prop en aan mijn ijs lik. 'Wat doe jij hier eigenlijk?' Ik bedoel, niet iedereen gaat ijsjes halen om tien uur 's ochtends.

'De eerste warme dag,' zegt hij. Met zijn vrije hand ritst hij zijn jasje van fleecestof open. 'Ik werd helemaal gek van het binnen zitten met de tv…' Betrapt. Zwijgend gaat hij op een bankje naast een perkje met bloeiende viooltjes zitten.

Het raampje van een voorbijrijdende auto rolt open. 'Rijke klojo's!' Voor we het weten, is de auto alweer weg.

'Ze zijn nooit zo vriendelijk om ons hun naam en adres te geven,' merkt Drew op.

Aarzelend ga ik naast hem zitten. 'Je zou toch denken dat ze me wel in de Prickly Pear hebben zien werken.'

'Of mij, als de vriendelijke medewerker in de supermarkt.'

'Ja, gewoon een stelletje harde werkers uit de buurt, net terug van ons internationale satellietinterview.'

'Jezus ja, dat was verschrikkelijk. Praten tegen een papieren gezichtje en dan jezelf met drie seconden vertraging op het scherm zien. Ik voelde me zo stom. En halverwege de uitzending van de BBC deed mijn oortje het niet meer.'

'Maak je geen zorgen. Het mijne werkte perfect en ik verstond er niets van.'

'Heb jij al een school gevonden?' vraagt ik. Als we dan toch eindelijk weer met elkaar praten... Toch voelt het vreemd dat we geen interviewers voor onze neus hebben. En het is nog vreemder dat ik dat vreemd vind.

'De school van mijn laatste keus heeft positief gereageerd dus ik heb in ieder geval iets. Maar niet...'

'Niet om over naar huis te schrijven?'

'Nog gefeliciteerd met Georgetown, trouwens. Jammer dat je niks mocht vieren in Cancún.'

'Dank je. Het houdt mijn moeder op de been nu ze ervan overtuigd is dat ik stiekem altijd al een fulltime rijke beroemdheid ben geweest, met een Oscar in de kast, een eigen parfumlijn, een kookboek op mijn naam, een stuk of wat benefietfeestjes en een wc die zij mag schoonmaken.'

Hij grinnikt. 'Dus ze hebben het er niet makkelijk mee?'

'Dat is nog zacht uitgedrukt. Het lijkt wel alsof ik ze heb verraden. Ze gaven me toestemming om voor XTV te werken, omdat ze dachten dat het daarbij zou blijven. Werken voor de glamourmensen, zoals we altijd al hebben gedaan. Maar volgens mij denken ze dat ik nu permanent ben opgenomen in het wereldje van de glamour, of zo.' Ik zucht. 'Hoe gaan jouw ouders ermee om?'

'Nou ja, mijn kleine broertje is autistisch,' zegt hij ongemakkelijk.

'O. Ik wist niet...'

Hij trekt het papiertje van zijn hoorntje af. 'Ja, niet echt iets wat je aan de grote klok hangt.'

'Het spijt me. Hoe oud is hij?'

'Vijf. Het is allemaal geen probleem, hoor. Ik kan alleen geen mensen mee naar huis nemen omdat hij dat totaal niet trekt. En de bezoekers trouwens ook niet. Dus ja, mijn ouders zijn wel blij voor me, maar ze hebben hun handen al vol aan de therapie van mijn broertje. Ik wilde dat we geld kregen voor dit programma. Ik bedoel, die beurs is natuurlijk ook leuk, maar daar kan ik mijn ouders niet mee helpen.'

Ik knik en schaam me dood dat ik me zo druk heb gemaakt om mijn onbenullige probleempjes.

'Vreemd,' zegt hij. 'Om zo met je te praten na, nou ja, dat we op tv...'

'Ja.' Ik knik. 'Daar zat ik ook net aan te denken.'

'Jesse.' Hij draait een halve slag naar me toe.

'Ja?'

'Ik heb zitten denken...'

Hou je van me? 'Oké...'

'We zijn helemaal verkeerd begonnen.'

'Inderdaad!'

'Goed zo.' Hij haalt opgelucht adem, en ik kijk hem verwachtingsvol aan. Misschien is het dan toch niet allemaal hopeloos! 'Want ik denk dat we beter gewoon vrienden kunnen zijn.'

Nee! 'Natuurlijk.'

'Ik bedoel, ik zou het heel fijn vinden als we gewoon vrienden konden zijn.'

'Vrienden. Ja. Goed idee.'

Plotseling staat het busje van XTV voor onze neus en stapt Rick uit. 'Yo, losers!' roept hij op de manier waarop Trisha altijd praat. 'Klaar om naar de stad te gaan?'

We staan op, eten de laatste restjes van onze ijsjes op en kijken het busje in. Nico zit voorin met haar armen over elkaar geslagen en Jase zit achterin, ook met zijn armen over

elkaar. Ze kijken allebei een andere kant op. Drew begroet
Kara en steekt dan zijn hand uit om me te helpen met instappen. 'Kara, kun je nou nooit eens rustig parkeren?'

'Jullie hebben allebei gebeld om te zeggen dat ik jullie hier
kon oppikken. Hoe geweldig is dat?' zegt Kara vanaf de be-
stuurdersplaats. 'Ik wist het wel. Ik wist het wel!'

'Precies,' mompel ik nietszeggend. Dan staren Drew en ik,
net als Nico en Jase, allebei uit een ander raampje.

Drie uur later komen we tot stilstand voor het hoofdkwartier van XTV op Times Square. De fans staan al in de rij om
naar de live-uitzending van vanmiddag te kijken. We zijn
iets te laat omdat Jase zo nodig moest stoppen om een hot-
dog te kopen, met alles erop en eraan, waardoor hij de rest
van de reis naar uitjes stonk en enorme boeren liet. Na aankomst werden we voorzien van make-up, een frisse adem en
een nieuwe garderobe. Blijkbaar wil de toegankelijke Jesse
liever Ralph Lauren dragen dan Dolce & Gabbana. En ze
heeft perzikkleurige wangetjes.

Ik zit met gebogen hoofd op mijn stoel onder het bruine plastic schort. Er komen wolkjes stoom uit het krulijzer,
en ik vraag me af of ze me zouden vermoorden als ik al
mijn beschadigde haar zou afscheren. En zou Drew het
merken?

'Mel is wel heel laat. Zal ik haar even bellen?' vraagt
Nico.

'Nee, hoeft niet, hoor,' antwoordt Kara, die achter ons op
de bank naast meneer Sargossi zit. Ze is druk in de weer met
haar BlackBerry, en meneer Sargossi tikt zachtjes met zijn
Italiaanse instapper op de grond. Hij houdt de krant van
vandaag stevig in zijn hand geklemd.

'Dus als Nico het vandaag goed doet, denk je dat de fansite die ik voor haar heb gemaakt weer druk bezocht gaat
worden?' vraagt hij aan Kara. Voor de tiende keer.

'Ja, meneer Sargossi. Dat hopen we wel,' zegt ze. Ze klinkt nauwelijks meer beleefd.

'Komt mevrouw Dubviek haar soms brengen?' vraag ik aan Nico.

'Ik denk het,' antwoordt Nico. Ze strekt haar arm uit van onder haar eigen plastic schort en pakt haar telefoon van de make-uptafel. 'Ze heeft me helemaal geen bericht teruggestuurd.'

'Jongens, ik moet jullie iets vertellen.' Kara staat op. 'Helaas kan Fletch er vandaag niet bij zijn, dus moet ik jullie het droevige nieuws geven. Tot onze spijt doet Melanie niet langer mee aan *Het echte Hampton Beach*.'

'Wát?' Nico springt op en trekt de styliste, die net een blonde lok uit de krultang wilde lostrekken, met zich mee. 'Is ze ermee gestopt?'

'Kunnen wíj hier dan ook mee ophouden?' vraag ik hoopvol, klaar om mijn schort af te rukken.

'O nee, nee, nee. Niemand kan stoppen.' Kara schudt haar hoofd en slaat haar armen over elkaar. 'Zolang het programma nog hoge kijkcijfers haalt, zijn jullie verplicht mee te werken. Nee, Melanie kreeg helaas weinig belangstelling van bloggers.'

'Dus ze is ontslagen,' zeg ik verbaasd.

'Nou, onze adverteerders hadden het niet zo op haar.' Kara zucht en kijkt ons niet meer aan.

'Ze had mij moeten hebben,' zegt een man die komt binnenwandelen met Trisha achter zich aan. Ze draagt een zijden jurkje met een soort Dita von Teese-snit. En bijpassend haar. Helemaal in de stijl van de jaren veertig. Ze stormt naar binnen, gaat op de lege make-up-stoel zitten en slaat haar enkels over elkaar, zodat je haar pumps goed kunt zien. Zoveel kleding heeft ze nog niet aangehad sinds de bar mitswa van Bobby Feinstein.

'Tom. Tom Vogel.' Hij haalt zijn visitekaartje uit de zak

van zijn pak met krijtstreep en overhandigt het aan Kara. 'Trisha's publiciteitsagent.' Trisha's watte?

'Wil je dan nog meer van dit soort dingen doen?' vraag ik, onder het hoesten en proesten als ik weer een lading hairspray binnenkrijg.

Trisha kijkt langs me heen, waarschijnlijk kan haar kapsel niet tegen zoveel beweging.

'Meneer Vogel,' zegt Kara zonder naar zijn kaartje te kijken, 'we hebben al publiciteitsagenten voor het programma. Eén voor elk land waarin ze ons programma uitzenden, zelfs. Zo zorgen we ervoor dat de informatie die naar buiten komt overal gelijk is.'

'Het is wel duidelijk wat jullie bij haar in gedachten hebben, en daar zijn wij het niet mee eens,' antwoordt hij. 'Trisha heeft natuurlijke eigenschappen, en die moeten goed worden verzorgd. Jullie interviewer van de BBC heeft haar een hoer genoemd, en bovendien staat er niets in haar contract over persoonlijke agenten.' Hij trekt zijn manchetten over zijn polsen. 'Het is tijd om haar imago te veranderen.'

'Ik voel me opzij geschoven,' zegt Trisha stijfjes. 'Mijn fansite is bijna net zo populair als die van Jesse, maar toch krijg ik geen kans om me te ontplooien.'

'Het is geen wedstrijd,' zeg ik hoofdschuddend. Tandy probeert me bij te houden met de mascara. 'Als je wilt, mag je al mijn fans hebben. En al helemaal die oude kale man die al mijn outfits opnieuw samenstelt en op zijn blog zet.'

'Mag ik dat kaartje eens zien, Kara? Alsjeblieft?' Nico kijkt Tom Vogel met een enorme glimlach aan. Zo te zien is ze allang over Melanie heen. Snel trekt ze het kaartje uit Kara's handen en wendt zich tot meneer Sargossi. 'Pap?' zegt ze zacht. 'Mag ik hem ook hebben? Ik denk dat het echt...'

'Laat me zien dat je jezelf kunt aanprijzen. Dan pas huur

ik iemand voor je in.' Haar vader pakt het kaartje van haar af.

'Hoe bedoel je?' vraagt ze, al net zo verbaasd als ik.

'Je moet het promoten waard zijn, Nico. Eerst wil ik trots op je zijn, dan pas geef ik hier nog meer geld aan uit. Ik heb geen zin meer om nog langer voor gek te staan.' Hij stopt het kaartje in zijn lege koffiebekertje van Starbucks en bladert kwaad verder door de krant. Nico leunt verslagen achterover.

Een kwartiertje later staan we in de rij achter de schermen. Zo meteen moeten we live op tv. De adrenaline stroomt door onze aderen. Geen kans om iets over te doen als het misgaat. Dan klinkt de stem van de veejay: 'En nu, de sterren uit *Het echte Hampton Beach*!' Uit het publiek stijgt gejuich op. Maar in plaats van het gebruikelijke 'Hamp-ton Beach' roepen ze nu iets anders. Ik kan het nauwelijks geloven.

'Jes-se! Jes-se! Jes-se!' Mijn God. Onder het gejuich schuifelen we naar de ronde set voor het raam dat over Times Square uitkijkt. Tom Vogel staat net buiten beeld, en ik neem zenuwachtig plaats achter Trisha, zoals me is opgedragen. Zij en Nico kijken allebei glimlachend in de camera, en doen alsof ze het geschreeuw niet horen. Ik zwaai af en toe eventjes naar het dolenthousiaste publiek zodat ze zich niet buitengesloten voelen. Toch vind ik het idioot dat ze zo blij met me zijn. Tenminste, met de persoon die ze denken dat ik ben.

Zelfs al doet Tom Vogel nog zo zijn best, de veejay zet me toch vooraan als hij de clip van Rihanna aankondigt. En dan maken we een praatje. Helaas word ik steeds zo afgeleid door een of andere fan in een zelfgemaakt Jesse-T-shirt dat ik steeds vergeet waar ik het over heb. Gelukkig komt Tom Vogel tijdens de reclame naar voren om Trisha weer op haar plek te zetten. 'Jesse!' roept een fanatieke fan met zijn armen naar me uitgestrekt. Ik weet niet of ik hard weg wil rennen, of hem zou moeten troosten. Dus verstop ik me maar achter Jase en Drew, bij wie het zweet is uitgebroken. Na de reclame gaan we verder, zonder op het gesnik van mijn fan te letten, en kijken we naar beelden van de eerste zes afleveringen. Trisha is er ook in geplakt, met ongeveer dezelfde beeldkwaliteit als Forrest Gump die president Kennedy ontmoet. Ze staat voornamelijk te zeuren over Jase, en hoeveel ze voor hem zou kunnen betekenen. Wat is ze van plan, een bad voor hem laten vollopen zodat hij die Axegeur kwijtraakt? Een lesje in manieren?

Maar daarom is ze hier vandaag niet. O, zeker niet. Vandaag heeft ze een heel ander doel voor ogen. 'En toen nam ik een besluit,' vertelt ze de veejay, als een dokter die net een enorme tumor heeft ontdekt. Ze steekt haar perfect geplaatste voorgevel naar voren en houdt haar hoofd scheef, zodat haar nieuwe neus goed wordt belicht. 'Nadat *US Weekly* me belde, bedacht ik dat ik mijn inspirerende verhaal over gewichtsverlies en eetproblemen zou kunnen delen om anderen te helpen.'

Drew buigt zich achter de rug van Rick om naar me toe en knijpt even in mijn arm. Ik glimlach en ben het helemaal met hem eens: Trisha kraamt onzin uit.

'Wat dapper van je dat je ervoor uitkomt,' zegt de veejay. Geweldig. Laat ze allemaal maar een pr-mannetje huren om hun hartverscheurende verhalen over dyslexie, arachnofobie of lijmverslaving naar buiten te brengen. Dan kan ik me tenminste rustig terugtrekken uit de schijnwerpers zonder dat er meteen mensen gaan huilen. 'Goed, voordat we naar de reclame gaan, hebben we een speciale verrassing voor Trisha en de rest. Jongens, loop maar naar het raam!'

We lopen naar het raam achter Trisha aan, die zelfs in haar strakke rok nog vliegensvlug vooruit weet te komen, als een soort gestoorde geisha. Eenmaal bij het raam aangekomen, kijken we naar beneden. Een van de parkeerstroken voor het gebouw is zo te zien leeggehaald en er staan nu zes glanzende Lexusen met rode strikken eromheen.

'Cadeautje van XTV en onze vrienden van East Hampton Luxury Motors. Jullie krijgen allemaal een gloednieuwe hybride!' Met een rood hoofd kijk ik naar de enorme strikken. Rick, Trisha en Jase juichen stilletjes en Drew heeft zijn voorhoofd tegen het glas gedrukt. Dan kijkt hij me aan en glimlacht flauwtjes. Eindelijk heeft hij een manier gevonden om zijn ouders geld te geven. En dat weet ik allemaal, omdat we nu vrienden zijn.

'Dank u wel, meneer Sargossi!' kirt Trisha. Ze heeft haar nieuwe nummerbord, dat XTV heeft geregeld, in haar handen geklemd. TRHB-TRISH. 'Deze neem ik mee naar college, dan blijft mijn Beemer ongedeerd.'

We zitten allemaal in het kantoortje van meneer Sargossi, waar Jase als laatste zijn formulieren aan het invullen is. 'Nee, serieus, met al het geld dat ik uitspaar aan benzine door mijn Hummer te laten staan, kan ik een Ducati kopen.'

Terwijl Jase maar doorzeurt over de volgende dure en snelle wagen die hij wil kopen, haal ik nog een reinigingsdoekje uit mijn tas en probeer alle troep van mijn gezicht te vegen.

'Dat ging tenminste aardig,' zegt Nico's vader tegen niemand in het bijzonder. Hij heeft zijn voeten op zijn bureau gelegd, en kauwt op een onaangestoken sigaar. 'Ouders zijn een goede markt, maar ik wil dat de jeugd ook weet dat ze bij mij iets cools kunnen halen.'

'Kunnen we Melanie niet gewoon korting geven?' vraagt Nico hoopvol.

'Misschien.' Hij plukt de sigaar uit zijn mond en kijkt ernaar. Hij zwaait niet eens als zijn dochter zijn kantoortje verlaat.

'Ik wil het eigenlijk met u hebben over de verkoop van mijn auto, meneer Sargossi,' probeert Drew.

'Niets daarvan,' zegt Kara snel. 'Je moet ten minste één jaar in deze auto rijden, of er althans mee gezien worden. Anders zal XTV de betaling van dit cadeautje intrekken. Staat allemaal in je contract.'

'Maar over een jaar is hij veel minder waard.' Drews gezicht betrekt. Zijn plannetje is mislukt.

'Mijn hemel, jongen,' zegt Kara. Eindelijk komen al haar irritaties eruit. 'Vanochtend had je nog geen auto, nu heb je er wel een. Kun je daar niet gewoon blij mee zijn?' Ze staat op van haar plekje op de verwarming bij het raam en wurmt zich langs ons heen naar de uitgang. 'Zet alles eens in perspectief, jongens.'

Op de een of andere manier lukt het Drew om geen sarcastische opmerking te maken. Zo te zien denkt hij na over een manier om de waarde van de auto te behouden en zich toch aan het contract te houden.

Jase steekt twee vingers in de lucht en stapt dan in TRHB-JASE. Met Rick en Trisha achter zich aan, scheurt hij de weg op. Ik daarentegen kijk eerst drie keer links en rechts en rij dan met een slakkengang in TRHB-JESSE de parkeerplaats af. De hele weg naar huis rij ik langzaam, met bevende handen. Ik kan er maar niet over uit. Hier zit ik dan, in het jaarsalaris van mijn ouders bij elkaar opgeteld. Elke vijf seconden kijk ik in de achteruitkijkspiegel. Hier ga ik dus nooit in rijden als het druk is. Veel te gevaarlijk.

Als ik het parkeerterrein achter het kuuroord oprij, kan ik weer opgelucht ademhalen. Eigenlijk zou ik Melanie even moeten opzoeken, al heb ik geen flauw idee wat ik zou moeten zeggen. Het kost me moeite het portier te openen omdat de ondergaande zon in mijn ogen schijnt. Dan zie ik een eindje verderop TRHB-NICO staan. Misschien moet ik maar weggaan? Nee, wacht. Mel moet weten dat we er allemaal voor haar zijn.

Aarzelend open ik de deur van de salon. Uit een van de achterkamertjes klinkt luid gesnik. Ik loop langs alle klanten aan de manicure- en pedicuretafeltjes, die meteen iets tegen elkaar fluisteren, door de gang naar een deur die op een kier staat. Daarachter zit Melanie in Nico's armen te huilen op de massagetafel. De fontein die Zacheria maar niet aan de praat kreeg, staat nu ongebruikt tegen de muur.

'Stil maar,' zegt Nico zacht. Ze streelt door het haar van haar vriendin. 'Het komt wel goed. Er is nog meer op de wereld.'

'H-helemaal niet!' snikt Melanie. 'Straks moet ik voor de rest van mijn leven aan andermans voeten gaan zitten p-plukken. Ik s-snap het gewoon niet. Ik heb toch alles g-gedaan wat ze van me vroegen?'

'Hou toch op, Melania,' zegt mevrouw Dubviek, die zo te horen de keldertrap op komt. Haar espadrilles zorgen ervoor dat haar voetstappen dof klinken. Ik draai me om, maar ze loopt zo langs me heen naar de massagekamer.

Nico steekt haar hand naar haar uit. 'Mamma D...'

'Jullie twee.' Ze wijst met roodgelakte vingers beschuldigend naar mij. 'Wegwezen. Ik wil jullie niet meer zien.'

Geschrokken staat Nico op en duwt de snikkende Melanie van zich af. 'Het is toch niet mijn schuld?'

'Jij moest haar beschermen. Voor haar vechten,' zegt Melanies moeder. Door haar woede is haar accent nog zwaarder dan normaal. 'Melania krijgt wel weer nieuwe vrienden. Echte vrienden. Nu weg, uit mijn zaak! Jullie niet welkom hier!'

Nico kijkt naar Melanie, maar die trekt haar knieën dichter tegen zich aan en kijkt naar de grond.

Dan loopt Nico trillend langs me heen. Snel loop ik achter haar aan, zonder op de klanten te letten, die ons geïnteresseerd nakijken. Ze opent de deur en stormt naar buiten terwijl achter ons nog een tirade van Poolse scheldwoorden te horen is. Ik loop Nico achterna over de parkeerplaats. Ze blijft staan bij haar nieuwe auto, waar nog steeds wat tape op zit waarmee de strik zat vastgeplakt. Dan laat ze haar hoofd op het dak rusten en barst in tranen uit.

'Nico,' zeg ik zacht. Voorzichtig raak ik haar arm aan 'Het komt wel goed.'

'Ik ben net mijn beste vriendin kwijtgeraakt,' zegt ze snikkend. 'Je hebt geen idee hoe ik me nu voel.' Woedend kijkt ze me aan, en door die valse beschuldiging verdwijnt een stukje van mijn medeleven.

'Dat weet ik best.' Ik zet een stapje achteruit. 'Misschien is het je niet opgevallen, maar ik bestond al voordat ik van Kara tijdens de lunch bij jullie moest zitten. Ik had ook een beste vriendin. En zij is niet gekozen voor het programma van je vader.'

'Het is niet zijn programma!' krijst ze. 'Alleen maar zijn idee. En ík heb tenminste iemand die in me gelooft. Iemand die in me heeft geïnvesteerd, die me een kans gunt.'

'Je krijgt een kans als je naar de universiteit gaat! Niet als je je eigen pr-mannetje hebt.'

'In welke wereld leef jij eigenlijk?' snauwt ze minachtend. 'Je bent gewoon jaloers omdat ik alles heb wat jij niet hebt.' Onder haar betraande ogen verschijnen rode vlekken.

'Jaloers?'

'Jij bent onbelangrijk. Ik ben Nico. Jase houdt van me. Hij moet zich nog wat volwassener gedragen, maar hij houdt van me,' snikt ze. 'En mijn vader ook.' Ze haalt diep en beverig adem. 'En ík kan een ster worden.'

Bevend loop ik langs haar heen naar mijn eigen auto. 'Fijne wereld waarin jij leeft. Helaas ben ik wel bereid om toe te geven dat ik mijn beste vriendin, mijn leven, mijn kan-

sen om iets met Drew te krijgen, mijn laatste jaar op school
én het respect van mijn ouders ben verloren. Dus als u het
niet erg vindt, o Uitverkorene, dan ga ik nu naar huis om
daar even flink uit te huilen.'

Het echte leven weer in

6

'Hallo?' zeg ik schor in de hoorn van mijn telefoon. Ik adem nog zwaar tegen mijn kussen en sta al klaar om op te hangen. Wat nu, ben ik een kreng, een hoer, goed in bed, slecht in bed, of stink ik? En XTV vond mijn o zo vriendelijke klasgenootjes niet goed genoeg?

'Jesse?' Ze praat zo zacht en het is al zo lang geleden dat ik even niet weet met wie ik spreek.

'Caitlyn?' Ik kom overeind en knipper mezelf wakker. 'Caitlyn, wat is er?' Ik kijk even op de klok op mijn nachtkastje. Acht over elf. Waarschijnlijk ben ik ingedut na de laatste ronde interviews vlak voor de laatste aflevering. Nu ik steeds om vier uur op moet, ga ik net zo vroeg naar bed als een bejaarde. Om vijf uur avondeten, om acht uur slapen. Triest gewoon.

'Jesse, kun je me alsjeblieft komen halen?' vraagt Caitlyn voorzichtig. 'Kan dat? Kun je komen? Nu meteen?'

'Ja, natuurlijk!' Ik spring op en probeer mijn legging en hoodie tegelijkertijd aan te trekken. 'Waar ben je?' Ik pak mijn portemonnee en sleutels die op mijn bureau liggen.

'Bij de benzinepomp vlakbij het ziekenhuis.'

'Is alles goed met je?' fluister ik, terwijl ik op blote voeten over de trap sluip. Natuurlijk spring ik over de krakende trede.

'Kom nou maar.' Ze hangt op.

Met piepende banden rij ik de parkeerplaats van het benzinestation op. Gelukkig komt Caitlyn meteen al door de dubbele deuren naar me toe lopen. Ik wil uitstappen, maar ze loopt regelrecht naar het portier van de passagiersplek, en even hebben we een ongemakkelijk moment wanneer zij het portier wil openen en ik het per ongeluk op slot zet. Maar dan ploft ze naast me neer en bekijk ik haar eens goed bij het knipperende reclamelicht van de pompen. Haar ogen zijn rood en gezwollen.

'Sorry, ik snap deze auto nog niet zo goed,' zeg ik veel te laat. Ik wil haar zo graag omhelzen, maar ik durf niet.

'Kunnen we gewoon gaan?' Ze steunt met haar dlrhoog tegen het portier en wrijft over haar slapen.

'Natuurlijk!' Ik rij achteruit en draai naar de uitgang. Maar bij de grote pijl van neonlicht blijf ik stilstaan. 'Waar wil je eigenlijk naartoe?'

'Ik krijg geen beurs van de American University,' zegt ze plotseling. Ze staart voor zich uit naar de donkere weg.

'O Caitlyn...'

'En ook niet van de George Washington University. Of van het Trinity College. Mijn vader weigerde te schrijven dat hij niet mee wilde betalen, en zelfs al geeft hij ons echt nooit geld, toch hebben ze zijn inkomen meegeteld en dus vinden ze dat ik best tweehonderdduizend dollar in het rood kan staan.'

'Dat is verschrikkelijk! Wat een eikel.'

'Dus vindt mijn moeder dat ik nu gewoon bij haar kan blijven wonen en gewoon een beroepsopleiding moet volgen, maar dat kan ik gewoon niet. Ik bedoel, dat zag ik in het begin al niet zitten, maar nu helemáál niet meer. Ik kan hier echt niet blijven. En toen reed ik haar naar haar werk en kregen we vreselijk ruzie, en ze begon te huilen zoals altijd als we het over mijn vader hebben, en toen kwam ze te laat en zei ze dat als ik het hier zo vreselijk vond, ik maar moest uitstappen. Dus ben ik uitgestapt.'

'Midden op de weg?'

'We stonden geparkeerd bij het benzinestation, omdat we daar tegen elkaar konden schreeuwen zonder ongelukken te veroorzaken. En nu blijft ze maar bellen, maar ik wil niet meer met haar praten. Ik wil met niemand meer praten.'

'Oké,' zeg ik, met mijn ogen op het dashboard gericht.

'Dus had ik verder niemand om te bellen.' Ze draait zich om naar het raampje. 'En toen herinnerde ik me dat jij die auto had gekregen, en ik weet niet waar ik nu naartoe wil.'

'Dat hoeft ook niet.' Ik rij de verlaten weg op.

Ik stop, zet de motor af en kijk naar het licht van de koplampen dat het zand en de zee beschijnt. Dan floepen ze uit en zitten we in het donker naar de brekende golven te luisteren. Hier fietsten we 's zomers vaak, voordat het land in stukjes werd verdeeld. Toen de familie Johnson nog maar net was begonnen met de verkoop van hun land aan ontwikkelaars, en toen Caitlyn en ik nog zo goed bevriend waren dat we elkaars gedachten bijna konden lezen.

Ze zakt achterover in haar stoel en trekt haar knieën op tegen het handschoenenvakje. 'Hier ben ik al eeuwen niet meer geweest.'

'Ik ook niet.' De koude buitenlucht kruipt de auto in, ook al is het al mei, en ik verwarm mijn handen tussen mijn benen.

'Nu zou ik wel een sigaret kunnen gebruiken.' Ze plukt aan haar pony. 'Meneer Sargossi heeft je zeker geen enorme voorraad gegeven?'

'Lukt niet met de sponsor. We zijn allemaal gedwongen aan de meth. Er ligt een pijpje in het handschoenenvakje als je ook iets wilt.'

Ze trekt haar wenkbrauw op.

'Grapje.'

Dan schudt ze haar hoofd. 'Jennifer Lanford doet niet aan grapjes.'

'Echt niet?' vraag ik hoopvol. 'Ze ziet eruit alsof ze best lol kan trappen.'

'Het is best leuk met haar, en zo. Maar ze is niet echt grappig. Niet zoals jij.'

'Niemand is zo grappig als jij,' zeg ik met nadruk.

'Wat moet ik doen, Jess?' Ze kijkt me met grote ogen aan.

'De mogelijkheden.' Ik tel ze af op mijn vingers. 'Je kunt een jaar lang een beroepsopleiding gaan doen terwijl je je vader probeert te overtuigen, en daarna ga je gewoon door naar de universiteit. En anders... Kunnen we hem vermoorden?'

'Misschien kan iemand uit het meth-lab helpen?' stelt ze voor.

Ik lach, tot mijn telefoon ineens begint te zoemen. Ik trek hem uit mijn zak, zet hem uit en prop hem bij de rest van de troep in het handschoenvakje.

'Je mag best opnemen,' zegt ze.

'Hoeft niet. Dan noemen ze mijn voicemail maar een anorectische hoer met mismaakte tieten.'

'Wie zegt dat?' Ze kijkt me geschrokken aan.

'Alsof jij dat nog niet hebt gehoord.'

'Ik wel. Maar ik wist niet dat jij dat ook te horen kreeg.'

'Kan er met geen mogelijkheid aan ontsnappen. In mijn kluisje, op de voorruit, in de brievenbus. En dan nog elektronische communicatie.' Ik zucht. 'En eieren, als ze in een nostalgische bui eens iets ouderwets willen proberen. Het is allemaal vals en gemeen en onnodig. Het lijkt wel alsof ze me niet gewoon haten, maar of ze er een religie van hebben gemaakt.'

'Jij bent niet de enige. Zo doen ze tegen iedereen die meedeed.' Verlegen kijkt ze naar beneden. 'Oké, ik zou me moeten schamen, maar ergens vond ik het wel prettig.'

'Goed zo. Dan heeft iemand anders behalve de telefoonprovider er nog iets aan.'

'Nou ja. Volgens mij is er niets mis met je tieten. Vertrouw me nou maar, ik ben niet anoniem bezig.'

'Dank je.' Ik leg mijn hand op haar arm.

'Graag gedaan.' Ze klopt even op mijn hand, en nu realiseer ik me ineens dat ik haar echt vertrouw. Het is al zo lang geleden dat ik echt met iemand kon praten.

'Ik heb geflikflooid met Jase McCaffrey,' biecht ik op.

'Jezus.'

'Bah, het voelt wel beter nu ik het heb gezegd.' Ik leun achterover. 'Ik heb het nu al zo groot opgeblazen in mijn hoofd, het zou een bioscoopzaal kunnen vullen.'

'Hebben jullie het ook gedáán?' Ze zit rechtop en draait zich zo dat ze me recht in het gezicht kan kijken.

'Dát hebben we niet gedaan. We hebben twee keer het-niet-helemaal gedaan. En ik weet best dat hij...'

'Een wandelende testosteroncel is?'

'Maar hij ís ook een wandelende testosteroncel, en dat had ik even nodig, dacht ik. In Cancún had Drew het aangelegd met Nico, en ik was dronken. Jezus, ik had een paar van die mierzoete tropische drankjes op, en toen wilde ik hem dus gaan vertellen over Nico en Drew, zodat Jase Drew te grazen zou nemen, en...'

'Wacht eens. Heb jij niet iets met Drew?'

'Drew? Nee. Mocht ik willen. Hij doet net alsof ik hem heb gebruikt om Jase te krijgen. En dat slaat echt helemaal nergens op. Nee, we zijn gewoon vrienden. Officieel dan. Zijn idee, niet het mijne.'

'En waarom neem je dan wraak op hem?'

Ik pak haar vast bij haar schouders. 'Omdat ik het er niet met jou over kon hebben! Ik word echt gek zonder je!'

'Goed, wacht even. Ik moet alles weten, van begin tot het eind. Tot je je kleren weer aantrok. En ik moet jou ook even vertellen dat ik in de vakantie met Rob heb gezoend. Maar dan in de kelder van Jennifer en niet in Cancún. We hebben verder niets met elkaar of zo, en ik had drie biertjes op. Maar het was niet verkeerd. Niet goed, maar ook niet slecht. Maar jij eerst. Hup.'

Ik omhels haar en voel algauw de tranen in mijn ogen prikken. Dan pakt ze me vast en duwt me van zich af.

'Dus Jase zegt...' En op de een of andere manier zorgt ze ervoor dat ik haar alles vertel.

'Dank je voor de lift, superstar.' Zodra we bij de Bambette zijn aangekomen, pakt Caitlyn haar tas op van de vloer.

'Mijn wielen zijn jouw wielen.'

'Denk je echt dat die vriendin van je moeder die jurk binnen een week verlengd heeft?' vraagt ze. Daarnet hebben we een Lanette Lepore-jurk voor haar gekocht in de Outlet. 'Ik wil niet de enige op het feest zijn met iets wat oogt als een tweedehands gevalletje.'

'Caitlyn, we hebben allemaal geleende troep aan. Alles wat ik krijg, draagt het zweet van minstens één andere persoon. Denk daar maar aan als je naar de Oscars kijkt.' Ze kijkt me walgend aan. 'Bovendien heb ik toch de beste date die er is.' Ik knijp in haar knie. 'Maar denk eraan, niet verder vertellen van wie het feest eigenlijk is.'

'Mag ik wel zeggen dat hij een hiphoplegende is? Een hiphoplegende die nooit lang dezelfde naam heeft?' Lachend knik ik. 'Ik heb er nu al zin in,' gaat ze verder. 'Om een gast te zijn in die enorme huizen, in plaats van in de keuken omdat ik mijn neef moet helpen met de hapjes. Van alle hapjes ga ik er wel twee nemen, en ik ga de mensen aankijken die met het eten rondlopen. Allemachtig, volgens mij word ik ziek.' Ze wrijft over haar keel. 'Of hebben we echt zoveel gepraat dit weekend?'

'Volgens mij wel, ja,' zeg ik.

'Ik heb helemaal geen zin.' Ze laat haar hoofd hangen. 'Zonder jou zijn zelfs de pauzes stom.'

'Vertel mij wat! In de pauze zit ik nu vast tussen Trisha's voorgevel en de deolucht van Jase. En dan is Trisha nog helemaal verslaafd aan sigaretten ook. Alsof je in een casino zit.'

De baas van Caitlyn hangt het kralengordijntje terug voor het raam en kijkt ons aan terwijl ze de parels van haar riante parelsnoer door haar vingers laat glijden.

'Ik bel je later wel.' Caitlyn geeft me nog even snel een knuffel en stapt dan uit. Grijnzend kijk ik naar haar terwijl ze om de auto heen loopt en zo overdreven naar haar baas zwaait dat alleen ik kan zien dat ze er niets van meent. Maar net als ik weg wil rijden, slaat Caitlyn zichzelf tegen haar voorhoofd en rent snel terug naar de auto. Ik draai het raampje open.

'Dat was ik helemaal vergeten! Dit heb ik in november voor je gekocht. Het is een beetje stoffig en kapottig.' Ze graait in haar tas en haalt een pakje tevoorschijn dat is ingepakt in pakpapier met lieveheersbeestjes. 'Volgens het opschrift heet het Happy Bugs. Het papier, bedoel ik. Het papier heeft een naam. Happy Bugs.'

'Ze zien er inderdaad best "happy" uit.' Ik kruip deels uit het openstaande raampje en omhels haar nogmaals. 'Dankjewel!'

'Dat baantje wil ik ook.' Ze houdt de riem van haar tas met allebei haar handen vast en sprint dan naar de winkel. 'Ik wil geld verdienen met het benoemen van pakpapier. Ik wil verzinnen hoe het zich voelt.'

'Je bent de allerbeste beste vriendin!' roep ik haar na.

Ze buigt even en stormt dan de winkel binnen.

Ik blijf in de auto zitten en open heel voorzichtig mijn pakje zonder het papier te scheuren. Dat kan ik in mijn Caitlynkistje stoppen. Al snel valt mijn oog op het witte Georgetown-logo, en snel daarna schud ik een donkerblauw T-shirt uit het papier. Ik bevrijd mezelf uit mijn gordel, gooi mijn jasje op de vloer en trek het shirt over mijn hoofd. Als ik uit het raampje kijk, zie ik Caitlyn glimlachend achter het raam staan af te stoffen. Ik leg mijn hand op mijn hart. 'Geweldig!' zeg ik geluidloos.

Ze steekt haar duimen omhoog en gaat dan verder met het zorgvuldig afstoffen van de pastelkleurige mutsjes die voor haar liggen.

Als ik weer op Main Street rij, vang ik een glimp op van mijn eigen spiegelbeeld. Plotseling zie ik er heel anders uit. Komt het omdat ik geen make-up draag? Of omdat ik geen juwelen heb?

Ik ben zelf een Happy Bug.

Het echte leven weer in
7

'Leuk shirt, Georgetown.'

Ik draai me om in mijn Converse-gympen en scherm mijn ogen af tegen de zon die in de motorkap van de auto wordt gereflecteerd. Dan zie ik Drew uit de Stop & Shop komen, met een rood schort in zijn hand. Snel haal ik mijn tong over mijn tanden om de laatste koekrestjes weg te werken. Dan lach ik naar hem en trek mijn shirt met het logo naar hem toe. 'Mooi, hè? Vorige week van Caitlyn gekregen, en ik heb hem nog steeds niet uitgetrokken.'

'Heerlijk.' Hij lacht.

'Nou ja, ik draag er iets anders onder. Dan mag het wel.'

'Dat zou je morgen moeten aantrekken naar het feest.'

'Dat vindt Fletch vast heel fijn. Waarom sta jij daar geparkeerd?' Ik wijs naar zijn Lexus, die helemaal alleen bij de pinautomaat staat.

'Daar staat nooit iemand, dus gebeurt er vast niets met dat ding. Ik wil er hoe dan ook geld voor krijgen, ook al duurt het nog een jaar.' Hij trekt aan zijn honkbalpet. 'Maar zo hoeft mijn moeder me tenminste niet steeds naar mijn werk te brengen. En ik kan er meer boodschappen in kwijt dan aan het stuur van mijn fiets.'

'Heeft Kara jouw baantje dan niet opgezegd?'

'Helaas niet. Ik ga deze zomer gewoon door met boodschappen inpakken.' Hij loopt met me mee. 'Mooie dag vandaag.'

Ik hef mijn blote armen naar de zon. 'Ik had nooit gedacht dat ik nog eens zo blij zou zijn met natuurlijk licht.'

Hij lacht. 'En met privacy. En met mijn eigen kleren. O ja, en met het kijken naar andere mensen die nog stommer doen op tv.'

'Jij ook al?' Ik blijf staan.

'Ik kijk alles.' Hij slaat zijn armen over elkaar. 'Keuken-renovaties, hondentrainingen, moordzaken...'

'Precies!' Ik steek mijn hand op en we geven elkaar een high five. Er rijdt een busje langs. De vader zoekt een par-keerplekje, maar de kinderen gapen ons aan. 'Ik heb nu wel wat met kookprogramma's. Niemand heeft het over kleren, of met wie ze wat hebben gedaan of gaan doen. Ze kloppen alleen maar een ei om over de geitenkaas te doen.'

Hij pakt een verloren winkelwagentje vast. 'Stap maar op. Dan duw ik je het laatste stukje.' Ik stap op een van de ijzeren stangen en word naar de ingang gereden. 'Wees eens eerlijk, ben je hier gekomen vanwege het laatste nummer van *OK!*?'

'Ik wil gewoon zien hoe die fotoshoot is geworden.'

'Wat lieten ze je doen?'

'Ik zat op een paard in een Hermès-rijpakje.'

'Klinkt als ware glamour.'

'O, zeker. En al helemaal toen de telefoon van Fletch met zo veel lawaai afging dat mijn paard doodsbang werd en ik in een stapel drollen terechtkwam. In mijn Hermès-rijpakje. Ik heb nog steeds blauwe plekken.'

'Klote. Ik heb gehoord dat die pr-man van Trisha ervoor heeft gezorgd dat ze werd gefotografeerd in het natuurreservaat, zodat iedereen kon zien hoe begaan ze is met het milieu. Het slaat echt nergens op. En toch wil mijn moeder genoeg exemplaren voor de hele familie. Ze vindt dit nog leuker dan mijn Stony Brook-beurs.'

'Wauw!' Ik spring van het wagentje af. 'Je hebt hem ge-kregen?'

'Yep,' zegt hij blozend. 'Geldig voor het hele land.'

'Drew, dat is te gek!' Voordat ik het weet, heb ik mijn armen al om hem heen geslagen. En hij slaat de zijne ook om mij heen. Daar staan we dan. Hij ruikt naar deodorant en zilte zeelucht.

'Dankjewel,' zegt hij uiteindelijk.

'Ja...' Ik trek me terug. 'Natuurlijk. Ik bedoel, ik ben zo blij voor je. Je weet wel, omdat we vrienden zijn.'

'Inderdaad,' zegt hij, met zijn hand nog op mijn arm. Hier, naast de snoepautomaat waar je een handje snoepjes krijgt voor twintig cent, en het gratis advertentiekrantje. 'Jess...' Hij komt dichterbij. Zijn neus raakt bijna de mijne.

'Ja?'

'Wie het laatst bij de tijdschriften is, moet ze allemaal be-talen.' Hij rent over het parkeerterrein met mij op zijn hielen.

Tien minuten later heb ik mijn tijdschrift onder mijn ene arm geklemd terwijl Drew achter me aan komt met twee propvolle plastic tassen. We lopen in de richting van mijn Lexus.

'Wil je een lift naar de binnenlanden?' vraag ik zodra ik het portier heb opengemaakt. Ik hoop maar dat ik onver-schillig genoeg overkom om hem bij me in de auto te lokken.

'Dat jij hebt gewonnen, betekent nog niet dat ik een slap-peling ben,' zegt hij. Om te laten zien hoe sterk hij wel niet is, tilt hij de zware boodschappentassen omhoog, maar opent dan het andere portier en stapt in mijn auto. Hij zet de tassen voor zich neer, en ik start de motor en rij weg.

'Goed, laten we eens kijken wat voor mensen die tieners uit *Het echte Hampton Beach* eigenlijk zijn!' Hij legt mijn tijdschrift open op zijn schoot en bladert erdoor terwijl ik in de richting van zijn auto koers. 'Wauw, dat is een lang artikel. Kijk nou, die arme Trisha. Helemaal naakt op een bedje van mos.'

'Komt vast door haar eetstoornis. Ze gaat graag even liggen om erover na te denken. Naakt.'

'Jezus. Jase en een surfboard? Volgens mij heeft die jongen er nog nooit eerder eentje gezien.'

'Echt? Laat eens zien.' Ik parkeer mijn auto achter die van hem en leun naar hem toe. Hij legt een van de bladzijdes op mijn schoot, en met onze hoofden vlak naast elkaar bekijken we het artikel.

Dan draait hij zich naar me om. Ik blijf naar een van de glimmende plaatjes kijken, maar ben me maar al te bewust van zijn nabijheid. Voelt hij dan niets?

Dan laat hij het tijdschrift los en draait met zijn hand mijn gezicht naar hem toe. Gaat het dan nu gebeuren? Voorzichtig raken zijn lippen de mijne. O God, dit is het dan. We zoenen. We zoenen echt. Ineens maakt het niets meer uit wat er is gebeurd. Ik leg mijn hand in zijn nek, en hij slaat zijn arm om me heen. We willen allebei nóg dichter bij elkaar zijn.

En dan – gerinkel. Drews telefoon.

'Sorry.' Hij ademt uit tegen mijn haar. Ik wil helemaal niet dat hij me loslaat. Maar helaas, zijn hand ligt al niet meer in het holletje van mijn rug. Langs me heen kijkt hij naar een in het rood geklede man die bij de ingang van de supermarkt kwaad in zijn telefoon roept. Hij kijkt ons recht aan. 'Shit, dat is mijn baas. Ik moet terug!'

'Ja, schiet maar op,' zeg ik zonder al te veel enthousiasme.

Nog steeds blozend haalt hij zijn sleutels uit zijn zak en speelt met zijn sleutelhanger. Ik blijf stil zitten, ook al zou ik het liefst mijn Georgetown-shirt van mijn lijf scheuren. Ik wil alles wel van mijn lijf scheuren.

'Het spijt me, ik moet echt gaan.' Het spijt je? Wat spijt je precies? Dat dit nu niet meer lastig is? Dat we nu niet alleen maar vrienden zijn? Hij opent het portier, stapt uit en gooit de tassen in zijn eigen kofferbak. Dan loopt hij op me af en laat ik het raampje zakken. 'Zie ik je morgen op het feest?' vraagt hij.

'Anders pleeg ik contractbreuk.'

'Dan kunnen we misschien daarna iets gaan doen?' Hij glimlacht zijn heel mooie glimlach. 'Dat lijkt mij wel een goed idee.'

'Is goed.' Ik knik.

'We kunnen naar een kookprogramma gaan kijken.'

'Of ons uitkleden. Allemaal prima. Prima!'

Hij strekt zijn arm en laat zijn vingers over mijn lippen glijden. 'Cool.'

'Cool,' zeg ik ademloos.

Grijnzend draait hij zich om. 'Hé, O'Rourke, ben blij dat we dat achter de rug hebben,' roept hij me na.

Wauw. Wauw! Ik haal mijn telefoon tevoorschijn om Caitlyn het goede nieuws te vertellen. Gelukkig besef ik op tijd dat ik beter kan wegrijden, anders lijkt het alsof ik op hem sta te wachten.

Ik leg het tijdschrift voor me op het stuur en rij dan langzaam naar de uitgang van het parkeerterrein. Daar blijf ik een tijdje staan, wachtend totdat het licht op groen springt. Ondertussen kijk ik naar de foto's in het tijdschrift. Het is echt idioot. Daar staan we allemaal. Maar het is net alsof het onbekenden zijn. Jezus, zijn mijn tieten echt ongelijk? Ik sla de bladzijde om, en lees de tekst die over een foto van mij heen is geplakt, vlak na het lopend buffet in Mexico. Om mijn buik is een cirkel getekend. Er staat bij: *Jesse O'Rourke zwanger van Jase McCaffrey!*

Het lijkt wel alsof de temperatuur plotseling is gedaald. Vanaf hier kan ik nog net de laatste glimp van Drew opvangen. Hij grijnst naar me en zwaait even, voordat hij de winkel binnengaat.

'Jesse?'

Ik hef mijn hoofd van het plekje tussen mijn knieën en kijk naar de streep licht die onder de dichte deur door mijn kast binnenkomt. 'Ja?'

Mijn vader schraapt zijn keel. 'Ben je... ben je zwanger?'

'Natuurlijk niet!' Ik duw de deur open en knipper tegen het felle licht van de ondergaande zon. Zodra mijn ogen zijn gewend, zie ik mijn vader bezorgd bij mijn bed staan. Zijn stropdas zit scheef. 'Heeft mam je op je werk gebeld? Jezus!'

'Kun je eruit komen?'

'Nee,' zeg ik met een piepstemmetje. Het is te aantrekkelijk om hier te blijven zitten. Hier kan niemand een foto van me maken en doen alsof er iets heel anders aan de hand is. Ik wil hier blijven. Met mijn kleren die boven me hangen en tegen mijn hoofd aan komen, en de tas vol met oude knuffels om tegenaan te leunen, en de stapel schoenen om me heen. Hier is het goed. Beter dan buiten.

'Jess...' Mijn vader wrijft over zijn neus. 'Het heeft geen zin je in de kast te verstoppen.'

'O,' mompel ik, met mijn hoofd weer veilig op mijn knieën. Maar net als ik de deur weer dicht wil trekken, pakt mijn vader de knop beet.

'We moeten praten.'

'Pap, moeten we hier echt over praten?' Ik trek mijn benen nog dichter naar me toe.

Stilte.

Ik draai mijn hoofd naar hem toe en leg een wang op mijn knie. Zo kijk ik hem aan. 'Heb je het ook gelezen?'

Hij houdt zijn hoofd scheef. 'Jij?'

'Nee. Toen ik thuiskwam, hing mam al huilend aan de telefoon met tante Pat, dus heb ik me hier maar verstopt. En hier wil ik blijven tot ik dood ben. Schijt aan dat feest.'

'Jesse.'

'Wat?' We draaien ons allebei om naar mijn moeder, die

de trap op komt met een fles cognac en het tijdschrift in haar handen. De telefoon heeft ze onder haar arm geklemd.

'De kastdeur is inmiddels open,' zegt mijn vader, en hij gebaart dat ze mijn kamer in moet komen.

'En ik ben niet zwanger.'

Ze laat opgelucht haar schouders zakken. 'Jesse, ik wilde het gewoon zeker weten.' Mijn moeder loopt naar mijn vader toe en legt de telefoon op mijn bed neer. 'Waarom heb je dit aan het tijdschrift verteld? Al die details over je hele leven. Vind je niet dat die dingen privé moeten blijven?'

'In het interview heb ik gezegd dat ik psychologie wilde gaan studeren en dat mijn lievelingsfilm *Don Juan deMarco* is! Ik heb echt niets gezegd over... over iets wat niet eens is gebeurd!'

'Dus je hebt, eh, niets gedaan met Jase McCaffrey?' vraagt mijn vader richting plafond. Ik wil dood.

'Nee, ik heb het niet gedaan met Jase McCaffrey,' kreun ik.

Ze kijken me allebei vragend aan.

'En ook niet met iemand anders! Laat me alsjeblieft gewoon even alleen zijn.' Ik trek de deur dicht.

'Jesse!' gilt mijn moeder geërgerd.

'Nee!' roep ik terug.

'Goed dan.'

Iemand schuift iets onder de deur door, tegen mijn gymp aan. 'Lees dit, en vertel me dan wat ik tante Pat moet vertellen. En de rest van de wereld,' zegt mijn moeder van achter de kastdeur.

Ik wacht even tot ik zeker weet dat ze zijn verdwenen en zoek dan tussen al mijn shirts naar het touwtje van de lichtschakelaar. Ik trek eraan, het gelige licht floept aan en beschijnt voornamelijk de kleren die boven mijn hoofd hangen. Ik probeer iets te hard de rij rokjes weg te duwen, waardoor ze op mijn schoot vallen.

Misselijk van de zenuwen sla ik de glanzende bladzijdes om, langs alle sterren met échte roddels. Zichtbare cellulitis terwijl ze in hun bikini in de branding van Hawaï staan, of met een grote beker koffie op de parkeerplaats. Uiteindelijk kom ik aan bij mijn artikel. Eerst kijk ik naar de foto waarop Drew tegen de pooltafel van Ralph Lauren geleund staat. Drew en zijn tweeënveertig exemplaren voor de familie.

Dan blader ik verder.

En daar sta ik. Ik zit schrijlings op een paard, in een ranzige pose. Ik bekijk de rest van de bladzijde. Er staat: een betrouwbare bron laat weten dat alles een beetje te gezellig werd in Cancún. Een bron? Welke bron? Ik heb nooit iets over Jase gezegd! Er staat ook: de twee hebben een vurige nacht beleefd in het hotel. Volgens onze bron heeft ze Drew gebruikt om bij Jase te komen. Ze noemde haar tegenspeler onder andere een wandelende testosteroncel, en precies wat ze nodig had.

God, laat dit niet waar zijn!

Caitlyn komt in korte broek en op versleten konijnenslofjes aangelopen. Ze grijpt haar hond bij zijn halsband en schuift hem naar achteren om de deur te kunnen openen. 'Ik heb je de hele dag al proberen te bellen...'

'Hou op.' Ik steek mijn bevende vinger in de lucht. Ze blijft doodstil staan. 'Laat allemaal maar zitten.' Ik zet een stapje terug. 'Bel de *OK!* voortaan maar.'

'Hè? Waarom? Jesse, waarom heb je hun precies verteld wat je mij ook hebt verteld? Moest je dat soms zeggen van de producers?' Ze stapt de deur door naar buiten, terwijl ik alweer wankelend terugloop naar de oprit, waar mijn auto met draaiende motor nog staat.

'Ik hoop dat ze je genoeg hebben betaald. Echt waar.' Ik steek mijn hand uit naar het openstaande portier. 'Weet je, ik kan dit allemaal hebben. De hele wereld vindt me nu een achterbakse, zwangere slet, en dat is prima. Ik heb met mijn ouders gesproken over mijn niet-bestaande seksleven, en zelfs dat kan ik aan. En de enige jongen die ik echt leuk vind, met wie het iets zou kunnen worden, wil vast nooit meer een woord met me wisselen. En ook dat kan ik aan. Maar jij, Caitlyn...' Ik plof neer op mijn stoel achter het stuur. De tranen prikken in mijn ogen. 'Jij hebt mijn hart gebroken.'

Dan smijt ik het portier dicht en rij zo snel als ik kan weg. Achter me wordt mijn voormalige beste vriendin steeds kleiner en kleiner.

Het echte leven weer in
8

'Hebben jullie niet een jurk met taille?' vraag ik de styliste die mijn gebruinde benen insmeert met babyolie. Ik word net zo goed klaargemaakt voor dit feestje als een stuk vlees voor op de barbecue. Ik duw mijn handen tegen de witte organza babydoll-jurk en kijk naar mijn spiegelbeeld in de enorme spiegel met mahoniehouten lijst. Mijn ogen zijn nog steeds rood en gezwollen van het huilen in de kast en onder mijn dekbed. Ook voel ik me duizelig van de honger en van verdriet.

'Voorzichtig,' zegt Diane als ik van het bruine papier af stap op de ongelooflijk onpraktische marmeren vloer in het zwembadhuisje.

Maar zelfs door mijn waas van ellende heen zie ik dat dit niet de goede jurk is. 'Hierin lijkt het net alsof… Ik moet mijn taille laten zien,' smeek ik, terwijl Tandy de Van Cleef & Arpels-kettingen zorgvuldig om mijn Griekse kapsel bindt.

'Maar deze jurk past bij deze.' Diane zet de babyolie neer en veegt haar handen af aan haar schort. Ze gaat op haar knieën zitten, pakt een donkerbruine Gucci-tas en haalt er een doos uit, die ze op het marmer zet. 'Helemaal hot volgend seizoen. Je moet hier zo lang voor op de wachtlijst staan dat zelfs je kleinkinderen niet…' Plotseling zwijgt ze en bloost diep. Tandy fronst haar getekende wenkbrauwen. Buiten tikt de regen tegen de luiken voor de ramen.

'Ik ben niet zwanger,' zeg ik zachtjes. Net zoals ik dat al heb gezegd bij het tankstation, in de minimarkt en bij het hek van de hoge piet die dit feest heeft georganiseerd. Het liefst had ik het ook tegen al die rijen doorweekte ouders geschreeuwd die buiten in de regen stonden te protesteren tegen onze, nee, mijn zogenaamde losbandigheid. Waarom heb ik eigenlijk kleren aangetrokken? Ik voel me alsnog vreselijk naakt.

'Nee, ja, ik bedoel... Dit zijn echt dé schoenen van het moment! De Gucci Gladiator Spike.' Ze haalt de deksel van de doos en onder het dunne papier komen twee goudkleurige schoentjes met hoge hakken tevoorschijn, met dikke leren bandjes die eromheen zijn gewikkeld. Vol bewondering wikkelt ze de glanzende leren bandjes er af en zet de schoentjes voor mijn neus neer.

'Minstens tien centimeter.' Ik kijk nu al uit naar alle voetkrampen die ik ga beleven, vooropgesteld dat ik er op kan balanceren met mijn lege maag. Ik kan bijna niets binnen houden, alleen water.

'Elf centimeter. Je bent de Gucci-bruid van de catwalk,' zegt ze enthousiast, en ze houdt zich dan weer bezig met de zoom van mijn jurkje. Het hangt nu wel een hele centimeter onder mijn kruis. Prima. Primaprimaprima! Ik heb vandaag toch iets belangrijkers te doen: Drew terugkrijgen. Ik ga hem de waarheid vertellen, net zoals ik Caitlyn lang geleden de waarheid over Josh Dupree heb verteld. Dat is het enige vergelijkbare wat er ooit in mijn leven is gebeurd. Ik bedoel, wat kun je vergelijken met een situatie waarin iemand twee keer is vreemdgegaan, maar eigenlijk nog helemaal geen vriendje had en waarna een internationaal tijdschrift het opblaast tot een mogelijke zwangerschap? Volgens mij heb ik helemaal geen publiciteitsagent nodig, ik moet iemand van

Desperate Housewives hebben. Drew, het spijt me dat ik twee keer ben vreemdgegaan toen je nog niet eens mijn vriendje was. Ik hoop dat je kunt vergeten dat een tijdschrift het allemaal heeft opgeblazen tot een mogelijke zwangerschap. Later kunnen we hier vast vreselijk om lachen!

Zucht.

Ik ga me gewoon verontschuldigen. En als ik er dan moet uitzien als een Gucci-bruid op de catwalk, dan moet dat maar.

Terwijl ik Dianes hand vasthoud, stap ik in de schoentjes. De bal van mijn voet draagt nu mijn hele gewicht. Kreunend laat ik Tandy en Diane de banden om mijn kuiten binden. Met al hun gezwilmel is het nog een wonder dat ze de schoenen niet likken. Dan laten ze me los en zwaai ik met mijn armen heen en weer om te kunnen blijven staan. Ik leid een wankel bestaan. Verraden, geschrokken, totaal uitgeput, en wankel. Daar zouden ze een XTV-parfumlijn van moeten maken.

'Wauw, Jesse. Gisele kan nog iets van je leren.'

Ik kijk in de spiegel en zie dat Kara door de zijdeur naar binnen is gekomen. Ze heeft haar koptelefoon en microfoontje nog op, haar klembord in haar armen, en aan haar regenjas te zien is ze kletsnat.

'Dank je,' zeg ik, terwijl ik me wiebelend omdraai.

'O jee.' Ze bijt op haar lip. 'Kunnen jullie iets doen aan die ogen van haar?'

'Ze zit al onder de foundation. Nog meer en ze kan haar ogen niet eens meer opendoen. Maar nu je het erover hebt...' Tandy rommelt in de openstaande doos en overhandigt me oogdruppeltjes. 'Twee in elk oog.'

Braaf hou ik mijn hoofd achterover en druppel de koude druppeltjes in mijn ogen. Met een watje maakt Tandy mijn wangen weer droog. 'Kara,' zeg ik al knipperend, 'deze jurk werkt niet erg mee.'

'Sorry, Jess.' Ze bekijkt me van top tot teen en ziet nu wat ik zie. 'O jezus, sorry. Maar we hebben het beloofd. Iedereen in Gucci. Van top tot teen.'

'Waar is iedereen eigenlijk? Waarom worden zij ergens anders klaargestoomd?'

'Fletch dacht dat jullie wel wat privacy konden gebruiken voor de vipreceptie. Het gaat er soms heet aan toe.'

Daar had ik nog niet eens bij stilgestaan. 'Hoe is het met Nico?'

'Ze is onderweg naar het feest.'

'Nee, ik bedoel, hoe gaat het met haar?'

'Erg stil.' Kara kijkt even op het schermpje van haar telefoon en krabbelt iets op haar klembord. 'En Drew heeft Jase neergeslagen, dus die twee zetten we ook niet meer bij elkaar. Trouwens, jullie moeten opschieten. Zo meteen moeten jullie Jase helpen met de blauwe plekken op zijn kaak.' Ze wuift naar de vrouwen, die nu bezig zijn met inpakken.

'Drew heeft Jase geslagen?'

'Jazeker,' zegt Kara zachtjes. 'Kan ik iets voor je doen?'

'Behalve een jurk zoeken die past?'

'Ik bedoelde meer buiten de show. Als je ouders het er moeilijk mee hebben, kan ik wel zorgen dat je bij iemand in de stad...'

'Kara, ik ben niet zwanger! En voor de duidelijkheid: op dit moment bestaat er geen leven buiten het programma!'

Ze knikt en kijkt me vol medelijden aan. 'Het spijt me, Jesse. Dit is allemaal vreselijk uit de hand gelopen. Hier heb ik niet voor getekend, dat je dat maar weet.'

'En ik ook niet,' zeg ik. We kijken elkaar bedroefd via de spiegel aan.

'Laten we maar gaan,' zegt ze met een zucht. Ze trekt haar capuchon over haar hoofd. 'Voor het harder gaat regenen. Buiten staat zo'n golfbuggy om je naar het huis te brengen.'

'Ik vind dat we alles nu moeten uitpraten, voordat we ineens tussen al die prijsvraagwinnaars terechtkomen. Ik zou echt nooit...' Ik voel de tranen weer opwellen.

'Nee!' De drie vrouwen rennen naar me toe alsof ik een jonge hond ben die nerveus ronddraait op een spierwit tapijt. 'Niet huilen! Daar is geen tijd meer voor!'

'Kara? Wat is er aan de hand?' We draaien ons allemaal om naar Fletch, die zo te horen vlak achter de deur staat.

Kara steelt een dot watten van de visagistes en dept mijn ogen. 'We komen eraan, Fletch.'

'Grote goedheid, wat ben je sexy.' Te laat. De dames doen allemaal een stapje terug om Fletch de ruimte te geven. Daar staat hij verlokkend te kijken, in de deuropening, gestoken in een wit pak en met een druipende jrunparaplu in mijn hand.

'Fletch,' begin ik, en ik zet een stap in zijn richting. 'Ik moet de kans krijgen om alles recht te zetten, voordat dit vipgedoe begint. Ik voel me vreselijk...'

Zijn gezicht betrekt. 'Dus als ik het goed heb, voel jij je vreselijk, zit Drew te mokken, is Jase doodsbang, en heeft Nico zich afgesloten. Zijn Rick en Trisha dan de enigen die de memo begrijpen? Dankzij dat artikel in *OK!* kijken er meer mensen dan ooit naar onze herhalingen. Tyra wil je hebben, samen met Jamie Lynn Spears en Ashlee Simpson. Jullie... zijn de meest ondankbare krengen die ik ooit heb gezien, je staat hier in kleding van duizenden dollars, en je hebt voor minstens tien keer zoveel geld aan juwelen om je domme kop gewikkeld, waarvoor je zo meteen je eigen privébeveiliging krijgt. Weet je dan niet hoeveel meisjes hun rechtertiet zouden geven voor zoiets? Word eens wakker, word eens gelukkig. En schiet verdomme eens op!'

Onder de paraplu van mijn bodyguard haast ik mij naar de grote groep prijsvraagwinnaars die op het witte tapijt voor de hoofdingang staat. Wit. Terwijl het regent. Alleen maar omdat echt alles hier spierwit is. 'Jesse, Jesse, we houden van je!' gilt een meisje. Ze barst in tranen uit. Maar voordat ik iets terug kan zeggen, worden er vragen op me afgevuurd: 'Vind je het niet te gek op om tv te komen?' 'Is het allemaal echt zo perfect?' 'Was je van plan om zwanger te raken?' Een eindje verderop zie ik Drew en Nico staan, omgeven door fans. Ze zien eruit als konijntjes in de koplampen van een aanstormende vrachtwagen. Trisha daarentegen ziet er niet zo gewillig uit als altijd.

'Of wilde je Nico gewoon terugpakken omdat zij met Drew ging?' 'Hou je van Jase?' 'Gaan jullie trouwen?' 'Hoe ga je het kindje noemen?'

'Jesse, heb je even? We moeten praten.' Jase ontsnapt aan zijn eigen fans en duwt de mijne opzij. Meteen zwijgen ze en spitsen hun oren.

'Ja hoor,' zeg ik. Tegen de duivel zou ik ook geen nee zeggen, zolang hij me hier maar vandaan haalt.

'Pardon, dames,' zegt Jase charmant tegen de meisjes. Natuurlijk zijn ze allemaal van hem onder de indruk en giechelen dat het een lieve lust is. Ik loop achter hem aan, met de Van Cleef & Arpel-man op mijn wankele hielen. We lopen door de hal naar de kamer vlak naast de bibliotheek. De bodyguard doet de deur achter ons dicht. Zo te zien staat er alleen maar een bad. Geen wasbak, geen wc, geen handdoekenrek. Waarschijnlijk kleurden al die dingen niet goed bij de witte tegeltjes. Jase neemt plaats op de rand van de witmarmeren, ovale kuip. Zo onder de kristallen kroonluchter zijn de blauwe plekken op zijn kaak de enige kleur in het vertrek.

'Jase, je moet me helpen. Leg uit dat het allemaal onzin is en dat we allebei dronken en stom zijn geweest, maar dat er niks is gebeurd.'

Hij ontspant. 'Dus het is niet waar?' Opgelucht haalt hij diep adem.

'Nee, natuurlijk niet!' Ik kijk achterom naar de bodyguard. 'Sorry, mogen we misschien heel even?'

'Ik mag de handelswaar geen moment uit het oog verliezen,' zegt hij, terwijl hij strak voor zich uit kijkt.

'Man.' Jase klapt in zijn handen. 'Dat was even schrikken.'

Verbaasd stap ik naar hem toe. 'Er is helemaal niets gebeurd! Hoe kun je dan denken dat het waar was?' snauw ik.

'Nou ja, ik bedoel, ik was een tijdje van de wereld. Je had best iets kunnen doen toen ik buiten bewustzijn was.'

'We lagen allebei in een coma. En denk je echt dat ik dat met jóú zou doen?'

'Kijk ons nou, alweer in een badkamer...' Hij houdt zijn hoofd een beetje schuin en kijkt me met een uitnodigend op getrokken wenkbrauw aan.

'Nooit meer.' Ik zet mijn handen in mijn zij.

'Maar die schoenen...' Hij glimlacht en kijkt zwoel.

'Die zijn niet van mij en worden teruggestuurd naar Guantánamo zodra we hier klaar zijn. Dus je bent niet van plan me te helpen?'

'Het is niet alsof ík er last van heb. Ik ben Nico helemaal niets verschuldigd, en ik kan nu krijgen wie ik maar wil... In de afgelopen veertien minuten heb ik veertien telefoonnummers gescoord. Ik heb er dus totaal geen last van.'

'Jase,' begin ik, terwijl ik wankelend naar hem toe loop, 'je móét me helpen. Dat moet! Waarom heb je me anders hierheen gesleurd?'

'Ideetje van Fletch.' Hij plukt aan een los wit draadje op zijn blazer. 'En om even zeker te weten dat ik geen pappie word.'

De adrenaline stroomt door mijn aderen. 'Oké. Ten eerste, toom die arrogantie een beetje in. Ten tweede, ik weet dingen over jou. Dingen die ik nog aan niemand heb verteld, en ik zou ze niet graag bekendmaken. Maar als het moet...'

Geschrokken springt hij op. Alle zwoele zelfverzekerdheid

verdwijnt als sneeuw voor de zon. Dan loopt hij langs me heen naar de witgelakte deur. Zijn zolen tikken op de glimmende witte vloer. Vervolgens blijft hij staan, maar draait zich niet om. 'Weet je, jij wilt zo graag aardig zijn. Aardig en echt. Je wilt beter zijn dan alle dingen die in dit wereldje gebeuren. En dan kom je ineens met dreigementen? Dat betekent alleen maar dat je helemaal niet zo perfect en aardig bent. Echt niet.' Dan duwt hij de deur open en loopt weg, langs Kuru heen.

'Jóóóo... Jase!' roept ze hem na. 'Jullie ouders zitten al klaar. Het publiek heeft plaatsgenomen in de balzaal. Tijd voor jullie opkomst.'

We volgen haar door de doolhof op de begane grond, terwijl ze maar onverstaanbare dingen blijft mompelen in haar microfoontje. Jase zorgt ervoor dat hij niet te dicht bij me loopt. 'Goed, we zijn er.' Ze leidt ons naar de rest van de cast en hun bijpassende bodyguards in een gang versierd met albinopythonpatroontje. 'Achter die deur,' zegt ze, 'bevindt zich de afgeladen balzaal. In het midden staat het podium waar de show zo zal beginnen. Blijf maar hier, kanjers, dan kom ik jullie zo halen.'

Ze glipt door de deur naar de zaal, waar nu mijn naam wordt geroepen totdat de fans doorkrijgen dat we nog niet opkomen.

'Nico, Drew,' zeg ik hulpeloos.. 'Ik moet jullie iets vertellen.' Ze kijken me allebei aan met gezichten vol make-up. Jase leunt naar voren, klaar om me onderuit te halen als dat nodig mocht zijn. 'Ze hebben over ons allemaal leugens geschreven. Jullie begrijpen toch wel dat mij hetzelfde is overkomen? Jase en ik hebben het helemaal niet gedaan.' Ik probeer Drews blik te vangen. 'Ik ben niet zwanger.'

'Nou ja, zolang jullie het niet hebben gedaan, is alles goed!' zegt Nico overdreven vrolijk. Daarna draait ze zich om en kijkt mokkend naar de spiegels aan het plafond.

'Echt niet! En Nico, jij hebt in de jacuzzi met Drew gezoend. Het is niet alsof ik de enige...'

'Jullie zijn allebei gewoon een stelletje sletjes,' zegt Trisha.

'Hou je kop,' zeggen we in koor.

Drew slaat zijn armen over elkaar en ziet er gekwetst uit. 'En waarom heeft Jase het dan al sinds Valentijnsdag over jullie avontuurtje?'

'Geweldig hoor,' mompelt Nico. 'Echt perfect.'

'Kom op nou, Nico,' zegt Jase, die bijna ontploft. 'We zijn verdomme pas achttien jaar oud. Je doet alsof we zijn getrouwd!'

'Ik wilde gewoon een vriendje dat alleen van míj was. Sorry dat ik het je zo lastig heb gemaakt.'

Ik kijk Drew aan. 'Ik zweer op mijn oma dat ik je nooit heb gebruikt om bij Jase te komen. Echt niet.'

Drew schraapt zijn keel. 'Het was maar één keertje, toch? In Cancún?' Iedereen staart me aan, en ik word zenuwachtig. Nou ja, het artikel zei niets over de limo, toch? En ik heb al gezegd dat het me spijt.

Ik knik. 'Dus Jase en ik hebben gezoend en gefrummeld. Nico en Drew ook. En Trisha... is gewoon Trisha. En dat was het dan. Dus alles is weer goed?'

'Ja hoor,' zegt Rick schouderophalend.

Hoopvol kijk ik op naar Drew.

Hij bijt op zijn lip, maar knikt dan langzaam.

'Goed dan, jongens. Jullie moeten op!'

Ik probeer mezelf onzichtbaar te maken op de witte bank in de ruimte met het gewelfd plafond. Daar zitten we dan, in een kringetje op het podium, voor de neuzen van de kwijlende fans. Alweer staat er een te groot scherm veel te dichtbij, zodat we eigenlijk niets kunnen zien. Maar het geluid doet het perfect. Ik kan luid en duidelijk horen hoe ik onder Jase in de limo lig te kreunen, terwijl hij de rok van mijn roze jurk omhoogtrekt. Even later hoor ik mezelf in het hotel vragen of Jase de deur al op slot heeft gedaan, terwijl de beveiligingscamera's de beelden vastleggen. We werden inderdaad gefilmd. Blozend, en onder de ogen van duizenden, misschien zelfs miljoenen fans, luister ik naar het zachte gekreun dat van achter de badkamerdeur komt. Even later vertelt Drew Nico in de ananasvormige jacuzzi dat hij niet haar, maar míj leuk vindt. En alsof het allemaal nog niet erg genoeg is, alsof ik niet wanhopig graag door de grond wil zakken, hoor ik mezelf. Het einde van het gesprek met Caitlyn in mijn Lexus. Zo gemonteerd dat het lijkt alsof ik dolgraag mijn grootste geheim prijsgeef aan alle fans die ademloos en met schitterende oogjes toekijken.

Ze hebben microfoontjes in de auto gehangen.

Overal in het hotel hingen camera's.

En dan pas realiseer ik het me. De ruimte lijkt net een waas van kleuren en geluiden.

Ze hebben alles van míj gehoord. Ik ben zelf de bron.

Het echte leven weer in
9

De volgende ochtend word ik in alle vroegte wakker uit mijn droomloze slaap, veroorzaakt door een slaappillotje. Mijn moeder staat in pyjama voor me met de telefoon tegen haar borst geklemd. Ze steekt de hoorn van de tweede aansluiting boven naar me uit. Ik kom overeind. 'Wie is het?' fluister ik met mijn hand over de hoorn.

'Je mentor,' zegt ze. Dit is voor het eerst dat ze weer hoopvol lijkt sinds alle kiosken vol liggen met de roddels over mij. 'Ik heb de school ons nieuwe nummer gegeven. Misschien weten ze iets van je beurzen?'

Net als ik hallo wil zeggen, bedenk ik me. 'Is het veilig?'

'Hoe bedoel je?'

'Denk je dat ze de telefoon ook afluisteren?'

'Nee.' Bezorgd kijkt ze me aan. Met een heel ander soort bezorgdheid. 'Dat denk ik niet.'

Ik knik en druk de hoorn tegen mijn oor. 'Mevrouw Pritchard?'

'Jesse, goedemorgen. Heb ik jullie allebei aan de lijn?'

'Jazeker,' zegt mijn moeder, die naast me op het dekbed komt zitten. Zo te zien heeft haar slaappil minder goed gewerkt dan die van mij.

'Ik ben bang dat ik geen goed nieuws heb,' zegt mevrouw Pritchard voorzichtig.

'Gaat het over de beurs?' vraagt mijn moeder. 'Het komt wel goed, Jess.' Ze knijpt eventjes in mijn knie, maar ziet er niet bepaald rustig uit. 'We vinden er wel iets op. Je hebt altijd je Doritos-geld nog.'

'Mevrouw O'Rourke, ik ben bang dat het probleem elders ligt. Ik was net aan de telefoon met Georgetown. Ze hebben hun aanbod ingetrokken.'

'Wát?' Mijn maag krimpt samen. 'Kan dat?'

'Helaas wel, ja.'

'Maar waarom dan?' vraagt mijn moeder. Ik heb het gevoel alsof ik moet overgeven.

'Geloof me, ik heb ze gesmeekt het niet te doen. Ik heb ze gezegd dat ik voor Jesse instond. Maar het is een jezuïetenschool, mevrouw O'Rourke. En ze zijn het niet eens met deze tv-serie, die pas werd uitgezonden nadat Jesse haar formulieren had ingestuurd. Ze vinden dat ze zich heel ongepast heeft gedragen.'

En dan komt het er allemaal uit. Over de vloer.

Ik laat de sleutels in het contact zitten, zodat de radio kan blijven spelen en de herinneringen aan het gesnik van mijn moeder en het deurenslaan van mijn vader overstemt. Ik neem een grote slok koffie van Dunkin' Donuts om die vieze smaak uit mijn mond te krijgen. Omdat er verder geen andere auto's op de onder zand bedolven parkeerplaats staan, heb ik een mooi uitzicht op het verlaten strand. De golven stromen onder de ondergaande zon ritmisch over het zand.

Maar ik kan alleen maar aan de afgelopen vijf maanden denken. Mijn maag trekt zich pijnlijk samen. Waarom zag ik dit niet aankomen? En waarom kon ik niet gewoon normaal doen? Bijvoorbeeld bij Drew uit de buurt blijven. En al helemaal niet met Jase omgaan. Waarom ben ik niet gewoon op de achtergrond gebleven? Waarom heb ik niet op mijn gevoel vertrouwd, in plaats van te luisteren naar de gebrulde bevelen uit de megafoon? Wat zou er gebeurd kunnen zijn? Ik was misschien uit de serie geschreven, of zou misschien zijn ontslagen. Dat zou allemaal een stuk beter zijn geweest dan dit. Ik druk met mijn vingers tegen mijn voorhoofd en leun voorover tegen het stuur. Al mijn ongelooflijk stomme besluiten komen voorbij in mijn hoofd, als een horrorfilm die ik niet kan stopzetten, stroperig langzaam.

Voordat ik opnieuw over mijn nek kan gaan, trek ik mijn autosleuteltjes uit het contact en gooi het portier open. De zilte zeelucht maakt me ietsjes minder misselijk, en ik kom bibberend overeind. Ik schop mijn schoenen uit en pak ze op terwijl de wind mijn haar in mijn gezicht blaast. Dan loop ik over de planken die me over de duinen naar het strand leiden.

Het hout is nog vochtig van de regen van gisteren, waardoor mijn voeten algauw ijskoud zijn, maar ik ben tenminste alleen. Alleen met het koude zand, de scherpe wind, het zonlicht op mijn gezicht, de zilte lucht en het gekrijs van meeuwen. Allemaal dingen uit het echte leven. Eindelijk voel ik me iets rustiger. Hier bij al deze natuurkrachten voel ik me altijd vreselijk klein en onbenullig. Ik buk en raap een wit steentje op. Het is zo glad als een ei. De meeuwen blijven maar krijsend boven mijn hoofd cirkelen. Maar dan hoor ik nog een geluid. Het wordt bij vlagen meegedragen door de wind.

Ik draai me om en zie Nico in de duinen zitten. Haar gesnik wordt overstemd door het lawaai van de vogels. Ik speur het lege strand af om de oorzaak van haar verdriet te vinden, maar er is niets te zien. Afgezien van mij, haar en de meeuwen is het strand verlaten. Net als ik me wil omdraaien om haar wat meer privacy te gunnen, heft ze haar hoofd op van haar knieën. Zodra ze me ziet, begint ze nog harder te huilen. Shit. Snel ren ik door het zand naar haar toe.

'Hoi,' zeg ik onzeker als ik iets dichterbij ben gekomen. 'Zag je auto niet op de parkeerplaats.'

Ze zit weggedoken in een enorme witte blazer en kijkt me aan. Haar ogen zijn zo dik geworden dat ze bijna dichtgeplakt zijn. 'Ik ben komen lopen.'

Ik haal een paar servetjes uit mijn jaszak. 'Alsjeblieft.'

Ze neemt ze aan en drukt er eentje tegen haar natte gezicht.

'Maak je geen zorgen, ze rúíken alleen maar naar donuts. Er zitten geen calorieën in,' grap ik.

Vreemd genoeg moet ze om mijn stomme grapje grinniken. 'Moet je nu voor twee eten?' vraagt ze, waarna ze haar neus snuit.

'Ja, over acht of negen maanden beval ik van een enorm XTV-logo.' Ik bijt op mijn lip terwijl Nico haar tranen droogt. 'Ik voel me echt klote vanwege Jase, Nico. Ik weet best dat ik het niet meer goed kan praten, maar ik dacht echt dat jij achter Drew aan zat.'

'En laten we eerlijk wezen, dat heb ik ook geprobeerd.' Ze haalt haar schouders op. Shit, dus toch. 'Maar...'

'Maar?' vraag ik, terwijl ik mijn haar achter mijn oren strijk.

'Hij vindt jou leuk, Jesse.'

'Vond,' corrigeer ik. Verslagen plof ik naast haar neer en staar naar de vloedlijn. 'Volgens mij vindt hij me nu alleen nog maar afschuwelijk.'

Ze begint opnieuw te huilen.

'O God, sorry. Heb ik iets verkeerds gezegd?'

Niet in staat iets te zeggen, haalt ze haar hand uit de veel te lange mouw van haar blazer. Ze houdt iets zwarts en glimmends vast. Een telefoon. Een bekende telefoon. 'Ik ben afschuwelijk,' snikt ze.

'Hoe kom jij aan de telefoon van Fletch?' vraag ik.

'Ik heb hem gejat.'

En nu herken ik ook die grote witte blazer die ze over haar witte Gucci-jurkje van gisteravond draagt. Haar blote benen zitten onder de zelfbruiner en het kippenvel. 'Ben je niet naar huis gegaan? Wat is er gebeurd?'

Ze veegt haar tranen af aan de mouw, waardoor er een enorme veeg make-up op achterblijft. 'Je hebt mijn vader toch gezien, gisteren? Toen iedereen jouw naam riep? Hij was helemaal klaar met mij. Dus ging ik na afloop naar Fletch en zei dat dit niet de bedoeling was.' Ze huivert. 'Iedereen haat me. Mensen van school, Melanie, op alle blogs. Ik ben helemaal kapotgemaakt voor veertigduizend dollar.'

'In ieder geval heb je er een mooi bedrag aan overgehouden.' Ik trek mijn mouwen over mijn handen.

Ze trekt haar wenkbrauwen op.

'Oké, ik ben naïef. Ga verder.'

'Dus zegt hij dat ze best een tweede seizoen willen maken. Met nieuwe problemen. En hij bekijkt me van top tot teen, en ik heb zoiets van: die blik ken ik. Zo kijkt iedereen van mijn vaders bedrijf. Daar kan ik wel iets mee. Dus ga ik met hem mee naar zijn strandhuis. Fletch haalt iets te drinken voor me. En dan nog iets. We praten even over auto's. En ik bedoel, hij is niet lelijk of zo, weet je? Dan begint hij over het nieuwe seizoen en dat hij mij de hoofdrol wil geven.' Even zwijgt ze, terwijl ze terugdenkt aan alles wat er die nacht is gebeurd. 'Hij zei dat hij me op de achtergrond hield omdat hij jou een kans wilde geven, maar dat ik er nu klaar voor ben. Ik laat hem iets van mijn benen zien, speel met mijn haar. En dan…' Ze knijpt haar ogen tot spleetjes en gaat zachter praten. 'Hij besprong me. Net zo'n joch van de basisschool. Niet iets voor een oudere man die weet hoe het hoort, of weet ik veel. Het was alsof hij me opvrat.'

'Jezus, Nico.' Ik leg mijn hand op haar afhangende schouder en voel me op een heel andere manier kotsmisselijk.

'Dus ik spring op,' zegt ze, met een snik in haar stem. 'Intuïtief.' De tranen rollen over haar wangen. 'En ik kon het aan hem zien. Hij is klaar. Klaar met me. Net zoals Jase, net zoals mijn vader. Toen hij wegliep om nog een drankje te halen, pakte ik snel mijn tasje en zijn jas en rende weg. Ik ben een verschrikkelijke stomkop.' Dan geeft ze mij de telefoon.

'En deze heb je meegenomen?' vraag ik.

'Het zat in zijn zak. Kijk maar eens naar het filmpje,' zegt ze. Ik tik op het icoontje en kom bij een lijst van video's. Allemaal hebben ze meisjesnamen. All scrollend kom ik bij Trisha. Trisha? Ik tik op haar naam, en meteen verschijnt ze op het kleine scherm. Het is donker, maar ik herken het meteen. In Mexico op het strand. Op het filmpje is ze topless, en ik herinner me dat ik haar in de verte zag toen ik op Drew zat te wachten. Plotseling klinkt de stem van Fletch boven het gegiechel van Trisha uit: 'Nu ben je er klaar voor.'

Er verschijnt een hand in beeld met de *Killah*-tatoeage die ik al eerder heb gezien. Hij omvat Trisha's borst en dan floept het scherm op zwart.

Ik laat de telefoon in het zand tussen ons in vallen en kijk Nico met grote ogen aan. Ik kan het nog nauwelijks geloven. 'Shit.'

'Ik ben gewoon zo stom geweest,' zegt ze. Ze laat haar hoofd op haar opgetrokken knieën vallen.

'Waarom ben jíj stom?'

'Omdat ik hem geloofde. Hij zegt precies hetzelfde als mijn vader.'

'Dat je een geboren ster bent?' raad ik.

'Precies!' Ze snuit haar neus in het servetje, waar nu weinig meer van over is.

'Jezus. Hij is de volwassen man die je meenam naar zijn huis en je probeerde te bespringen! Het is helemaal niet jouw schuld. Dit is niet onze schuld,' herhaal ik ook voor mezelf. 'We hebben gewoon gedaan wat ze van ons vroegen. En zij hebben alles zo verdraaid dat het lijkt alsof we verschrikkelijke mensen zijn. En nu voelen we ons ook zo.'

Eigenlijk verwacht ik dat ze mijn woede beantwoordt met nog een tirade, maar ze staart alleen maar knikkend voor zich uit, over de zee.

'Ik moet hier eigenlijk helemaal niet zijn.' Ze knijpt haar ogen dicht. 'Eigenlijk zou ik nu in de stad moeten zijn, op zoek naar een jurk voor het eindfeest. Of anders zou ik thuis extra bladzijden in mijn jaarboek moeten plakken.' Ze opent haar ogen. 'Iemand heeft mest op ons gazon gegooid en daarna onze deur ondergekalkt met scheldwoorden.'

'Nico, er komt ooit heus wel een eind aan. Over niet al te lange tijd is er vast wel een beroemdheid die zijn onderbroek vergeet aan te doen of die gaat scheiden, of allebei. En dan zijn wij ineens niet meer belangrijk. Ik bedoel, jij gaat tenminste naar de universiteit...'

'Helemaal niet. Mijn vader wil niet meer betalen. Ik heb mijn kans gehad en hem verprutst, zegt hij, dus nu wil hij geen geld meer in me steken. Hij zegt dat ik mijn moeder achterna ga.'

'Jezus.'

'En weet je, hij heeft nog gelijk ook. Ik heb helemaal niet mijn best gedaan. Zodra ik merkte dat jij de favoriet van het publiek was en ik zag hoe mijn vader daarop reageerde, ben ik gewoon... Eigenlijk wilde ik wel weten wat hij zou doen als het me niet zou lukken. Zou hij nog steeds van me houden?' Als we allebei zwijgen, draait ze haar behuilde gezicht naar me toe. 'Toen ik twaalf was en bezig was met al die plaatselijke schoonheidswedstrijdjes, zorgde hij er altijd voor dat ik de naam van zijn autobedrijf op mijn kleren had. Alsof ik meedeed aan een race of zo.' Ze kijkt naar de witte Gucci-schoenen die verloren naast haar voeten liggen. 'Ik ben een beetje beroemd geworden, dus nu kan ik beter helpen met het verkopen van auto's.'

'Maar als jij later zijn bedrijf mag overnemen, kan dat nog goed uitkomen.'

'Maar dat wíl ik helemaal niet.' Ze legt haar hoofd weer op haar knie.

'Wat wil je dan wel?'

'Dat weet ik niet… Ik wil kunnen kiezen, denk ik.' Ze snift. 'En jij?

'Ik ook,' antwoord ik. Van een afstandje zie ik een van de meeuwen een duikvlucht maken, om dan weer in volle vaart naar boven te vliegen.

Plotseling komt er gerinkel uit het raam. Uit de telefoon van Fletch, om precies te zijn. We staren allebei naar de telefoon alsof die net zo gevaarlijk is als de video uit *The Ring*.

'Is hij het?' vraagt ze.

Ik pak de telefoon op en kijk naar het nummer op de display. 'Geen idee. Het komt wel uit de buurt.'

'Gooi maar in zee,' stelt Nico voor. Maar in plaats daarvan staren we zwijgend naar de telefoon, tot die weer stil is.

Maar als er ook al gerinkel opstijgt uit mijn broekzak, schrikken we ons dood. Ik overhandig haar de telefoon van Fletch en vis die van mij uit mijn broekzak. Ik kijk op het scherm. 'Nooit gedacht dat het nog een hele opluchting zou zijn als Kara belt. Ik bedoel, in ieder geval gaat zij me niet uitschelden om daarna meteen weer op te hangen.'

Nico glimlacht flauwtjes, en ik neem op.

'Hoi Jess! Met Kara.'

'Hoi.' Ik zet de telefoon op speakerfunctie, en Nico leunt naar me toe om het beter te kunnen horen.

'Geweldig nieuws! We hebben de kijkcijfers van gisteravond binnen, en ze zijn echt toppie, hoor! Ze zijn al superenthousiast over het volgende seizoen! Echt te gek! We hebben er hard voor gewerkt, en nu krijgen we onze beloning, Jesse! Dus we komen allemaal naar Fletch' strandhuis, over een halfuurtje, oké?'

'Ja hoor,' zeg ik, terwijl ik naar de einder kijk. Ik kan maar heel eventjes nadenken. 'Het probleem is alleen dat ik al met Nico naar de stad ga om onze jurken voor het eindfeest te kopen. Dus vandaag kan ik niet. Sorry.'

Nico glimlacht.

'Maar Fletch wil ons nu zien, dus...'

'Tenzij jullie naar de stad komen, zie ik niet in hoe dat gaat lukken,' probeer ik, terwijl Nico haar duim omhoogsteekt. We zijn allebei blij dat we Fletch vandaag niet hoeven te zien.

'Maar dat vind Fletch niet zo fijn, Jesse.'

'Verdomme,' hoor ik hem op de achtergrond tieren. 'Zeg haar dat ze nú hierheen moet komen. Ik heb schoon genoeg van haar gezeik.'

'Maar Fletch,' zegt Kara, 'ze is in de stad met Nico...'

'Nico?' zegt Fletch verbaasd. Nico legt haar hand op de mijne en luistert geboeid. 'Prima... geweldig. Heel fijn. Nou, dan moeten ze allebei maar in de auto stappen en hierheen komen.'

'Jesse,' smeekt Kara.

We horen gerommel en ineens heb ik Fletch aan de lijn. 'Kom hier.'

Maar natuurlijk. 'Nou kijk, ik vind het niet zo fijn als je in de imperativus tegen me praat,' zeg ik terwijl ik Nico's hand losmaak van mijn telefoon.

'Imperativus?' schreeuwt Fletch. 'Waar heb je het over?'

'Kom hier, houd je hoofd zo, houd je hoofd zus, schiet eens op... Sorry, ik bedoel, schiet verdomme eens op. O ja, en mijn persoonlijke favoriet: lachen.' Ik ben echt woedend. Nico's ogen puilen bijna uit haar hoofd. 'Imperativus is een Latijns begrip dat ze je leren op scholen zoals bijvoorbeeld Georgetown, alleen zal ik daar helaas niet naartoe gaan omdat jullie tegen ons hebben gelogen. Over wat jullie zouden filmen, over welke beelden jullie gingen gebruiken, over hoe jullie óns zouden gebruiken. Dus, oké, Nico en ik zijn bijna bij de tunnel. Waarschijnlijk wordt de verbinding zo verbroken. Fletch? Fletch? Ja, zie je wel. Sorry, tot ziens!'

Met een bonzend hart hang ik op.

'Wauw.' Nico kijkt me vol bewondering aan.

'Dank je,' zeg ik zacht. Ik bijt op mijn lip.

Mijn telefoon rinkelt.

De telefoon van Fletch rinkelt.

Uit Nico's tas stijgt gezoem op.

'Ze blijven het proberen,' zegt Nico. Verslagen laat ze haar hoofd zakken. 'Ze komen ons vast thuis opzoeken. Als Fletch kwaad is, dan...'

'Dan hebben ze ons dus nodig.' Ik realiseer het me nu pas. We hebben wel degelijk macht. Meteen open ik mijn telefoon en neem op. 'Ja?'

'Jesse, met Kara. Het spijt me verschrikkelijk van Georgetown. We zullen proberen om het weer goed te maken. Maar nu moeten jullie echt naar het strandhuis. Fletch wil jullie allebei spreken...'

'Hoe gaan jullie het goedmaken? Krijg ik een nieuw shirt? Of een bierhoudertje?'

Op de achtergrond hoor ik geschuifel, en dan komt Fletch aan de lijn. 'Ik weet niet wat jullie je in het hoofd...'

'Volgens mij ben ik de tv-sensatie van de week.' En als we dan toch in levenden lijve moeten verschijnen, zorg ik er wel voor dat Nico niet weer terug hoeft naar de plaats delict. 'Dus als je wilt onderhandelen, kom je maar naar ons toe, in de stad. Bij XTV, drie uur.'

Dan hang ik op en richt me tot Nico.

'Waar ben je mee bezig?' vraagt ze terwijl ik haar overeind help.

'Ik heb geen flauw idee.'

'Je hebt geen idee,' herhaalt ze. Ze trekt de blazer strak rond haar lichaam om warm te blijven.

'Geen flauw benul.' Ik veeg het zand van mijn spijkerbroek. 'Maar we hebben hier een telefoon die we eigenlijk niet zouden moeten hebben. Dat is al een begin.'

Op de parkeerplaats bij de print- en internetshop spring ik op de bestuurdersstoel en werp twintig versgebrande disks op Nico's schoot. Ze zijn nog warm.

'Mijn hemel!' gilt ze. 'Heb je zelfs een reservekopie of twee gemaakt?'

'We laten er negentien slingeren en nemen er eentje mee.'

'Briljant. Mijn beurt.' Ze wijst omhoog naar de stoffen bekleding van het plafond, die netjes in tweeën is gesneden. Stralend laat ze de twee microfoontjes en een zendertje zien die in haar handen liggen. 'Ik ben naar de winkel op de hoek gegaan en heb een magneet en een scheermesje gekocht. Zodra ik wist waar het zendertje zat, heb ik het snoer gevolgd naar de microfoontjes. We zijn veilig.'

'Misschien ben je dan geen geboren ster, volgens mij zou je het heel goed doen in *Charlie's Angels*.' Ik rij de parkeerplaats af; de ene helft van de disks verstoppen we bij mij thuis, de andere bij Nico. Dan scheur ik naar de Long Island Expressway en hoop maar dat we Fletch voor blijven.

'Wat willen we eigenlijk?' vraag ik aan Nico terwijl ik harder rij dan toegestaan.

'Keuzes.'

'Precies.' Ik zet de radio aan en er klinkt een nummer van Coldplay. Hetzelfde nummer dat XTV in de limo liet horen aan mij en het vriendje van mijn passagier. Snel zet ik de radio weer uit.

'Dus het is nog niet over,' mompelt ze terwijl ze het raampje opent.

'Ik zei toch op het strand...'

'O, sorry. Heb je er al genoeg van? Tja, ik ook, maar jammer genoeg zie ik op tv elke dag weer hoe mijn vriendje er met iemand anders vandoor gaat.'

Ik bijt op mijn tong om geen onnodige grapjes te maken over Trisha. 'Moet ik voor elke herhaling op tv apart mijn excuses aanbieden?'

Even is het doodstil in de auto. Allebei beseffen we ineens met wie we aan deze missie zijn begonnen, en hoe gevaarlijk het eigenlijk is. We zijn volledig van elkaar afhankelijk. Ik probeer niet meer te denken aan die keer dat ze totaal ongevoelig was voor mijn smeekbedes in de club. Het feit dat ze heeft toegegeven dat ze wel iets met Drew heeft geprobeerd, maakt het alleen maar erger. En kan zij me vergeven voor tweeëntwintig minuten van beelden vol verraad, die tot in de eeuwigheid zullen worden herhaald?

Voor we het weten zitten we al in de tunnel. Gelukkig is het geen spitsuur. Ik rij naar het westen, richting Times Square. Bij een stoplicht kijk ik even hoeveel geld ik heb, en dan parkeer ik in een garage.

'Heb je nog wat kunnen slapen?' vraag ik bij het uitstappen. Over de daken van de dicht opeen geparkeerde auto's kijk ik of ik iemand zie.

'Een klein beetje. Hebben we al een plan?' vraagt ze.

'Alleen als jij in je slaap iets hebt verzonnen.' Ik open de kofferbak en haal een spijkerbroek en een trui tevoorschijn uit de stapel kleren die daar in de loop der tijd is beland en gooi ze naar Nico. Ze opent het portier naar de achterbank en laat haar schoentjes op het asfalt staan. Nog één keer kijk ik of er iemand aankomt en draai me vervolgens om zodat ze zich veilig kan omkleden op de achterbank. 'Maar we hebben nu wel een mantra.'

'En die is?' Ze ligt op haar rug en trekt mijn jeans over haar heupen. Mijn broek is veel te kort voor haar. Dan trekt ze haar schoentjes en de blazer van Fletch weer aan.

'Alles wat mijn ouders nooit hebben gehad,' antwoord ik, terwijl ze haar Gucci-troep op de achterbank dumpt en het portier dichtsmijt. 'Keuzes.' Dan kijken we naar de lift, waarmee een man in uniform naar de parkeerplaats afdaalt. We lopen naar hem toe om hem de sleutels te geven.

Met onze mantra in gedachten, en onze zo herkenbare gezichten zo onopvallend mogelijk naar beneden gericht, lopen we door de naar de gigantische reclameborden gapende toeristenmassa op Forty Fifth Street. Met onze ellebogen weten we ons een weg te banen naar de draaideuren van het gigantische glazen gebouw. We passeren het enorme ronddraaiende logo van XTV en komen in de lobby, waar het heerlijk stil is. We lopen snel door, want als we stil blijven staan verliezen we waarschijnlijk onze moed. Over de bruingevlekte vloer bereiken we de lift, en zodra we op de volgende verdieping zijn, spoeden we ons naar de balie. We halen allebei ons rijbewijs tevoorschijn. 'Nico Sargossi en Jesse O'Rourke voor Fletch Chapman, alstublieft. Hij verwacht ons.'

De stevige beveiliger telefoneert met iemand en wijst dan naar een rij metaaldetectors. We lopen erdoorheen en gaan dan voor het eerst niet de lift in naar de studio, maar nemen in plaats daarvan de lift naar de verdieping van de leidinggevenden. Ik stap achter Nico aan naar binnen, bestudeer het bord naast de batterij knoppen en druk dan op knop 33 voor XTV, die tussen nog veel meer andere entertainmentbedrijven zit in geperst, allemaal onder leiding van Zeus Media.

'Dit is echt idioot.' Ik draai me om naar Nico. Volgens mij ben ik nu nog veel zenuwachtiger dan voor *The Oprah Winfrey Show*. De lift komt in beweging en we worden meegevoerd naar boven. Ik kan het in mijn oren voelen. Eerst komen we langs *Animal World* op nummer 31, *Fashion Network* op 32 en dan staan we stil en gaan de deuren open. 'We kunnen toch niet binnenvallen zonder plan? Wat gaan we in vredesnaam doen?'

Dan steekt Nico haar hand uit en drukt op knop 40, het hoofdkwartier van Zeus Media.

'Nico, wat doe je?' vraag ik terwijl de deuren zich opnieuw sluiten.

'Ik doe waar ik goed in ben,' zegt ze. Ze straalt een klein beetje van haar vroegere zelfvertrouwen uit. Bezorgd stel ik me voor dat ze zo meteen uit de lift stapt om een stel radslagen te laten zien. Ik voel me een beetje misselijk.

Dan gaan de deuren opnieuw open en staan we in een witte marmeren hal die eruitziet als een receptie. Het plafond is verguld. 'Kan ik u helpen?' vraagt de receptioniste van achter de witleren balie met goudkleurige versieringen. De vrouw van middelbare leeftijd kijkt ons achterdochtig aan.

'Hoi. Wij zouden graag meneer Hollingstone willen spreken,' zegt Nico stralend. Ik moet mijn best doen niet ter plekke flauw te vallen.

'Jullie hebben geen afspraak,' zegt de receptioniste. Haar vinger hangt al boven de alarmknop. Ik sta klaar om terug te hollen naar de lift. Of zelfs naar het strandhuis van Fletch, als hij dat zo graag wil. We zijn maar twee achttienjarige meisjes uit een dorp met ongeveer evenveel inwoners als er mensen in dit enorme gebouw werken.

Maar Nico geeft niet op. 'Eigenlijk zouden we beneden bij Fletch moeten zijn,' zegt ze samenzweerderig, alsof Fletch het grootste geheim ooit is. De receptioniste reageert niet. 'Fletch Chapman van XTV,' verduidelijkt Nico.

'Fletcher, ja, natuurlijk,' zegt de receptioniste. Ze kijkt ons nog steeds wantrouwend aan.

'We zijn van *Het echte Hampton Beach*,' leg ik uit zodra ik mijn stem weer terug heb. 'Jesse O'Rourke?'

'O mijn hemeltje!' zegt ze glimlachend. Ze kleurt rood van schaamte. 'Nico en Jesse! Ik ben een groot fan van jullie. Het spijt me verschrikkelijk!'

Nico neemt met haar perfect gevormde achterste plaats op een hoekje van het witte leer. 'We waren in de buurt en wilden niet weggaan voordat we Alistair persoonlijk konden bedanken voor alles wat hij voor ons heeft gedaan.'

Ja. Dit kan ze het allerbest.

'Hem bedanken?' De receptioniste knippert met haar ogen. Net als ik. 'Natuurlijk. Dat is... heel aardig, dames.' Ze drukt op een knop op de telefoon. 'Meneer Hollingstone? Twee speelsters uit *Het echte Hampton Beach* staan hier voor me, en ze willen u graag even bedanken.'

'Is er nog iemand bij?' klinkt het uit het marmer.

'Niemand, meneer. Ze zijn gekomen voor meneer Chapman.'

Dan floept de intercom uit.

'Prachtige trui heeft u aan,' zegt Nico vol bewondering, kijkend naar de twinset van de receptioniste.

'Dankjewel.' Blozend strijkt ze over haar parelsnoer, en dan vliegt plotseling de deur open. Daar staat de bejaarde grote baas van de negenendertig verdiepingen vol mediaschatten die zich nu onder onze voeten bevinden.

'Dames,' zegt hij vriendelijk. Hij steekt zijn hand uit naar Nico. 'Jullie hebben geen begeleider?' Hij kijkt achter ons om te zien of de receptioniste de waarheid sprak.

'Nee, ik hoop dat u dat niet erg vindt,' zegt Nico. Ze geeft hem dapper twee zoenen voordat ze zijn kantoor in loopt. Dat is nu al de tweede persoon op deze verdieping die Nico aan het blozen heeft gekregen. Zo goed ben ik niet. Zenuwachtig geef ik hem een hand en glimlach schaapachtig.

Maar zodra ik doorheb dat hij niet van plan is ons eruit te laten gooien, kijk ik eens goed om me heen. Het ouderwetse kantoor met houten panelen heeft prachtig uitzicht over Central Park, en overal staan bestsellers, Emmy's, Oscars en Tony's, posters, kartonnen figuren, voetballen, frisbees en bierhoudertjes. En vlak naast zijn bureau, boven op een schildersezel, staat een enorme poster voor de promotie van *Het echte Hampton Beach: tweede seizoen!* Al onze foto's uit de shoot van *OK!* staan naast elkaar voor een foto van een zonsondergang op het strand. De keu is uit Drews handen gefotoshopt, en het paard is van onder mijn kont gewist.

'En, wat kan ik doen voor de huidige pareltjes in de kroon van xtv?' vraagt hij terwijl hij tegen zijn bureau aan leunt. Even kijkt hij op zijn horloge, zo snel dat ik me afvraag of ik het wel echt heb gezien.

'We wilden u gewoon graag een keertje ontmoeten,' zegt Nico. 'En we wilden u natuurlijk ook bedanken. O, kijk eens!' Ze wijst naar de poster en kijkt erbij alsof ze net een nest jonge poesjes, verpakt in puppy's met een sausje van babyeendjes, heeft gezien. 'Wat spannend!' Wat is ze van plan?

'Dat is het zeker!' beaam ik, hevig knikkend. 'Spannend!'

'Weet je, Jess en ik zouden eigenlijk beneden moeten overleggen over het tweede seizoen. Hé, wilt u misschien mee?' vraagt ze al net zo verleidelijk als een pornoster die voor je uit de kleren wil.

Opnieuw kijkt hij heel even, heel snel op zijn horloge. Goede reflexen. 'Dat lijkt me ontzettend leuk,' zegt hij. Dan pakt hij haar uitgestoken hand vast en slaat die om zijn in kasjmier verpakte bovenarm. 'Hoe oud is Fletch tegenwoordig? Scheert hij zich al?' vraagt hij grinnikend als we het kantoor weer uit komen. 'Eudora, houd mijn telefoontjes even tegen. Ik breng deze lieve jongedames even naar het kantoortje van Fletch. Ben over tien minuutjes weer terug.'

'Wat ben je van plan?' fluister ik in Nico's oor terwijl hij zich met de liftknopjes bezighoudt.

'Wat is jouw plan?' antwoordt ze. Alweer denk ik terug aan de club. Toen kon ik haar niet vertrouwen. Wat kan ze nu doen, mij van de toren duwen voor haar eigen bestwil? Zou ik dat zelf ook doen?

We stappen de lift in. Nico ratelt maar door over hoeveel we van het programma zijn gaan houden en hoe gelukkig we zijn. Dan gaan de deuren open en staan we in een lange metallicblauwe gang met alleen aan het einde een deur. De lampen die aan weerszijden van de gang hangen, vloeien over van rood naar blauw naar groen, en overal hangen platina platen, en foto's van Fletch met zo ongeveer elke beroemdheid ter wereld, van Kid Rock tot Charlotte Church.

Eindelijk klopt meneer Hollingstone met zijn knokkels vol levervlekken op de deur van het kantoortje van Fletch.

'Fletch, ze zijn er,' zegt Kara wanneer ze opendoet. 'Meneer Hollingstone!' Snel springt ze achteruit. 'Wat een verrassing!' We volgen haar naar binnen. Het kantoor van Fletch heeft dezelfde metaalachtige glans als de gang, overal zie je wit leer, grijs tapijt en zebraprint, en er is zelfs een heuse zitkuil. Het is wel duidelijk dat hij handenvol geld heeft uitgegeven om het eruit te laten zien alsof het is ontworpen door een topdesigner.

Zodra Fletch zijn baas ziet staan, hangt hij de telefoon op en haalt zijn in hoge gympen gestoken voeten van zijn glanzende bureau af. Nico kijkt hem onzeker aan.

'Hebben jullie een mooie jurk kunnen vinden?' vraagt Kara, terwijl ze om de beurt naar haar baas en de baas van haar baas kijkt. 'Ze waren gaan winkelen, meneer Hollingstone, voor een jurk voor het eindfeest! Waarom hebben wij daar niet aan gedacht? Jurken passen! Of een online enquête. Laat de kijkers jullie jurken uitkiezen. Of anders een prijsvraag voor designers, gesponsord door een tijdschrift!'

Fletch komt naar voren als een klein kind. Eindelijk gedraagt hij zich eens zoals hij zich hoort te gedragen, aangezien hij nauwelijks ouder is dan wij. Hij steekt zijn handen uit. 'Alistair!'

'Fletch.' Alistair staat hem toe zijn hand te schudden en hem een schouderklopje te geven. 'Ons *enfant terrible*. Je

hebt je dit seizoen weten te redden. Jullie staan weer aan de top qua inkomsten. Het is fijn om te zien dat jullie ons niet altijd maar naar beneden weten te halen.'

'Graag gedaan.' Nico schudt haar haren los en ziet er weer een stuk zelfverzekerder uit.

Alistair grinnikt. 'Nou, ik wilde de meisjes alleen maar even wegbrengen. Pas goed op ze, Fletch. Ze zijn veel geld waard.'

Daar wordt Nico nog dapperder van. Ze trekt haar blazer uit en gooit hem naar Fletch. 'Over oppassen gesproken, dankjewel dat ik dit mocht lenen,' zegt ze. Ze recht haar rug en heeft haar ogen strak op Fletch gericht. Kara staart haar niet-begrijpend aan.

'Goed zo! Nou, leuk om je weer eens te zien, Alistair.' Fletch steekt zijn hand uit naar de deur om zijn baas weg te werken. Zijn blazer houdt hij stevig vast.

'Het was me een waar genoegen, dames.'

'Tot ziens! Dank u wel!' We zwaaien tot Fletch de deur dicht heeft gegooid.

Zodra de voetstappen van meneer Hollingstone niet meer hoorbaar zijn, draait Fletch zich om. 'Ga zitten.'

Nico blijft staan. Ik blijf ook staan. Ze strekt haar hand naar hem uit om hem die oerlelijke telefoon te laten zien. 'Ben je iets kwijt?'

'Die is niet van mij,' zegt hij veel te snel. Dus zo ziet Fletch eruit als hij is overmeesterd. Niet slecht.

Fronsend bekijkt Kara de telefoon met de glitterschedel en de gekruiste glitterbeenderen. 'Jawel, die is van jou.'

Nico en Fletch staren elkaar woedend aan. Dan neem ik de telefoon van haar over en loop over het grijze tapijt naar de witleren bank in de zitkuil. 'Kara, je weet dat Fletch een geweldige producer is. Maar wist je dat hij in zijn vrije tijd ook geweldige filmpjes maakt?' Ik praat zo hard mogelijk om Nico in mijn plan te betrekken. Snel loopt ze weg van

Fletch en komt bij me zitten, op de armleuning van de bank.

Ik leg de telefoon voor me op het zwarte Lucite-salontafeltje.

Fletch loopt ook de zitkuil in. Hij haalt zijn handen door zijn warrige haren en ploft dan op de bank tegenover ons. 'Weet je, Kara, ik was van plan het je te vertellen.' Hij legt zijn enkel op zijn knie en friemelt nerveus aan de zoom van zijn jeans. 'Nico maakte het een beetje bont op het feest van gisteren. Ik heb haar mijn jasje gegeven en haar toen naar huis gebracht. Geen probleem.' Hij steekt zijn handen in de lucht alsof hij het hele voorval wegwuift. Nico verstijft.

'Is het zo gebeurd, of heb je de beelden zo aan elkaar geplakt?' vraag ik snauwend.

Kara kijkt van mij naar de woedende Nico en dan naar de verstarde Fletch. Eindelijk krijgt ze iets door. Dan leunt ze tegen de verwarming aan en plet met haar rug de lamellen voor het raam.

'Weet je, Fletch,' zeg ik. Mijn stem trilt een beetje, van woede en van angst. Wat als ik niet vol zelfvertrouwen overkom? 'Nico en ik hebben heel wat moeten opgeven voor jouw programma. Eigenlijk alles. En jij hebt er heel veel geld aan verdiend.'

'Jullie zijn nu beroemd,' zegt Fletch. Hij zakt achterover, alsof ik net zo spannend ben als het weerbericht.

'Maar zonder keuzes, zonder mogelijkheden,' zegt Nico kil.

'Ik ben van Georgetown afgetrapt,' zeg ik met harde stem. 'Nico is haar... beurs kwijt. Ik wilde helemaal niet beroemd worden, ik wilde...' Ja, wat wilde ik eigenlijk? Ik staar langs Kara heen door het raam, door de uit elkaar geschoven lamellen heen, waardoor ik de bovenste verdiepingen kan zien van de andere kantoren. In ieder van die gebouwen bevinden zich een Fletch en een Alistair, de hoge pieten die de bevelen uitdelen. En dan weet ik het. 'We willen best meedoen aan het tweede seizoen…' Ik zwijg even. Nog steeds moet ik vorm geven aan die mogelijkheden van Nico. Kara en Fletch wachten gespannen af. 'In ruil voor een volledig betaalde studie op New York University voor mij, Nico en mijn vriendin Caitlyn.' Met grote ogen staart iedereen me aan. 'Bovendien heeft Caitlyn vanaf nu ook een rol in de serie. Ze is heel grappig. En weet je, dat is nou precies wat deze show kan gebruiken. Iets grappigs tussen alle zonsondergangen en zwijgende mensen in.'

'Inderdaad,' mompelt Nico.

'Wacht even, ben je wel aangenomen op New York University?' vraagt Kara verbaasd.

'Ik heb me er niet aangemeld.'

'Ik ook niet.' Nico kijkt me angstig aan. Maar ik zet door.

'Maar ik weet zeker dat jullie wel wat kunnen regelen nu jullie ze de Hollingstone Library hebben geschonken, waar ik trouwens al een keer ben wezen kijken.' Ik leun achterover en sla mijn klamme handen in elkaar.

Fletch kijkt me een hele poos zwijgend aan en zegt dan: 'Jullie idioten. Denk je nou echt dat het Alistair iets kan schelen wat er op die telefoon staat? Zonder mij waren jullie nergens. Ik heb voor drankjes, jongens en roem gezorgd. Jesse, ik wist meteen al dat ik jou aan Jase zou kunnen koppelen, het duurde gewoon even voordat ik de juiste omgeving en voorwaarden had gecreëerd. En Nico, jouw onzekerheid vroeg er gewoon om gebruikt te worden.' Grijnzend leunt hij met zijn elleboog op zijn knie. 'Het is mij een groot genoegen om jullie een voor een in de ogen te kijken en jullie te vertellen dat jullie van mij zijn. Jullie ouders hebben jullie weggegeven voor veertigduizend dollar en een paar zakken chips. En vanaf nu doen jullie wat ik wil, waar ik wil en wanneer ik wil, tenzij jullie contractbreuk willen plegen. Of hebben jullie families soms een paar miljoentjes liggen die ze graag kwijt willen aan een rechtszaak? Sta op, ga terug naar Long Island en we bellen zodra we een schema hebben opgesteld.'

Even is het doodstil. Al onze hoop lijkt wel opgezogen te worden door het dikke grijze tapijt. Geen keuzes, geen mogelijkheden. Zo te horen heeft Nico al moeite met ademhalen. Ik kijk naar het zelfgenoegzame gezicht van Fletch, en dan naar Kara.

'Wat staat er eigenlijk op die telefoon?' Ze loopt naar ons toe.

Zonder op uitleg van Fletch te wachten, gris ik de telefoon van het tafeltje, scroll naar het filmpje en druk op de afspeelknop. Dan hou ik de telefoon voor de neus van Kara, die met open mond toekijkt. Ze verbleekt helemaal.

'Trisha is nog maar net achttien,' zeg ik.

'Prima, toch? Helemaal legaal,' snauwt Fletch.

Geschokt kijkt Kara op. Dan steekt ze de telefoon uit naar Fletch. 'Wacht even!' Ik spring op, pak de telefoon terug en scroll door de lijst met filmpjes tot ik bij Mel aankom. Waarom heb ik daar nog niet eerder aan gedacht?

Dan hou ik de telefoon voor me uit, zodat we allemaal mee kunnen kijken. Melanie zit halfnaakt op haar knieën boven op Fletch en is druk bezig hem te plezieren. Allemaal horen we hem luid en duidelijk roepen: 'Klaar voor ontlading.'

'Mel is nog maar zeventien. Dat is illegaal,' legt Nico toonloos uit. Ze doet haar best haar woede binnen te houden. 'Dat verhaal zou ik graag aan onze nieuwe vrienden van *OK!* vertellen.'

'Jezus, jullie maken van een mug een olifant.' Fletch staat op en slaat zijn armen over elkaar.

Kara gaat op het trapje zitten. Ze is doodsbleek. 'Hier heb ik niet voor getekend.'

'Kara...'

'Ik weet zeker dat dit Hollingstone wél iets kan schelen, Fletch,' valt ze hem in de rede. 'Omdat het de rest van de wereld iets kan schelen. Deze meisjes staan in de spotlights, dus zal een schandaal heus wel boven water komen. Volgens mij ben je veel te ver gegaan.'

'En daarmee zijn we bij onze laatste eis beland.' Ik kijk even naar Nico. Nu zijn wíj hier de baas. 'Fletch moet weg. Laat Kara het maar doen. Maar dat mogen jullie allemaal uitleggen aan onze nieuwe grote vriend, meneer Holling-arone.' Ik gooi de telefoon naar Fletch en loop samen met Nico langs Kara heen.

'Maak je geen zorgen, we hebben nog meer dan genoeg kopietjes,' zegt Nico tevreden.

'Nog één vraag, dames,' zegt Kara. Ze zet haar bril af en wrijft in haar ogen.

'Ja?' antwoorden we bij de deur.

'Willen jullie een kamer of een appartement?'

Heel even kijken Nico en ik elkaar aan. 'Wat het beste uitkomt op film,' zeggen we tegelijkertijd.

DEEL 4

Het echte, échte leven

'Jesse, wacht even!' roept mijn moeder vanuit de woonka
mer. Ik heb mijn Gucci-tas van wit suède al in mijn hand.
Die heb ik aan het feest van XTV overgehouden, een herin-
nering aan hoe heerlijk rust en stilte kunnen zijn. Dan haal
ik mijn autosleutels tevoorschijn, klaar om de heerlijke zo-
merse juni-avond in te stappen. 'Wacht!' Met een fototoestel
in haar handen komt ze de trap af gerend, duwt me opzij en
schreeuwt naar mijn vader, die in de kelder zit. 'Mike, ze
gaat!'

Ik kijk de woonkamer rond. Mijn telefoon zit niet in de
zak van mijn korte broek; ik weet bijna zeker dat ik hem
nog had toen ik wat voor de tv zat te zappen.

'Is dat alles?' vraagt mijn moeder. Eindelijk komt mijn
vader uit de kelder tevoorschijn in zijn nieuwe sweater van
New York University.

'Hoe bedoel je, is dat alles?' vraag ik terwijl ik mijn telefoon tussen de kussens van de bank vandaan pluk. Gelukkig, niemand heeft me gebeld. Waarschijnlijk ben ik een van
de weinige achttienjarigen die daar blij mee is.

'Trek je niets anders aan?' Mijn moeder overhandigt mijn
vader de camera en slaat haar armen over elkaar. 'Is er straks
dan wel iemand die je haar in model brengt?'

'Ik zei toch dat ik een jurk van Nico kan lenen. Ik ga al-

leen maar omdat zij dat zo graag wil. Geen haar, geen nagels, geen gedoe. Het is helemaal niet zo speciaal…'

'Vanavond is je eindfeest!' Met grote ogen kijkt ze naar de
foto van zichzelf en mijn vader, met haar dat voor hun ogen
valt. Die foto staat in de boekenkast. Caribbean Carnival
Hampton High Prom 1985, staat er op het spandoek dat
boven hen hangt.

'Ja, deze keer gaat het anders,' zeg ik, terwijl ik mijn telefoon in mijn tas prop.

'Dat weet ik.' Ze zucht.

'Het spijt me, Jess.' Mijn vader slaat een arm om mijn
moeder heen. 'Wil je echt niet met Caitlyn gaan?'

'Ze heeft een echte date, en bovendien gaan we morgen
samen naar het strand. Echt, het is prima zo. Ik vind het
geen probleem om gewoon even langs te wippen. Maak je
geen zorgen.'

'Maar Jess, je weet niet wat je mist.'

Ik haal diep adem en pak mijn moeders hand vast. Dan
sleur ik haar mee naar de bank. Ondertussen bekijkt mijn
vader de camera. 'Goed, mam, je hebt gelijk. Ik zal nooit
weten hoe het is als de jongen die van me houdt, de vader van
mijn ongeboren kinderen…' We kijken opzij naar mijn vader,
die per ongeluk een foto van zijn vingers maakt. '…als die me
komt ophalen voor de meest romantische avond van mijn
korte leven.' Ik knijp even in haar hand. 'Maar volgend jaar
ga ik allemaal dingen meemaken die jij nooit hebt gekend.'

'En dat is heel fijn voor je. Dat hebben we altijd al gewild.'
Haar stem breekt. 'Maar nu ben je ineens…'

'Een halve beroemdheid? Ik weet het. Dat had ik ook
nooit gedacht. Maar ik mag gratis en voor niets naar een geweldige universiteit en ik blijf heel dicht bij jullie wonen.
Dat is het allemaal waard.' Al doet het pijn om te lang naar
die foto van mijn ouders te kijken. Steeds zie ik Drew voor
me, in een net pak.

'Dan geef ik je mijn fototoestel en kunnen jullie twee zelf foto's maken als jullie je hebben opgedoft,' zegt mijn vader. Hij loopt op me af en geeft me de Olympus-camera.

Ik prop hem in mijn tas. 'Goed dan, maar ik kan niet beloven dat ik ook onder een spandoek sta.'

'Ik heb al genoeg tekst om mijn dochter heen zien staan. Een boom of een bosje is ook goed.' Mijn moeder staat op en loopt met me mee naar de deur.

'Nou,' zeg ik terwijl ik de veiligheidsgordel losmaak. Van Nico mocht ik de Stella McCartney-avondjurk lenen die ze vorig jaar van haar vader heeft gekregen, op voorwaarde dat ik die jurk helemaal kapot zal maken. In brand steken mag ook.

'Ja?' De koplampen van de Lexus schijnen over het volle parkeerterrein van de countryclub. Dan trekt ze de sleuteltjes uit het contact en draait zich in haar rode Dolce-jurk naar me om.

'Dit had ik twaalf maanden geleden niet gedacht,' zeg ik. 'En twaalf schooljaren geleden al helemaal niet.'

'Wat had je niet gedacht?' Ze haalt een fles gekoelde champagne tevoorschijn die in een van de NYU-truien gewikkeld zit die we hebben gekregen in ruil voor onze educatie, en die we hebben moeten beloven heel vaak te dragen.

'Dat jij mijn date zou zijn.'

Ze opent het portier en kijkt me aan. 'Echt waar? Is dat het verrassendst?'

Lachend stap ik de zwoele buitenlucht in, waar een stel krekels voor een hoop lawaai zorgt.

'Mooi geparkeerd, hoor.' Ik kijk naar de bandensporen die ze over het gras van de golfbaan heeft gemaakt toen ze moest keren om op een veilige afstand van het gebouw te kunnen parkeren.

'Dank je.' Ze schudt haar haren uit en maakt er dan een

knot van met het elastiekje dat om haar pols zat. Vervolgens recht ze haar rug. 'Ik bedoel, mijn ex zit daarbinnen met een of andere nepactrice die al minstens dertig is...'

'Zij heeft het vast vreselijk naar haar zin. Haar hele leven heeft ze al uitgekeken naar dit moment.'

'En mijn voormalige beste vriendin is binnen met haar pr-mannetje.'

'Trisha kan veel tegelijk doen.'

'En ik ben niet bepaald de koningin van het bal.' Ze leunt achterover tegen de auto. 'Laat die schoenen ook maar zitten.' Ze schopt haar sandaaltjes een voor een het zand van een bunker in.

'Nico, die had je op eBay kunnen verkopen, samen met de rest van de troep. Voor je fonds,' zeg ik. Op dit moment gaat al haar geld op aan de huur van een kleine studio boven de wasserette, waar ze woont tot we naar de universiteit gaan.

'Je bedoelt mijn Vrijheid Van Paps-fonds?'

'We moeten er echt een afkorting voor verzinnen. VVP? En voortaan gooi je geen waardevolle spullen meer weg.'

'Maar mijn tenen zijn zo gelukkig.' Ze tilt de gevederde zoom van haar jurk een beetje op en danst in het rond op het jonge gras.

'Heb je soms al van de champagne gesnoept?'

'Ik ben dronken van geluk. Kom op.'

Ik houd me vast aan de auto en trek mijn hooggehakte schoenen van slangenleer uit. Met die in mijn hand loop ik naar haar toe.

'Heerlijk toch?' Ze houdt de fles tussen haar knieën.

'Jazeker.' Ik graaf met mijn tenen in het koele gras.

Knal!

De kurk vliegt van de fles af en we slaken een gilletje. De champagne vloeit schuimend over Nico's uitgestrekte armen. Ze neemt een enorme slok en overhandigt me de fles. Ik neem ook een slok en geef de fles weer terug. Zo gaan we even door terwijl we langzaam naar het gebouw met de witte zuilen sjokken.

'En, wat gaan we doen?' Ik veeg mijn mond af. 'Gaan we samen schuifelen?'

Ze neemt nog een slok en wijst dan met de fles naar de ramen, waar paars licht en een hoop gelach en muziek uit stromen. Nico blijft staan, vlak voor de plavuizen die om het zwembad heen liggen. Ze haalt diep adem. 'Daar ga ik niet naar binnen,' zegt ze. 'Ik ben er klaar mee.'

'We hebben een enorme multinational kleingekregen, dan kunnen we deze watjes ook best aan. Bovendien kunnen ze zich ons nauwelijks herinneren. Wanneer heb jij je laatste telefoontje gekregen?'

'Maandag. Jij?'

'Twee dagen geleden. Er zit vooruitgang in. Ik heb gehoord dat een van de tweelingzusjes Olsen hier een vakantiehuisje wil kopen. Misschien neemt ze een Jonas Brother met zich mee. Dan kan iedereen hen lastigvallen en kunnen wij rustig naar het strand. Nico, we kunnen het best. Gewoon naar binnen gaan en dansen.'

'Dat weet ik, maar...' Glimlachend ploft ze neer op een van de rieten stoelen op het terras. 'Het maakt me allemaal gewoon niets meer uit.'

Ik draai me om en kijk over het zwembad naar de enorme veranda en de grote ramen waarachter de massa mensen in satijn en zijde staat te dansen. Al die lichtjes, kleuren en bewegingen zijn duizelingwekkend, maar ook prachtig. Ik plof naast haar neer op een tweede stoel. 'Oké, ik wil alleen maar even hoi zeggen tegen Caitlyn, dan een foto maken voor mijn ouders, en verder maakt het me eigenlijk ook niets meer uit.' Dan zie ik Drew in pak bij zijn teamgenoten staan. De groep praat met elkaar en met hun dates, maar niemand zegt iets tegen Drew.

'Hij ziet er niet bepaald gelukkig uit,' zegt Nico. Ze staat op. Ze heeft gelijk. Met hangende schouders klooit hij een beetje met zijn telefoon.

'Is hij alleen?' vraag ik. 'Caitlyn had gehoord dat hij met iemand uit een lager jaar wilde gaan. Wat is er met haar gebeurd?'

'Buikgriep,' zegt iemand achter ons.

Onmiddellijk draaien we ons om en zien Caitlyn staan.

'Mijn God, wat ben je mooi!' Ik omhels haar.

'Dank je! Jullie zijn zo te zien ook gekleed voor actie.'

'Nou ja,' zeg ik. 'We hebben geen dates.'

'En geen vrienden,' zegt Nico. 'Behalve dan elkaar.'

'We hebben niks met ons haar gedaan,' leg ik uit. 'Maar verder hebben we wel even zitten tutten.'

'Is dit van XTV?' vraagt Caitlyn terwijl ze over mijn glanzende jurk strijkt.

'Nee, eigenlijk is die van mij.' Nico steekt de fles naar haar uit. 'Champagne?'

'Heerlijk.'

'En, hoe is het daarbinnen?' vraag ik zodra ze mij de fles geeft.

'Net als een gymles, maar dan met muziek. Volgens mij wordt Melanie de koningin van het bal. Iedereen die ik heb gesproken, heeft op haar gestemd.'

'Goed zo,' zegt Nico. 'Dat verdient ze. Ik stuur haar morgen wel bloemen, dan kan haar moeder ze door de wc spoelen. Dit moeten we vieren.'

'Mevrouw Dubviek spoelt ze vast niet door de plee,' zeg ik hoofdschuddend. 'Misschien stampt ze ze fijn om er crème van te maken. En, hoe is je date?' vraag ik terwijl ik Caitlyn een por geef.

'Een stuk minder leuk zonder drie biertjes op. Ik denk dat ik maar wacht tot we op NYU zijn.'

'Zo mag ik het horen!' Nico doet alsof ze het glas heft, en we juichen. 'Cheers!' Dan zwijgen we. Achter ons horen we een bekende melodie, en we blijven doodstil staan tot we er zeker van zijn dat dit is wat we denken dat het is.

Gillend springen we op zodra Pink begint te zingen. Dan pakken we elkaars handen vast en springen in een kringetje rond over het gras. '*I've got my rock moves!*' gillen we mee, met tranen van pret in onze ogen.

Wanneer het nummer is afgelopen, zijn we buiten adem. Nico pakt de fles op.

'Caitlyn, ga maar terug naar binnen,' zeg ik. 'Het gaat echt prima met ons.'

'Zeker weten?'

'Ja. Het is nog vroeg, wie weet heb je zo wél drie biertjes op. Iemand van ons moet toch lol maken.'

Ze knikt en loopt weg. Maar een paar tellen later draait ze zich weer om. 'Jess, Drew is niet blij. Kom mee en red hem.'

'Ik denk niet dat hij dat leuk vindt.'

'Jess, dit is het eindfeest.'

'Het eindfeest van iedereen behalve van ons,' zegt Nico, die weer is gaan zitten.

Caitlyn loopt op me af en pakt mijn hand vast. 'Het blijft je eindfeest. Dat hebben ze nog niet van je afgenomen.'

Ik kijk door het raam naar Drew. Als alles net iets anders was gelopen, had ik nu misschien wel naast hem gestaan en kon ik een foto van hem in zijn pak en mij in mijn baljurk boven de schoorsteen hangen, en zou ik mijn kinderen steeds weer moeten uitleggen dat onze kapsels toen heel stoer waren. Dan danst een stelletje voor hem langs en kan ik hem niet meer zien.

'Hé loser,' zegt Nico ineens achter ons. 'Met Nico.'

We draaien ons om en zien dat Nico met haar telefoon tegen haar oor wegloopt. 'Omdat ik schijt heb aan het feest. Ja, hallo, leuk je te spreken en zo.' Ze laat zich achterovervallen op een ligbed en steekt haar benen in de lucht. Haar gevederde jurk glijdt naar beneden tot aan haar kont. 'Luister eens, ik ben hier met een stel vriendinnen en we hebben besloten dat we ons eigen feestje gaan bouwen. Bij het zwembad, kom ook. En doe maar niet alsof je het zo leuk hebt op het feest.' Ze grijnst tevreden. 'Dank je, Drew. Geweldig. Tot over tien minuutjes.'

'Wat doe je?' gil ik als ze haar telefoon weer uitzet. 'Wat doet ze?' vraag ik aan Caitlyn.

'Ik doe je een plezier,' antwoordt Nico. Ze gooit haar oleu teltjes naar me toe.

Ik druk mijn handen tegen de lagen goudkleurige stof die over de metalen reling vallen en luister naar het concert dat de krekels bij het onlangs gebouwde zwembad houden. Ik kan nog steeds niet geloven dat de school ook echt een zwembad heeft gekregen. Aan de andere kant, ze hebben er vast een of twee advocaten tegenaan gegooid. Ik kijk op naar het licht dat op het plafond golvend wordt gereflecteerd. Wat doe ik hier eigenlijk?

Misschien komt hij niet eens opdagen. Of misschien ook wel.

Allebei even verschrikkelijk.

Maar dan hoor ik voetstappen over de tegels. Ik draai me om.

'Nico?' Zijn stem wordt weerkaatst door alle harde oppervlakken om het zwembad heen.

Ik slik en sta op. Drew heeft zijn blazer uitgetrokken, en zijn das hangt losjes om zijn nek. Zodra hij me ziet, blijft hij staan en er verschijnt een harde uitdrukking op zijn gezicht.

'Het was niet mijn idee,' zeg ik terwijl ik naar de startblokken loop, waar hij is blijven staan.

'Oké. Mag ik dan weer weg?' Hij stopt zijn handen in zijn zakken.

'Drew.'

'Wat is er, Jesse?'

'Het spijt me.'

Hij knikt. Golfjes van licht glijden langzaam over zijn gezicht met de op elkaar geknepen lippen.

'Is het nu allemaal voorbij?' vraag ik.

'Wat wil je dat ik zeg?'

Ik kom nog dichterbij. 'Ik wil dat je me vergeeft.'

'Jesse.' Hij zucht diep, strijkt met zijn handen door zijn haar en kijkt weg.

'Drew! Ik heb het allemaal echt niet van tevoren verzonnen. Ik heb fouten gemaakt, net als ieder ander mens. Alleen die van mij worden elke dag wel een paar keer op tv herhaald.'

'Je hebt gelogen!' zegt hij hoofdschuddend. 'Recht in mijn gezicht.'

'Ik wist niet wat ik anders moest doen! Zodra je wist dat ik misschien iets met hem had gedaan…'

'Dat je écht iets met hem had gedaan.'

'Ja, nou, het leek alsof je me haatte. Alsof ik voorgoed was verpest of zo.'

'Hij is gewoon zo'n eikel, Jesse. Ik snap niet hoe je…'

'Lag het aan Jase, of zou je je ook zo voelen bij iedere andere jongen?'

Hij staart me aan en zegt dan, nauwelijks hoorbaar boven het gezoem van het waterfilter: 'Bij iedereen.'

Dat was het goede antwoord. Ik zet nog een stapje naar voren. 'Waarom dééd je dan niets?'

'Dat heb ik wel geprobeerd. Maar er zat altijd wel een of ander plannetje van Fletch in de weg.'

'Nou.' Ik kijk hem aan. 'Nu niet meer.'

Hij slaat zijn armen over elkaar. 'Er is gewoon te veel gebeurd.'

Ik bijt op mijn lip. Dit mag niet. Dit kan ik niet accepteren. 'Oké. Goed, dan beginnen we opnieuw.'

'Hoe bedoel je?'

Met kloppend hart loop ik naar de rand van het zwembad. 'Wat doe je?'

'Een schone lei. Hier in het door XTV betaalde water. Ik spring erin en spoel de afgelopen vijf maanden van me af. En zodra ik weer boven ben, verwacht ik dat je bij een hoopje sneeuw staat en me vraagt of ik een muffin voor je heb, omdat we dit samen allemaal wel aankunnen.'

'Je bent gestoord.'

'Misschien wel. Maar als jij de sprong niet durft te nemen, is het allemaal je eigen schuld.' Ik draai me om en kijk nog even naar de maan die in het raam wordt gereflecteerd. Dan adem ik diep in en spring. Meteen zink ik naar de bodem. Mijn natte jurk voelt zwaar en het is doodstil om me heen.

En ik ben alleen.

Ik blijf onder water totdat ik écht niet meer kan en kom dan boven. Zodra ik happend naar adem het water uit mijn prikkende ogen heb geveegd, kijk ik naar de kant, waar Drew nog steeds staat. Hij heeft zijn handen in zijn zij gezet en kijkt op me neer.

Ik draai me om in het koude water en zwem naar de andere kant van het zwembad. Ik wil hier zo snel mogelijk weg. Met een hand op de tegels kijk ik om. Hij staat nog steeds naar me te kijken.

'Vind je het soms grappig?' roep ik terwijl het water van mijn gezicht drupt. 'Helaas is het nu afgelopen. De samenvatting staat vast wel ergens online, als je daar behoefte aan hebt. Ik vind je leuk en jij vond mij ook leuk, totdat alles werd verpest. Prima.' Ik probeer mezelf uit het water te hijsen, maar het lukt niet. Het water is te koud, mijn jurk is te zwaar en mijn hart is gebroken. 'Dus... ga weg. Laat me verdomme voor een keertje iets doen zonder dat iedereen meekijkt.' Maar hij blijft staan. 'Alsjeblieft?' smeek ik. De tranen stromen over mijn wangen.

En dan springt hij in het water.

O God. Betekent dat... Is hij... Ik zwem weer terug in die aan mijn benen plakkende jurk om te zien waar hij bovenkomt.

Maar dat was niet nodig. Vlak voor mijn neus, met zijn armen om me heen, komt hij boven. Hij kust me. 'Zo,' zegt hij uiteindelijk. We zwemmen terug naar de rand, waar hij me tegen de wand drukt.

'Zo,' zeg ik glimlachend. Ineens heb ik het een stuk warmer.

'Zijn er verder geen verrassingen? Geen geheime afleve ringen waarin je in Las Vegas met Jase stiekem in het huwelijk treedt? En dan in de Playboy Mansion gaat feesten?' Hij drukt zijn voorhoofd tegen het mijne.

'Alleen in het hoofd van Jase. Beloofd.'

'En nu gaan de drie musketiers naar NYU, hoor ik? *Het echte Washington Square Park*?' Hij kust me in mijn hals.

'Jazeker,' antwoord ik. 'In samenwerking met alle glamour van zwervers en drugsverslaafden die XTV zich maar kan wensen.' Ik leg mijn handen rond zijn knappe gezicht. 'Weet je zeker dat je een vriendinnetje wilt dat het onderwerp van zoveel blogs is?'

'Ik heb ook blogs,' zegt hij trots. Hij maakt zich los, zwemt een eindje weg en blijft watertrappen. 'Een meisje van negen uit Missoula vindt dat ik president moet worden.'

'Aha, dus je wilt zeggen dat ik concurrentie heb?' Ik zwem in een kringetje om hem heen.

'Denk je dat je dat aankunt?' Hij pakt me vast bij mijn middel.

'Dat weet ik nog niet. Ik ben heel jaloers ingesteld,' zeg ik, terwijl ik word meegesleurd naar de rand.

'Daar moet je echt iets aan doen. Ik geloof niet in jaloezie.' Dan laat hij me los, legt zijn arm op de tegeltjes en kijkt omhoog naar het plafond.

'En waar geloof je dan wel in?'
'Hierin.' En dan, eindelijk, omhelzen we elkaar.
Dit is het beste eindfeest ooit.